СЕРИЯ «ШАРМ»

БОББИ СМИТ

Обманщица

МОСКВА
1998

ББК 84 (7США)
С50

Серия основана в 1994 году

Bobbi Smith
LADY DECEPTION
1996

Перевод с английского Е.Ф. Левиной

В оформлении обложки использована работа, предоставленная агентством Fort Ross Inc., New York.

Печатается с разрешения издательства
Dorchester Publishing Co., Inc.
c/o RIGHTS UNLIMITED, INC.
и "Права и переводы" (Москва).

Смит Б.

С50 Обманщица: Роман/Пер. с англ. Е.Ф. Левиной. – М.: ООО "Фирма "Издательство АСТ", 1998. – 544 с. – (Шарм).

ISBN 5-237-01031-8

У красавицы Коди Джеймсон была профессия, несколько необычная для женщины Дикого Запада, – охотница за вознаграждениями. Более того, все признавали ее одной из лучших – самых отчаянных, самых безжалостных. Выследить и арестовать человека по имени Люк Мейджорс – таково ее очередное задание, которое будет хорошо оплачено. Но влюбиться в беглого преступника и осознать, что любит, – нет, такого с Коди еще не случалось. Надо выбирать – пригоршня долларов или счастье, закон – или страсть?..

Глава 1

Эль-Сьело, территория Аризона
1877 год

В переполненном прокуренном салуне «Последний шанс» царило шумное веселье. Ковбои не жалели денег на выпивку. За столами шла азартная игра. Самым удачливым игрокам бросали жаркие взгляды салунные красотки, соблазняя их якобы случайно открывающимся видом стройных ног и пышных грудей.

Поглядывая, чтобы стаканы не пустели, Джо, хозяин салуна, ломал себе голову, куда подевалась новенькая, девица по имени Далила. Чуть раньше, завидев ее на лестнице, ведущей на второй этаж, он вновь порадовался, что нанял ее. Таких красавиц не часто встретишь. А сегодня, в облегающем изумрудном платье, с этой шикарной высокой прической, она была просто великолепна. И похоже, не он один так считает.

На мгновение Джо подумал, что, может, нашелся счастливец ковбой, который увел прелестную Далилу наверх, но тут же усомнился в этом. За две недели, что она работает здесь, никто не смог добиться ее благосклонности. Но Джо это было на руку. Мужчины буквально роились вокруг нее, как всегда мечтая заполучить то, что не дается в руки.

Такова человеческая природа...

Что ж, куда бы она там ни исчезла, Джо надеялся, что это ненадолго. У ковбоев сегодня был платежный день, а значит, в «Последнем шансе» наступала самая бурная ночь месяца.

Далила находилась гораздо ближе, чем Джо подозревал. Она устроилась за столиком в дальнем углу салуна. Одна. Взгляд ее был устремлен на входную дверь.

— Далила! — закричала Кэнди, разглядев ее в тени. Грудастая блондинка сидела сразу с двумя ковбоями, пытаясь осчастливить обоих. — Иди к нам, дорогуша!

— Погодя, — отозвалась Далила, неотрывно глядя на вход.

— Да ладно тебе, дорогуша, иди скорей.

— Сегодня не могу. Я жду кое-кого.

Услышав отказ, ковбои заметно приуныли. Кэнди захихикала, обняла покрепче обоих:

— Не переживайте ребята. Я и сама справлюсь. — Она медленно провела руками по груди каждого и, задержав пальцы на пряжках их брючных ремней, стала многозначительно ими поигрывать.

Ковбои перестали есть глазами Далилу и занялись более доступной бабенкой.

Далила перевела дыхание. Слава Богу, они отвязались! Сегодня вечером у нее не было времени заигрывать с парнями. Если бы Джо узнал, что она замышляет, он бы очень расстроился. Впрочем, сейчас ей на это было наплевать. Сегодня наконец-то он должен появиться в «Последнем шансе». Сегодня он будет здесь!

Обычно Далила не пила. Не любила она затуманивать мозги во время работы. Но сейчас это было необходимо, или она тут просто с ума сойдет от ожидания. Поднеся к губам стаканчик с бурбоном, она сделала хороший глоток. Жидкость обожгла ей горло, и она, поморщившись, удивилась про себя, что мужчины находят в этой гадости. А затем продолжила свое бдение.

«Если есть Бог на свете, — мысленно взмолилась она, — пусть поскорее появится здесь Хэнк Эндрюс!»

Нервы ее были на пределе. Она задумчиво поглядела на стаканчик, потянулась было к нему, но остановила себя. После первого глотка и вправду перестали дрожать руки, но от двух она может чересчур расслабиться. Если так пойдет дальше, то, когда Эндрюс придет, она не сможет даже встать из-за стола.

Наконец это произошло. Двери салуна распахнулись, и внутрь шагнул мужчина. Хэнк Эндрюс!

Далила узнала бы Эндрюса где угодно. Он был высокий и широкоплечий. Темные волосы. Большие висячие усы придавали ему зловещий вид. Пистолет низко висел у него на бедре, двигался он легко, чуть вразвалочку. Далила завороженно смотрела, как он пробирается сквозь толпу к стойке бара.

Далила ликовала. Наконец-то! Казалось, она целую вечность ждала этой минуты. Теперь Хэнк Эндрюс в ее руках.

Медленно, зазывно покачивая бедрами, она поднялась из-за столика. Расправив плечи, она опустила глаза на свое декольте, проверяя, достаточно ли глубок вырез, чтобы приоткрыть ее груди и ложбинку между ними. Перед такой соблазнительной картиной не устоит ни один мужчина. Это она знала точно.

Захватив с собою стакан, она направилась к Хэнку Эндрюсу, мужчине своей мечты. Движения ее были чувственны и призывны. Глаза светились желанием, а губы приоткрылись для поцелуя. Хищница, горячая и опасная, шла сейчас к бару.

Ее сразу заметили. Игра за столами остановилась, разговоры оборвались на полуслове. Мужчины оторвались от своих дам и глядели ей вслед. Весь салун наблюдал за ее продвижением к бару.

Эндрюс, ничего не подозревая, стоял у стойки. Он заказал у Джо пива, небрежно кинул хозяину монету и, поднеся кружку к губам, сделал глубокий глоток. И тут же выплеснул пиво на пол. Выругался, грохнул кружкой об стойку, расплескав пиво.

— Оно теплое! — прорычал Эндрюс.

— Как и все в это время года, — пожал плечами Джо.

— Я хочу пить пиво холодным!

— У меня самое холодное в городе. Лучше не найти.

— Ты что, не слышишь? — взвился Хэнк.

— Слышу, слышу, но сейчас, знаешь ли, не январь. Ничем не могу помочь, приятель. Пей или уходи. Мне все равно. — Джо равнодушно отвернулся. Каждый вечер он выслушивал бессчетное количество жалоб и давно уже перестал спорить с посетителями.

Однако Эндрюсу не понравилось, что на него не обращают внимания. Рука его уже скользнула к бедру, когда нежный голосок промурлыкал у него за спиной:

— Может, свое пиво вы и любите холодным, мистер, а вот как насчет женщин? Какими вы их любите? Холодными или... — выдержав короткую, но недвусмысленную паузу, голос докончил фразу, — или все-таки горячими?

Последнее слово было произнесено со страстным придыханием. У Эндрюса перехватило дыхание от явного приглашения, звучавшего в голосе женщины. Он повернулся. Перед ним стояла, несомненно, самая красивая женщина в мире. Рыжеволосая, зеленоглазая, с высокой соблазнительно выставленной на всеобщее обозрение грудью... Переспать с ней — мечта любого мужчины.

Эндрюс забыл о споре с хозяином салуна, пожирая глазами стоявшую перед ним красотку.

— Женщин своих я люблю горячими, — ответил он. Жар прилил к его чреслам, когда он представил себя с ней наверху.

— Я надеялась, что вы так и скажете, — проговорила с придыханием Далила, помедлила, посмотрела ему прямо в глаза и провела язычком по нижней губе, — потому что я вся горю.

Он захохотал, обвил рукой ее тонкую талию и притянул Далилу к себе.

— По-моему, милашка, ты именно то, что мне сегодня нужно.

— О да! Я именно то, что нужно. — И она, томно вздохнув, прильнула всем телом к нему.

Эндрюс не знал, почему фортуна решила улыбнуться ему, но выяснять это не собирался. Самая красивая девушка этого салуна готова провести с ним ночь, и он не сваляет дурака. Давно у него не было возможности расслабиться и по-настоящему насладиться женщиной.

— Пойдем. — Он потянул ее за собой.

Далила улыбнулась ему своей самой обольстительной улыбкой.

— А ты не хочешь сначала допить свое пиво?..

— Единственное, чего я сейчас хочу, это тебя. Как твое имя, милашка?

— Далила.

— Это имя тебе подходит. Первая Далила, библейская, была соблазнительницей, заставлявшей мужчин забыть об всем.

— Интересно: а я смогу заставить тебя забыть обо всем? — Она обвила его за шею и подняла глаза. Невинные-невинные.

— Уж поверь, — произнес он охрипшим голосом, в то время как руки шарили по ее телу.

Далила позволила ему на миг эту вольность, а затем игриво отпрянула, но лишь настолько, чтобы он мог легко дотянуться.

— А как зовут тебя, мистер?

— Меня зовут Хэнк, и сегодня мы с тобой отлично проведем время. — Он сгреб ее в объятия и жадно поцеловал. — Пойдем, устроим себе вечеринку для двоих. — И, не отпуская ее, он двинулся по лестнице наверх.

— Когда я увидела тебя, то с ходу поняла, что ты именно тот, кого я ждала... мужчина, которого я хочу.

— Тут ты не ошиблась, детка.

Далила провела его наверх, в самый конец коридора, где находилась ее комната. Когда они проходили мимо некоторых дверей, звуки, раздававшиеся за ними, говорили, что наверх они поднялись отнюдь не первые.

— Вот и пришли, — сказала она, отпирая замок.

Хэнк первым вошел в распахнутую дверь и, еле дождавшись, когда она задвинет засов, накинулся на нее и стал бурно целовать.

Далила умело разжигала его страсть. Ее пальцы торопливо расстегивали на нем рубашку. Ей хотелось, чтобы он поскорее разделся и очутился в кровати. Она так долго этого ждала! Чересчур долго!

— А ты горячка. Это точно! — бормотал Хэнк, помогая ей стаскивать с себя рубашку.

— Я тебя хочу. Мне кажется, я ждала тебя вечность. — Она отшвырнула рубашку и пробежалась пальчиками по его широкой груди. — Ты ведь тоже хочешь меня? Разве нет?

— Можешь пари держать, крошка. Ну-ка, поди сюда... — Он потянулся к ней, но Далила попятилась от него к постели.

— Нет. Не сразу. — Она улыбнулась, не разжимая губ. — Ты уже здесь. Сейчас ты будешь там, где я хотела тебя видеть. — Она уселась на кровать и приглашающе похлопала по ней.

Хэнк застонал от переполнявшей его страсти. Он бросился к кровати, на ходу снимая пояс с пистолетом и пытаясь избавиться от брюк. Непослушными пальцами он с трудом расстегнул пряжку брючного ремня.

Далила с улыбкой наблюдала за его усилиями и чарующим смехом встретила его успех.

Одетый лишь в нижнее белье, он приблизился к ней и толкнул, укладывая на постель.

— Да, черт возьми, — произнес он голосом, осипшим от желания.

В своем нетерпении он был груб, его руки елозили по ее телу, хватая, сжимая, ощупывая каждую частичку. Но когда он попытался расстегнуть на ней платье, она выскользнула из-под него и спрыгнула с постели.

— Что за штучки? — раздраженно сказал он. Ему вовсе не хотелось играть в какие-то дурацкие игры. У него давно не было женщины, и сейчас ему нужно только одно: ее жаркое тело под собой.

— Лежи, дорогуша, — ответила она, улыбаясь. — Я буду красиво раздеваться для тебя. Я хочу, чтобы ты наблюдал за этим. Я хочу сделать эту ночь особой, необыкновенной... для нас обоих... Я хочу, чтобы мы оба запомнили ее навсегда.

Глаза Хэнка загорелись, когда Далила, чувственно качая бедрами, подошла к постели. Сначала она сняла туфли. Затем подняла ножку и поставила ее на матрас. Медленно, вызывающе спустила по ноге один чулок и отбросила прочь, затем другой.

Хэнк чуть не сорвался с постели. Ему хотелось погладить эти стройные ножки, прижать к себе... найти тайный жар, скрывавшийся под ее юбками. Он начал было подниматься на локте, но она остановила его.

— О нет, Хэнк... Мы будем все делать медленно и плавно.

— Но...

— Ты что, торопишься куда-то? У тебя есть кто-то еще? Кого ты хочешь больше меня? — Она резко выпрямилась и сделала шаг назад, словно хотела уйти.

— Нет, что ты, крошка, никого я не хочу больше тебя. — Он опустился на кровать.

Далила торжествующе рассмеялась:

— Я тоже.

Она выгнулась и расстегнула платье. Потом передернула плечами, и платье спало с нее. Когда оно застряло на бедрах, Далила немного поизвивалась, и шелковистая ткань сползла на пол к ее ногам. Она стояла перед ним, одетая лишь в причудливый лиф и корсет.

Хэнк и так уже пылал, как костер, а теперь от этого дразнящего зрелища у него в голове помутилось. Голодным взглядом пожирал он ее полуобнаженное тело. От жгучего желания бурлила кровь, стучало в висках. Он потянулся к Далиле.

— Нет, нет. Оставайся на месте. Я еще не готова...

— Не терзай меня, крошка.

Она снова засмеялась:

— Мы еще даже не начали.

Повернувшись к комоду, она достала что-то из верхнего ящика. Оглянулась, послала ему взгляд, лукавый и дразнящий, и сказала:

— По-моему, тебе будет приятно побыть немного в моей власти. В конце концов, ты и так мой на целую ночь.

Хэнк ошеломленно смотрел, как она шла к нему, позванивая двумя парами наручников.

— Ну ты и дикая штучка, — выдохнул он.

Она рассмеялась тихо и нежно.

— О, ты и не представляешь, насколько ты прав. Ручаюсь, что такой ночи у тебя больше не будет. До самой смерти.

Эта рыжая кошечка возбуждала его, как не удавалось до того ни одной шлюхе.

Далила забралась на кровать и оседлала его, прижалась к голой груди. Когда он попытался притянуть ее вниз, она шлепнула его по рукам:

— Не спеши. Я хочу, чтобы эта ночь тебе запомнилась, — промурлыкала она и, поцеловав, добавила: — Чем дольше ждешь, тем больше удовольствие.

— Ты сумасшедшая, — пробормотал Хэнк, когда между поцелуями она приковала его левую руку к металлической спинке кровати.

— А-а, но сумасшествие может быть очень возбуждающим. Как ты считаешь? Что ты почувствуешь, оказавшись в полной моей власти? Когда я смогу делать с тобой все, что захочу, а ты не сможешь мне противиться?

Слова ее действовали гипнотически, завораживали. Жар и запах ее тела, картины, возникавшие в его мозгу при ее поцелуях, приводили Хэнка в состояние невероятного возбуждения. Он готов был взорваться.

— Не могу устоять перед тобой, крошка. Какие еще сюрпризики ты мне готовишь?

— Более интересные, чем ты можешь себе вообразить, — рассмеялась она и в один миг приковала к кровати его правую руку.

Теперь Хэнк был распят на кровати. Он задергался в оковах, но Далила быстро отвлекла его поцелуями, и через мгновение он забыл обо всем, кроме волнующей полуобнаженной женщины, ласкающей его тело, и ее плотоядной улыбки.

— Мне нравится твоя улыбка, женщина. — От жгучей страсти темнело в глазах, заплетался язык. Голова кружилась, мышцы готовы были лопнуть от напряжения.

Такого с ним никогда не было. Ее игра увлекла и захватила его. Он был целиком во власти ее чар. Каждое ее движение, каждый взгляд обещали неземное блаженство. Как же ему повезло, что он решил заглянуть в этот салун!

Далила спрыгнула с кровати, и Хэнк ждал, что она сейчас разденется совсем. Но вместо этого она подошла к окну и открыла его. Он нахмурился:

— Что это ты делаешь?

— По-моему, здесь стало слишком жарко, — проворковала она и, перегнувшись через подоконник, тихо позвала: — Крадущийся-в-Ночи!

Впервые Хэнк почувствовал, что происходит что-то неладное. Он беспомощно наблюдал, как она, обойдя кровать, подняла с пола свое платье и снова скользнула в него.

— Эй-эй! Что происходит? Я думал, игра только начинается.

— Да нет. Она уже закончилась.

— Какого черта? Ты что это задумала? Кого ты там позвала? — Маска дикой похоти слетела с его лица. Он смертельно побледнел, рванулся изо всех сил. — Слушай ты, шлюшка...

— Я не шлюха, мистер Эндрюс. Я — Коди Джеймсон.

— Коди Джеймсон? — Хэнк захлебнулся словами, бессильно задергался в оковах. Он слышал о знаменитом охотнике за преступниками, за которых назначено вознаграждение, по имени Коди Джеймсон. Но он и предположить не мог, что это женщина.

— Вот именно, и вы отправляетесь со мной. Боюсь, нам надо торопиться, так что ласки, которые я обещала, придется отменить. Вас разыскивают за убийство в Техасе. Я везу вас туда.

Глава 2

Поездка из Галвестона в Остин оказалась долгой и утомительной, так что, подъезжая к гостинице, Люк Мейджорс мечтал только о горячей ванне, вкусной еде и хорошем виски. Не желая привлекать к себе внимания, он зарегистрировался под своим первым именем — Лукас. Слишком уж прогремела повсюду его несчастная слава быстрого стрелка. Между тем меньше всего на свете он сейчас хотел неприятностей.

Приняв ванну, Люк спустился вниз пообедать, намеренно оставив пистолет в комнате. В этот вечер ему хотелось побыть обычным горожанином, одним из многих. Он поел в ресторанчике при гостинице и направился через улицу в салун «Одинокая звезда» чего-нибудь выпить.

Несмотря на будний день, в салуне было довольно много народа. Люк вошел и, остановившись сразу за порогом, быстро огляделся. Посетители выпивали и играли в карты. На него никто даже не посмотрел. Люк вздохнул с облегчением. Похоже, здесь его никто не знал.

— Виски, — бросил он, подойдя к стойке бара.

— Впервые в нашем городе? — поинтересовался бармен, ставя перед ним стакан.

— Да.

— Откуда вы?

— Отовсюду понемногу, — пожал плечами Люк и выложил на стойку несколько монет.

— Приятного вечера. — Бармен чувствовал, когда не стоит задавать вопросов, и оставил мрачного незнакомца в покое.

Люк облокотился на стойку, с удовольствием сделал большой глоток. Виски было не первый сорт, но годилось. Он лениво разглядывал картину, висевшую на почетном месте над баром: раскинувшаяся на кушетке полуобнаженная женщина. Местные девицы уже несколько раз подходили к нему, но он отсылал их прочь. За несколькими столами шла игра в покер, но сегодня ему не хотелось играть. Ему повезло тогда в Галвестоне, он выиграл по-крупному, и у него хватило ума на этом закончить игру. Да, тогда он вовремя вышел из игры. Та ночь в Галвестоне, когда он выиграл ранчо, положила конец его прошлой жизни. Теперь он скотовод, а не наемный стрелок.

Он допил первую порцию виски, и бармен тут же налил ему следующую. Он выпил и ее и почувствовал, как спадает с плеч страшный груз его лихой жизни. В душе затеплилась надежда. Может быть, жизнь еще наладится?

В другом конце комнаты рейнджер Джек Логан поднял глаза от карт. Заметив мужчину у стойки бара, он нахмурился. Было в нем что-то очень знакомое, и Джек подумал: неужели это...

— Джек, очнись. — Другой игрок, тоже рейнджер, нетерпеливо барабанил по столу. — Твой ход.

Джек поглядел на свои жалкие карты и с отвращением бросил их на стол.

— Я пас.

Он встал и направился к бару, к человеку, которого вроде бы узнал. Он разглядывал его осанку, разворот плеч... Да, это, несомненно, должен быть Люк Мейджорс. Джек понятия не имел, каким ветром занесло его в этот дешевый салун, но был страшно этому рад. Как долго мечтал он об этой встрече!

— По-моему, приятель, я тебя знаю. — Джек остановился в нескольких шагах от незнакомца.

При звуке низкого мужского голоса Люк весь напрягся. Не первый раз доводилось ему слышать эти слова, и Люк прекрасно понимал скрытую в них угрозу. Этот голос показался знакомым, и поэтому он встревожился еще больше. Подошедший был определенно из его прошлого... Люк вдруг очень пожалел, что не взял с собой оружия.

— Я только что приехал в этот город, — сказал Люк.

Он осторожно поставил стакан и, разведя руки в стороны, стараясь не делать резких движений, медленно обернулся. Ему не хотелось, чтобы стоящий за его спиной мужчина принял его действия за попытку выхватить пистолет.

— Я так и думал.

Теперь Люк взглянул на мужчину. Высокий, худой, темноволосый. Он излучал силу и власть, и пистолет висел у него на бедре так, словно он с ним родился. Взгляд темных глаз напряженный и пронзительный. И не поймешь, что светится в них: угроза, насмешка или...

Внезапно незнакомец, про которого Люк было решил, что тот собирается его убить... широко улыбнулся:

— Какого черта ты делаешь в Остине, Люк?

— Джек?! — Люк ошеломленно уставился на друга, которого не видел с войны. — Не могу поверить!

— Я тоже!

Они начали трясти друг другу руки и с восторгом хлопать по спине.

Вокруг них остальные присутствовавшие в салуне мужчины испустили вздох облегчения. Какое-то мгновение всем казалось, что случится нечто весьма неприятное.

Джек взял в баре виски и устроился с Люком в тихом уголке за столиком. Им обоим не терпелось узнать, что каждый делал последние несколько лет. Они были друзьями с детства, с Джорджии. Джек вырос на плантации Ривервуд, соседняя с ней — Белгроув — принадлежала семье Мейджорс. Они потеряли связь во время войны, а к тому времени как Люк вернулся домой, Логаны уже уехали далеко.

— Последнее, что мне рассказали о тебе соседи, это что ты перебрался в Техас. — Люк продолжал улыбаться, радуясь нежданной встрече.

— Да, я теперь здесь, — кивнул Джек. — В Ривервуде ничего не сохранилось. Солдаты Шермана все сожгли. А потом я узнал, что отца нет в живых. — Он на секунду замолчал. — Из всей родни уцелели только моя мать, сестра Элли и ее муж Чарльз. Мы собрали немногие оставшиеся пожитки и уехали. Поселились неподалеку от Галвестона. Элли со своей семьей до сих пор там, а мама несколько лет назад умерла.

— Мне очень жаль, — искренне сказал Люк. Он всегда любил и уважал миссис Логан.

— Мне тоже. Я зову жилище Элли и Чарльза домом... когда оказываюсь поблизости, но сейчас это бывает нечасто. Я теперь рейнджер. А как насчет тебя? Что произошло с тобой после войны? Мы заезжали в Белгроув и видели, что дом еще стоит. Я говорил с Клариссой, мне было очень грустно услышать о твоей матери.

Воспоминания о том навсегда ушедшем времени нахлынули на Люка. Он сделал большой глоток виски, взглянул исподлобья на друга.

— Брат и отец так и не вернулись с войны.

Они обменялись понимающими взглядами. Оба воевали и не раз видели смерть.

— А как это вышло с Белгроув и Клариссой?

— Когда я вернулся, плантация уже была продана, а Кларисса вышла замуж за человека, который ее купил. Когда-то она сказала мне, что ее мечта — стать хозяйкой Белгроув. Что ж, ее мечта сбылась.

Джек покачал головой. А он-то всегда считал, что Кларисса любила Люка и собиралась его ждать. Они обручились перед его уходом на войну и казались такой счастливой парой.

— Что она сказала тебе, когда ты вернулся?

— Что она могла сказать? — с горечью промолвил Люк. — Все было кончено.

Ее предательство стало последним ударом, обрубившим его связи с родиной, с домом. После этого он покинул Джорджию и больше никогда туда не возвращался.

— Чем же ты занимался с тех пор? — спросил Джек, отвлекая Люка от мрачных мыслей. — Это правда, что я о тебе слышал?

— Это зависит от того, что именно ты слышал, — уклончиво отозвался Люк.

— Говорят, что ты ловкий стрелок... по-настоящему ловкий.

— Меня нигде не разыскивают, если тебя интересует это.

— Я спрашивал не об этом, но счастлив, что это так. Мне тошно от одной мысли, что придется когда-нибудь тебя ловить. — Джек радостно улыбнулся, сел посвободнее и отхлебнул еще виски.

— Это было бы забавно. — Люк тоже улыбнулся. В юности они часто устраивали соревнования по стрельбе, и оба гордились своей меткостью. — Но можешь больше не тревожиться о моей репутации. Теперь это все в прошлом.

— Ты уверен? — Джек знал, как бывает трудно тем, кто зарабатывал себе на жизнь пистолетом, расстаться с этим занятием.

— Во время игры в покер в Галвестоне я выиграл ранчо и теперь направляюсь туда, чтобы обосноваться насовсем. — Он рассказал другу, что знал об этой собственности, хотя и рассказывать-то было нечего. Ранчо располагалось неподалеку от городка Дель-Фуэго, там было сколько-то голов скота и несколько лошадей. — Может, в сущности, это и не много, но принадлежит мне.

Джек поднял стакан виски, салютуя:

— Я рад, что удача повернулась к тебе лицом. За твое будущее. Как называется это место?

— Я назвал его «Троица», потому что именно так выиграл его в покер: тремя тройками.

Джек восхищенно посмотрел на него:

— Да, видно это была игра так игра!

— Так и было, но оно того стоило. Теперь «Троица» — мой дом, и там я собираюсь осесть.

— Но ты же еще не видел ранчо.

— Не имеет значения. Оно теперь мое и навсегда моим и останется.

Джек услышал в голосе Люка знакомые упрямые нотки. Значит, он будет стоять на своем до конца. Джек восхищался мужеством друга. Трудно бывает уйти от своего прошлого. Но если есть люди, способные это сделать, то Люк, безусловно, один из них.

Они проговорили далеко за полночь, вспоминая о временах более добрых и благосклонных к ним, чем нынешние. Тогда все было по-другому, да и они были другими. Оба понимали, что прошлого не вернуть.

Было уже очень поздно, когда они наконец разошлись. Джеку надо было рано выезжать. Он с другими рейнджерами отправлялся в Вако на сборы. Перед расставанием они пообещали не терять друг друга из виду. Оба надеялись, что так и будет.

Проспав несколько часов, Люк поднялся и снова отправился в путь. Он спешил добраться до Дель-Фуэго. С каждой милей его все больше охватывало радостное возбуждение. Этот край напомнил ему Джорджию. Такие же бескрайние луга и черная плодородная земля. Если человек не боится работы, он здесь быстро разбогатеет.

Желание поскорее увидеть ранчо нарастало с каждым часом. Люк старался притушить его: слишком много разочарований пришлось ему испытать в прошлом. Но когда он добрался до неглубокой речушки, обозначавшей восточную границу его новообретенных владений, он не смог его сдержать.

Вокруг, насколько мог охватить глаз, простирались его владения: холмы, поросшие мескитовыми деревьями, и луга с высокой изумрудной травой.

Люк пришпорил коня и поскакал вниз по дороге, ведущей к дому. Проехав чуть больше мили, он завернул за очередной холм и наконец увидел свой долгожданный приз: бывшее ранчо Джексона, ныне его «Троицу».

Оно было в точности таким, как описал его проигравшийся игрок Джордж Джексон, передавая Люку документы на владение. Все было на месте: дом, несколько сараев, корали и какой-то скот. Однако наемного работника Джесса, который, по словам Джексона, помогал ему вести хозяйство, нигде не было видно.

Люк остановился перед домом и нетерпеливо спрыгнул с седла. Привязав лошадь, он подошел поближе и, уперев руки в бока, стал разглядывать свое новое жилище. Дом был маленьким, в четыре или пять комнат, с крытым крыльцом, очень запущенный. Тут явно был нужен ремонт. Люк шагнул к крыльцу, но замер, услышав угрожающий бас:

— Не шевелись, мистер.

Люк обернулся. Прямо в глаза ему смотрело дуло ружья. Ружье это держал высокий седовласый мужчина, и держал очень уверенно.

— Добрый день, — сердечно приветствовал его Люк.

— Может, добрый, а может, и нет. Что ты здесь делаешь? Чего тебе надо?

— Ты Джесс?

— Он самый.

— Джордж Джексон рассказал мне о тебе. Я Люк Мейджорс, новый хозяин ранчо. Я выиграл его у Джексона в покер в Галвестоне. Документ на владение у меня в седельной сумке. Пожалуйста, можешь убедиться. — Не сходя с места, он кивнул в сторону своего коня. Если Джесс нажмет на курок, ему просто снесет голову.

— Достань его. — Джесс повел ружьем в сторону коня.

Люк вытащил документ и передал Джессу. Тот прочитал и медленно опустил ружье.

— Этот парень был и остался круглым дураком. — Он с уважением посмотрел на Люка. — Простите за ружье, в этих краях надо быть осторожным. — Он наконец улыбнулся и протянул руку: — Я Джесс Харди. Работаю здесь с семьдесят третьего года, когда мистер Джексон нанял меня.

— Рад с тобой познакомиться, Джесс. — Люку понравились его крепкое, уверенное рукопожатие и его взгляд — прямой и честный. Похоже, они найдут общий язык.

— Полагаю, это значит, что вы мой новый хозяин. Пойдемте, я покажу вам все вокруг.

— Спасибо.

Спустя полчаса Люк стоял с Джессом около кораля и наблюдал за доставшимися ему лошадьми. Джесс показал ему его теперешнее достояние: двадцать лошадей и около двухсот голов скота.

— Останетесь работать на меня? — спросил Люк.

— Да, хотелось бы, — с явным облегчением отозвался Джесс. Несомненно, с этим новым хозяином дела пойдут в гору. Люк Мейджорс выглядел куда умнее этого недотепы Джексона. Возможно, он сможет сделать ранчо процветающим.

— Отлично. Еще одно. — Джесс с любопытством поглядел на него, и Люк продолжил: — Я меняю название этого ранчо. Хочу назвать его по своему выигрышу.

— Ну и как же это будет? Ранчо «Королевский флеш»? Или «Полный дом»? — ухмыльнулся Джесс.

Люк рассмеялся:

— Нет. Я собираюсь назвать его «Троица».

— «Троица»? — Старый ковбой недоверчиво смотрел на него. — Джексон потерял это ранчо из-за трех одинаковых карт?

— Трех троек, если быть точным. У Джексона было две пары, и, судя по тому, как шла тогда всю ночь игра, он, видимо, решил, что этого ему хватит.

Но повезло мне. — Люк окинул взглядом землю, теперь принадлежавшую ему, и впервые за много лет душа его наполнилась миром и покоем. — Да, мне очень повезло.

Двое незнакомцев, запыленных и усталых, вошли в салун «Одинокая звезда» и направились к стойке бара. В этих людях чувствовались железная воля и целеустремленность. Бармен мигом насторожился.

— Мы разыскиваем одного мужчину, — объявил младший из вошедших.

— Сюда заходит много разных мужчин.

— Этого человека зовут Люк Мейджорс, он стрелок. Вы его знаете?

— Слышал это имя.

— Нам известно, что Мейджорс какое-то время назад был в Галвестоне, и знаем, что он направлялся сюда. Нам необходимо его найти. Так был он здесь или нет?

— Может, и был, а может, и нет. Вам-то что за дело? — поинтересовался бармен. Мейджорс тогда дал ему хорошие чаевые, и теперь он вовсе не хотел его подставлять.

— Это личное дело. Мы просто хотим знать, где он.

Бармен с минуту изучал этих двоих, затем сказал:

— Прошло немало времени с тех пор, как я его видел. Простите, ничем не могу вам помочь.

Мужчина, который вел переговоры, кивнул и положил на стойку монету, плату за труды.

Бармен опустил ее в карман и проводил их глазами до двери. Было в них что-то такое, что его встревожило. Отчаяние какое-то, что ли... Бог его знает. Во всяком случае, хорошо, что он не выдал им Мейджорса. И не собирается делать это в дальнейшем. Если они ищут Мейджорса, им придется обойтись без его помощи.

Глава 3

— Вы хотите сказать, что не одолжите мне денег? — Люк, сжав кулаки, смотрел на банкира.

Прийти сюда просить денег было, наверное, самым трудным поступком в его жизни. Если бы не ранчо, Люк никогда бы этого не сделал. За шесть месяцев, прошедших с момента вступления во владение «Троицей», он старался держаться в тени, упорно трудился и ездил в город лишь для пополнения запасов. Он хотел лишь одного: снова стать как все. Именно ради этого работал он день и ночь. И вот теперь, когда он решил, что все получается, пришел этот счет за недоплаченные налоги.... На двести пятьдесят долларов! Все деньги, которые у него до этого были, Люк истратил на ремонт дома, и никоим образом не мог снова достать такую сумму наличных. Поэтому он и пришел к Джонатану Харрису, вежливо попросил дать ему в долг. И что же, выходит, он зря унижался перед этим напыщенным ослом!

— В этом решении нет ничего личного, — быстро проговорил Харрис. Ярость, которую он увидел в глазах Люка Мейджорса, заставила его занервничать. Этот человек — стрелок, убийца! С ним надо быть поосторожнее. — Для нашего банка это было бы неразумной инвестицией. Вы в нашей округе человек новый. Денег в наш банк не вкладывали. Ранчо ваше никогда доходным не было. Джексону даже не удавалось сводить концы с концами. К тому же то, что нам известно о вашем прошлом... у вас, кажется, нет никакого опыта в разведении скота...

Он прокашлялся и отвел глаза в сторону, мечтая, чтобы этот мужчина, наемный стрелок, поскорее убрался. Харрису совсем не хотелось, чтобы Люк Мейджорс ошивался около его банка. Господи, да он и сегодня заявился сюда с пистолетом! Надо быть сумасшедшим, чтобы одолжить ему хотя бы доллар.

— Но ведь мне нужно всего лишь две с половиной сотни долларов, чтобы уплатить налоги, не заплаченные Джексоном. Я обновил строения, поставил изгороди, увеличил стадо... Вы не потеряете свои деньги. Даю вам слово, что все будет выплачено в течение года.

Люк был в отчаянии. Он так надеялся на эту встречу! Эти двести пятьдесят долларов — его единственное спасение. С их помощью он сделает «Троицу» образцовым хозяйством, вложит деньги в приобретение хороших лошадей и займется коневодством. Да, да, как только сможет себе это позволить. Его семья владела отличной конюшней... в свое время... в Белгроув.

— Я очень сожалею, мистер Мейджорс, — холодно проговорил Харрис.

— Вы сожалеете? — процедил Люк. Схватив свою шляпу с шикарного стола красного дерева, он вскочил и, не в силах сдержать злость, добавил: — Да уж наверняка не так сильно, как я...

— Это ограбление! Выкладывай все деньги! — заорал неприметный, просто одетый мужчина у окна кассира, выхватывая пистолет.

Кассир вскрикнул.

— Заткнись! Мы из банды Эль Дьябло. Пикнешь еще раз, и я всех здесь перестреляю!

Люк увидел, что происходит, и схватился за свой пистолет.

— Не-ет! — закричал Харрис. Знаменитая банда хладнокровных убийц и грабителей напала на его банк! Уверенный, что и Люк оттуда, он неловко вытащил из ящика письменного стола свой маленький «дерринджер».

Грабитель, заметив, что и Люк, и Харрис выхватили оружие, выстрелил в их сторону. Харрис вскрикнул и свалился на пол.

Видя, что Люк все еще на ногах, грабитель снова выстрелил.

На улице закричали, кто-то бросился за шерифом. Двое бандитов, караулящих снаружи, вбежали в банк, крича, чтобы их товарищ поторопился.

Кассир еще не закончил набивать мешок деньгами, но грабитель нетерпеливо выхватил его и рванулся к двери. Люк бросился за ним. Он все время держал пистолет наготове, но стрелять боялся. Вокруг было слишком много людей.

Бандиты выбежали из банка. Толпа ринулась врассыпную. Первый грабитель, с деньгами, прорвался сквозь кольцо оцепления, вскочил на лошадь и ускакал. Двое других, отстреливаясь, пятились назад к банку. Помощник шерифа ворвался в банк через заднюю дверь. Он увидел лежащего на полу истекающего кровью Харриса и Люка с пистолетом в руках. Он прыгнул к нему, направил на него пистолет и приказал:

— Брось оружие, Мейджорс!

Люк был потрясен. Они что, думают, что он тоже из этой шайки? Но они должны были видеть, что он лишь пытался помочь предотвратить ограбление.

— Шериф, я тут ни при чем, — попытался объяснить Люк, поворачиваясь к представителю закона. — Я всего лишь пытался помочь.

Пистолет был направлен прямо в сердце. Люк похолодел.

— Кому ты врешь, Мейджорс? Нам все о тебе известно. Мы несколько недель следили за тобой, ожидая чего-то в этом роде.

— Вы ошибаетесь. Я оказался здесь только потому, что пытался получить заем...

— Заткнись и бросай пистолет. Быстро!

— Джонатана застрелили! — закричал кассир, кидаясь к лежащему около стола Харрису. — Это Мейджорс сделал! Он один из них!

Люк не мог поверить в происходящее. Никогда в жизни он не собирался грабить банк. Даже в самые тяжелые свои дни. Он вытащил пистолет, только чтобы помочь, а они теперь обвиняют его в соучастии в ограблении.

— Шериф, я не стрелял в Харриса. Я могу все объяснить, — начал было Люк, опуская пистолет.

— Заткнись! На этот раз ты надолго отправишься в тюрьму. Если только тебя сперва не повесят. А теперь урони свой пистолет. Осторожненько. И сделай шаг в сторону!

Люк сделал, как было ему велено. Слишком уж тряслись руки у помощника шерифа. Может, шериф окажется более рассудительным.

Двое грабителей, осознав, что попали в капкан между шерифом на улице и его помощником в банке, побросали пистолеты и подняли руки.

Когда помощник шерифа вывел Люка наружу, шериф Сэм Грегори ехидно улыбнулся:

— Ну и ну! Надо же! Да ведь это Люк Мейджорс. У нас давно чесались руки добраться до тебя. Получается, не зря мы за тобой следили. Думал, что можешь так вот заявиться сюда и грабить в свое удовольствие?

— Шериф, в Джонатана Харриса стреляли, — сообщил ему помощник.

— Он убит?

— Нет, еще дышит.

— Так пошлите кого-нибудь за доктором. Побыстрее. И сразу дайте мне знать, как он. — Он повернулся к пленникам: — А вы трое так и держите руки вверх. Пошли. У меня для вас есть чудная камера, она вас ждет не дождется.

— Шериф, я все время пытаюсь объяснить вашему помощнику, что вытащил пистолет только потому, что хотел помочь... — начал Люк.

— Расскажешь это судье и присяжным, Мейджорс. А сейчас ты отправишься в тюрьму.

— Но, шериф, я же пришел в банк всего лишь получить заем! — Люк был просто в ярости.

Шериф расхохотался:

— Ну конечно-конечно, Мейджорс, только для того, чтобы получить заем. Просто Харрис не захотел его отдать... Расскажешь это судье. А сейчас все вы арестованы за вооруженное ограбление банка!

— Боже мой! Что случилось? — К ним подбежала красивая молодая женщина. Она тяжело дышала, в глазах — ужас.

— Элизабет... — Вид у шерифа был очень смущенный.

— Мне сказали, что банк ограбили. Это правда? Где мой Джонатан? Все целы?

— Джонатан в доме. Уже послали за врачом. — Шериф упорно отводил глаза.

— О нет! — Элизабет Харрис вбежала в банк, не слушая дальнейших объяснений.

Люк в бешенстве мерил шагами камеру. Господи, он приехал в город всего-навсего получить заем, а вовсе не грабить этот проклятый банк! Но никто не хотел его слушать. Они все уже его приговорили, и не только за грабеж, но и за убийство банковского служащего. У него оставалась одна надежда, что когда... если Харрис придет в себя, он расскажет им правду. Черт побери, а если он не выживет? Как он докажет тогда этим тупоголовым представителям закона, что он невиновен?

Когда помощник шерифа запер их и ушел, двое бандитов с нескрываемым интересом уставились на Люка.

— Так, значит, ты и есть тот самый знаменитый Люк Мейджорс, — произнес один из них, по имени Карсон. — Я много слышал о тебе.

Люк посмотрел на него с отвращением.

— И значит, ты оказался в банке, чтобы одолжить там денег, так что ли? — Второй бандит, Джонс, издевательски усмехнулся.

— Дьявольщина, ты должен был брать в долг по-нашему. Если б ты к нам тогда присоединился, мы бы уже были далеко отсюда и денежки считали, а не сидели в тюрьме. — Карсон злобно глядел на Люка. Этот придурок им все испортил!

— Я многим занимался в свое время, но вором никогда не был.

Карсон зло ухмыльнулся:

— Не важно, был ли ты с нами или не был. Они-то считают, что был.

Люк сжал кулаки и невидящим взором уставился на решетку. Карсон был прав. Все жители Дель-Фуэго уверены, что он вор и убийца. Наверное, только Джесс на его стороне, но кто ему поверит?.. Джек! Еще ведь есть Джек! Он рейнджер, представитель закона, его послушают. Нужно как-то сообщить Джессу о случившемся, чтобы он телеграфировал Джеку в Вако. Только он сможет выпутать его из этой истории.

А в это время ничего не подозревающего Джека вызвал к себе его начальник, капитан Стив Лафлин.

— Я только что получил сообщение из Дель-Фуэго, что там во время ограбления банка пойманы трое членов банды Эль Дьябло. Они стреляли в банкира. Шериф беспокоится, что могут быть беспорядки, и просит помощи. Я посылаю тебя к нему.

— Банда Эль Дьябло? — Джек удивленно поднял брови. — Просто невероятно, что им удалось поймать кого-то из этой шайки. Они всегда тщательно готовят ограбления. Неужели они дали осечку?

— Вот ты и разберешься. Я хочу, чтобы ты оказал шерифу необходимую помощь и попробовал что-нибудь выяснить о самом Эль Дьябло. Допросишь этих бандитов. Постарайся вытянуть из них все, что они знают. Эта банда уже довольно долго наводит ужас на всю округу, и я получил приказ с самого верха прекратить это любым способом. Действуй по собственному усмотрению.

— Да, сэр.

***

Добираясь до Дель-Фуэго, Джек чуть не загнал лошадь, безумно устал, вспотел и пропылился насквозь, но не стал заходить в гостиницу, а отправился прямо в тюрьму.

— Чем могу помочь? — настороженно поинтересовался Сэм Грегори, сидевший за столом в своей конторе.

Когда Джек вошел в его кабинет, шериф сразу понял, что этот высокий незнакомец — опасный тип. Рука его нырнула в верхний ящик письменного стола, где он держал пистолет.

— Я — рейнджер Джек Логан. Меня прислал капитан Лафлин.

При этих словах Сэм перестал тянуться за пистолетом и улыбнулся. Встав, он обменялся с Джеком рукопожатием.

— Спасибо, что приехали. С тех пор как арестовали этих троих, город бурлит.

— Неприятности?

— Пока нет, но они очень скоро будут. Это же банда Эль Дьябло. Им убить, что моргнуть. Я призвал на помощь еще помощников: дежурим круглосуточно.

— Я много слышал об этой банде и видел последствия их работы. Малоприятное зрелище. Капитан Лафлин сказал мне, что подстрелили какого-то банкира. Он умер?

— Нет, пока держится, но врач не знает, выживет он или нет. Он все еще без сознания.

Джек кивнул:

— А как насчет тех троих, что вы арестовали? Они уже заговорили?

— Нет. Молчат, как воды в рот набрали. За исключением одного. Он известный стрелок, и мы знали, что с ним будут хлопоты, с первой минуты его появления в нашем городе.

Джек вздрогнул.

— Что за стрелок?

— Мейджорс. Вы наверняка о нем слышали... Люк Мейджорс.

Натянуто улыбнувшись, Джек постарался скрыть охватившую его тревогу.

— Я слышал о нем.

— Мейджорс все пытается заставить нас поверить, что не имеет ничего общего с ограблением, но именно он стрелял в Харриса.

Джек не верил своим ушам. Люк стрелял в этого банкира? Не может быть!

— Мейджорс стрелял в Харриса? Вы уверены? — Пожалуй, сейчас не стоит говорить о своей дружбе с Люком.

— Имеется свидетель, который говорит, что это сделал он. Чего же больше?

— Понимаю, — вздохнул Джек. — Я хочу поговорить со всеми тремя. По отдельности. Есть у вас комната, где я мог бы это сделать?

— Конечно. Там позади спальня. — Он показал на дверь напротив кабинета.

— Спасибо. Я ею воспользуюсь.

— Кого из них вы хотите увидеть первым? У меня здесь Мейджорс, потом Карсон и еще один, подстреленный в руку, по имени Джонс. Наш док его осмотрел и сказал, что рана несерьезная.

— Давайте сюда первым Мейджорса. — И Джек нырнул в заднюю комнатушку, всю обстановку которой составляли топчан, маленький столик и стул.

Держа пистолет наготове, шериф пошел за стрелком. Если этот Мейджорс попробует что-нибудь выкинуть, он сначала будет стрелять, а потом уже задавать вопросы.

— Пошли, Мейджорс, — приказал он.

Люк спал, но при первых же звуках голоса шерифа открыл глаза.

— Куда пошли?

— Не твое дело. Выходи, и без резких движений. — Шериф отступил на шаг, давая ему пройти. Пистолет он направил на Люка, но с двоих других тоже не спускал глаз.

Люк прекрасно понимал шерифа. Эти двое — убийцы, и им нравится убивать. Чуть зазеваешься — и ты мертвец. Он подождал, пока шериф захлопнет и запрет за ним дверь.

— Порядок, — махнул рукой Грегори, — пошли.

Люк двинулся к выходу.

— Не туда. В заднюю комнату. Там кое-кто хочет с тобой поговорить. Рейнджерам поручено покончить с бандой Эль Дьябло, и начнут они с тебя.

Люк даже на секунду не позволил себе надеяться, что здесь окажется Джек. Он молил Бога лишь о том, чтобы приехавший рейнджер знал Джека и мог бы передать ему весточку. Джесс вскоре после грабежа приехал в тюрьму к Люку и по его просьбе послал Джеку телеграмму. Но дошла ли она до адресата, было неизвестно. Вздохнув, Люк приготовился в который раз рассказывать свою историю тому, кто наверняка не захочет ей верить, и вновь выслушивать насмешки и оскорбления. Он шагнул через порог, и Сэм Грегори закрыл за ним дверь.

— Я ни в чем не виноват, — сказал он стоявшему спиной человеку.

— Тогда какого черта ты здесь делаешь? — яростным шепотом спросил Джек, оборачиваясь к нему.

— Джек! Слава Богу, это ты! — Люк не мог поверить в свою удачу. — Ты получил телеграмму, которую послал тебе Джесс?

— Какую телеграмму? Я здесь по приказу моего капитана. Я узнал, что ты в этом замешан, лишь несколько минут назад. Что, черт побери, тут происходит? Они здесь уже готовы тебя повесить.

— Это ужасное недоразумение, но никто не хочет меня выслушать. Пока Харрис не поправится настолько, чтобы говорить, никто не поверит ни единому моему слову.

— Что произошло, Люк? Только правду!

Люк сжал кулаки:

— Я не лгу!

Несколько минут они смотрели друг другу в глаза. Ни один из них не дрогнул, не отвел взгляда. Наконец Джек кивнул и сел.

— Рассказывай, дружище.

Впервые со времени налета у Люка появилась надежда. Теперь он не одинок. Вместе с Джеком они распутают это дело. Он начал свой рассказ с полученного им неожиданного известия, что за его ранчо числятся неуплаченные налоги, а затем последовательно изложил Джеку все события того дня.

— Когда этот бандит вытащил пистолет и начал стрелять, я выхватил свой. Я хотел помочь банку, а не грабить его. Харрис упал после первого выстрела Карсона. Потом Карсон выстрелил в меня. Я бросился за ним с пистолетом в руках.

Стрелять я не мог, потому что вокруг было слишком много людей. Полагаю, кассирам и вправду могло показаться, будто я убегаю вместе с грабителями, а не преследую их. Когда помощник шерифа ворвался через заднюю дверь, все, что он мог видеть, это как я стою с пистолетом в руке, причем один из кассиров орет, что я подстрелил Харриса.

Джек тихо чертыхнулся, не представляя, как ему вытащить Люка из этой истории.

— Выходит, что Харрис единственный, кто может подтвердить твой рассказ.

Люк кивнул:

— А он до сих пор не пришел в сознание. Кстати, если вспомнить, как он испугался меня тогда, не исключено, что он может подтвердить их версию, лишь бы от меня избавиться. Он испугался меня до чертиков. Боюсь, я вспылил — как раз перед ограблением. А до этого он отказал мне в займе.

В голове у Джека стала зарождаться идея.

— А как насчет тех двоих в камере? Говорили они что-нибудь такое, что может помочь нам выследить Эль Дьябло?

— Вообще-то они держат рот на замке. Только все время твердят, что мне следует присоединиться к ним, раз закон и так считает меня одним из них, — в голосе Люка звучало отвращение. — Они убеждены, что я не стану от них откалываться, и, судя по тому, как развиваются события, я уже готов с ними согласиться.

Джек улыбнулся:

— Сколько ты там должен?

— Две с половиной сотни долларов. А что?

— Не хочешь подзаработать? Поработать на меня? Я получил приказ покончить с бандой Эль Дьябло любыми доступными мне средствами. Ты — мой шанс попасть туда. Я хочу, чтобы ты оставался с ними в камере. Слушай, что они будут тебе говорить, сделай вид, что согласен присоединиться к банде. Попробуй что-нибудь узнать об их главаре Эль Дьябло. Мы о нем ничего не знаем, так что пригодится любая мелочь. Его банда — одна из самых кровожадных в этих горах. Этот паршивый городишко должен благодарить тебя, а не грозить повешением. Если бы ты не вмешался, бандиты скорее всего перестреляли бы всех, кто был тогда в банке. Они убивают даже женщин!

— Я приехал в Дель-Фуэго, чтобы быть подальше от убийств.

— Все, чего я от тебя хочу, это чтобы ты вытянул из них немножко информации, пока ты будешь сидеть с ними в камере. Я заплачу твои налоги и еще сто долларов сверх... Договорились?

Люк нахмурился:

— А если я не стану?

— Я все равно вытащу тебя из тюрьмы, но денег у тебя не будет.

Люк задумался. С одной стороны, он получит необходимые деньги, поможет закону, да и жители городка будут относиться к нему по-другому. Но... ему было так тошно в тюрьме. Он просто сходил с ума, запертый как зверь в клетку. А тут еще эти Карсон и Джонс с их гнусными ухмылками!

— Ну? Берешься за это? — напирал Джек. — Мне нужно, чтобы ты разузнал побольше об их убежищах. Где они прячутся? Таких нор должно быть несколько. И выясни хоть что-то насчет Эль Дьябло. Кто он? Поймав главаря, мы без труда разделаемся с остальными. Триста пятьдесят долларов, Люк. Ну же, соглашайся!

Люку очень хотелось отказаться, выйти поскорее из тюрьмы и больше никогда не вспоминать об этом. Но ему были нужны деньги.

— Ладно. Я постараюсь.

— Я знал, что могу на тебя рассчитывать, — обрадовался Джек.

— Ты расскажешь шерифу правду обо мне?

— Да. На всякий случай он должен быть в курсе того, что мы делаем. Кстати, прошел слух, что следует ждать неприятностей, так что будь осторожнее. Конечно, охрана усилена, но береженого Бог бережет.

Люк кивнул.

— Как мне связаться с тобой, если я что-либо узнаю?

— Я останусь в городке и буду работать вместе с шерифом. Ты меня увидишь.

Люка отвели обратно в камеру, а на допрос к Джеку забрали Джонса.

— Что там происходит? — спросил Карсон.

— Они привлекли рейнджеров. Один из них сейчас допрашивает всех подряд.

Карсон нахмурился:

— Что ему нужно?

— Он все время спрашивал меня про Эль Дьябло. Я сказал, что ничего не знаю, но, как и все остальные, он мне не поверил.

Бандит криво усмехнулся:

— От Джонса и от меня он тоже ничего не узнает. Дураков нет. Нельзя проболтаться об Эль Дьябло и остаться в живых.

— Наверное, Эль Дьябло — чертовски хороший предводитель.

— Скажем так — пока ты делаешь то, что он велит, и не суешь нос, куда не надо, Эль Дьябло о тебе заботится. И не дай Бог тебе его обмануть. Двое умников однажды решили такое попробовать.

— Что произошло?

— Они попытались удрать с частью денег от грабежа. Спустя неделю мы нашли их тела, — объяснил Карсон. — Раз присоединившись к Эль Дьябло, ты остаешься с ним навсегда.

Вернулся с Джонсом шериф и забрал на допрос Карсона. Джек завел разговор с бандитом, задавая ему те же вопросы, что и Карсону, но опять ничего не добился.

Допросив всех, Джек позвал в заднюю комнату шерифа и рассказал ему правду о Люке.

— Вы ошибаетесь! — запротестовал Грегори. — Все знают, что Мейджорс — один из них! Он же наемный убийца! Там были свидетели!

— Говорю вам, шериф, иногда свидетели ошибаются. Я знаю Люка Мейджорса много лет. Он не убийца и не грабитель банков. Ведь он уже довольно долго живет здесь, доставлял он вам до сих пор какие-нибудь неприятности?

— Ну, нет, — неохотно признал Сэм.

— Я верю рассказу Люка о том, что случилось в банке, и убедил его нам помочь. Именно поэтому я не приказал вам освободить его немедленно.

— Мейджорс будет работать с нами? — переспросил Сэм. — Но он же...

— Он мой друг. Может, он и стрелок, но не грабитель. Здесь, в Дель-Фуэго, он хочет обосноваться навсегда.

— Нам в городе такие не нужны.

Джек начал терять терпение:

— Вы что, не понимаете, что, если бы не Мейджорс, у вас был бы полный банк трупов? Он помешал налету. Он рисковал жизнью ради вас! Вам благодарить его надо, а не держать под замком. Вы хоть выслушали его рассказ?

— Вранье!

— Он не врал.

Сэм встал и открыл дверь.

— Что ж, вы начальник, значит, будем делать по-вашему.

— Вы об этом не пожалеете. Мы выясним, кто такой Эль Дьябло, и покончим с его бандой. Кстати, узнали что-нибудь насчет похищенных денег?

— Нет. Мы отследили путь сбежавшего с ними бандита на расстоянии пяти миль, а затем след потерялся. Он увез больше тысячи долларов.

Джек тоже поднялся:

— Ладно. Я пойду в гостиницу и немного отдохну. Вам сегодня понадобится моя помощь?

— Нет. Я буду здесь, в кабинете, а еще один мой помощник сейчас следит за обстановкой в городе.

Входная дверь открылась, и в кабинет вошла молодая блондинка. Джек никогда раньше не видел такой красивой женщины.

— Кто это? — прошептал он.

— Элизабет Харрис, жена раненого банкира, — бросил Сэм, спеша ей навстречу.

— Элизабет, есть ли какие-то изменения в состоянии Джонатана? — сочувственно осведомился он.

— О Сэм, — она чуть не плакала, — это все просто ужасно. Доктор говорит, что сделать больше ничего нельзя, остается только ждать и молиться.

— Мне очень жаль.

— Мне тоже, Сэм. Поэтому я и пришла сюда: не могу сидеть и смотреть на бедного моего мужа... как он лежит беспомощный... на пороге смерти, а подонки, выдающие себя за мужчин, прохлаждаются у вас в тюрьме. — Она смахнула слезы. — Я пришла сюда посмотреть в глаза этим зверям, сотворившим такое с моим Джонатаном.

— Я понимаю ваши чувства, Элизабет, но не думаю, что это хорошая идея. Слишком большая честь для этой дряни — находиться в присутствии такой леди, как вы.

— Я хочу видеть, как они поплатятся за содеянное.

— Мы тоже этого хотим, — вставил Джек и, когда она перевела взгляд на него, представился: — Миссис Харрис, я Джек Логан.

— Рейнджера Логана прислали сюда помочь нам.

— Вы рейнджер? — спросила она, и в красивых темных глазах промелькнуло уважение. — Слава Богу, вы приехали как раз вовремя. Бедный Сэм с ног сбился от всего этого. Может, с вашей помощью наконец-то удастся остановить эту жестокую банду.

— Я сделаю все от меня зависящее, чтобы банда Эль Дьябло получила по заслугам.

— Благослови вас небо. Для меня жизнь после ограбления стала просто невыносимой... не знать, выживет мой муж или умрет...

Джек почувствовал, как в нем просыпается желание защитить ее от бед. Она была такой хрупкой, нежной. Столкнувшись впервые с ужасной трагедией, она не справится с ней в одиночку. Если бы можно было уберечь ее от боли и страданий...

— Я сожалею о том, что произошло, мэм.

Сэм утешающе дотронулся до ее плеча:

— Обещаю вам, Элизабет, что, пока я дышу, эти подонки никуда не денутся.

— Благодарю вас... вас обоих. Эти дни... после... я чувствовала себя такой одинокой. Такой беспомощной. Я мало чем могу сейчас помочь и понимаю, что глупо было с моей стороны приходить сюда... Но я подумала, что если я посмотрю на них, то хоть пойму, почему так случилось. — Она улыбнулась дрожащими губами. — Как бы мне хотелось повернуть время вспять... но, боюсь, это никому не под силу, даже прославленным рейнджерам.

Джек покачал головой:

— Нет, мэм. Хотел бы я, чтобы все было иначе.

— Я тоже, — проговорила она усталым, потухшим голосом. — До свидания.

Джек смотрел, как она уходит, затем повернулся попрощаться с Сэмом и увидел, что он тоже смотрит ей вслед. Когда он ехал в гостиницу, мысли его были заняты лишь одним: он желал поскорее уничтожить банду Эль Дьябло, чтобы прогнать грусть из глаз Элизабет Харрис.

Глава 4

Дэвис, помощник шерифа, зевнул и потряс головой, прогоняя сон. Он стоял в дозоре уже пятый час, и ему с большим трудом удавалось оставаться настороже.

Ночь была на редкость тихая. Даже из салунов не доносилось обычного шума. Такие спокойные ночи выпадали нечасто. Дэвис снова зевнул. Пожалуй, ничего страшного не произойдет, если он присядет на минутку. Он огляделся, сел, прислонившись спиной к стене тюрьмы, и закрыл глаза. Это оказалось роковой ошибкой. Один из бандитов Эль Дьябло, который уже некоторое время следил за ним, действовал бесшумно и быстро.

Сэма Грегори мучило смутное предчувствие. Ему очень хотелось спать, но он знал, что не может себе этого позволить. Такие вот тихие ночи самые опасные. А значит, надо быть наготове. Судья вернется в город только через две недели, и Сэм не сомневался, что ближайшие четырнадцать дней окажутся самыми долгими в его жизни.

Он встал из-за стола, потянулся и направился в заднюю комнатку, просто чтобы размяться и стряхнуть сон. Там они его и поджидали, пробравшись в комнату через окно.

— Что за... — Сэм растерянно уставился на три черные фигуры с пистолетами в руках.

— Удивляешься, шериф? — Они просто наслаждались его потрясением. — А тебе следовало бы нас ждать. Ты знаешь, зачем мы здесь, так что пошли.

— У вас ничего не выйдет. У меня снаружи караульный, так что...

— У тебя там *был* караульный, — ухмыльнулся бандит, — он тебе больше не поможет. — Они вывели шерифа в кабинет. — Расстегни свою портупею с пистолетом и положи на письменный стол.

— Вам это не удастся.

— Уже удалось.

Карсон и Джонс вскочили, услышав голоса своих товарищей.

— Много же тебе понадобилось времени, Салли. Где ты, черт побери, ошивался? Пил и веселился, пока мы тут гнили в этой проклятой тюрьме? — завопил Карсон, завидев друга.

— Мы ждали удобного момента. Босс сказал, что сегодня подходящая ночь. И, как всегда, оказался прав.

— Отпирай дверь, шериф, и без всяких там штучек, — приказал мужчина по имени Салли.

Сэм ничего не мог поделать и знал это. Один против троих вооруженных бандитов... Если бы у него было побольше помощников... Бедняга Дэвис! Ведь у него жена и дети. Сэм молил Бога, чтобы они соврали насчет него.

Скрипя зубами, шериф отпер дверь камеры и посторонился, пропуская освобожденных бандитов.

— Уходим! — крикнул Карсон. — Джонс, пошевеливайся.

— Иду. — Джонс помедлил, обернувшись к Мейджорсу. — А ты идешь?

Люк глазам своим не верил. Вот так нагло вломиться в тюрьму, убить охранника, обезоружить шерифа!.. Теперь Люк понимал, почему Джек хочет поймать их любой ценой. И он может ему в этом помочь. Но если он сбежит сейчас с ними, все решат, что он и впрямь из этой банды. Но Джек-то знает правду. Времени на раздумья не было, и Люк решился:

— Я с вами.

Все трое бросились к столу шерифа, где, как они знали, хранилось отобранное у них оружие.

— А это еще кто? — рявкнул Салли, увидев, что Карсон и Джонс тащат за собой кого-то еще.

— Это Люк Мейджорс, стрелок.

— Не знаю, понравится ли боссу, что мы привезем с собой непроверенного человека.

— Его репутация говорит сама за себя.

Салли кивнул, но безо всякой радости.

— Ладно. Поехали. Я позабочусь о шерифе. — Он вытащил пистолет.

— Нет, дай это мне! — решительно произнес Люк. Шерифа убить он им не позволит. — Идите. Я вас догоню. Давно хочу с ним расквитаться.

Салли хотел возразить, но потом пожал плечами:

— Только поторопись. Нас ждут лошади.

Когда они вышли, Люк отвел Сэма в камеру и шепнул ему на ухо:

— Передайте Джеку, что я свяжусь с ним, как только сумею.

Затем он ударил шерифа рукояткой пистолета, и тот свалился без чувств. Люк сделал так на случай, если бы кто-то из бандитов решил проверить его слова. Заперев дверь камеры, он выбежал из тюрьмы к остальным. Они уже сидели по коням и были готовы к отъезду.

— Поехали, — сказал Люк, вскакивая на лошадь, которую они только что для него украли.

— Ты позаботился о шерифе? — Салли подозрительно смотрел на него. Он не слышал выстрела, а босс недвусмысленно приказал, чтобы шериф им больше не мешал.

— Все в порядке, он нам больше не доставит хлопот, — резко откликнулся Люк. — А теперь поехали, пока нас никто не увидел.

— Я знал, что ты наш человек, — ухмыльнулся Джонс. — Давайте убираться отсюда поскорее.

Спустя час по тихим безлюдным улицам к тюрьме прокралась одетая в черное фигура. Поздний посетитель тихонько вошел в тюрьму, бросил взгляд на лежащую на столе кобуру и направился к тюремной камере. Там как раз зашевелился, приходя в себя, шериф.

— Проклятие... — яростно выдохнул пришедший.

— Слава Богу, это ты! — Сэм, задыхаясь, пытался подняться. От полученного удара голова у него гудела, а перед глазами все плыло. — Мне нужна помощь! Они убили Дэвиса и освободили бандитов! Выпусти меня — ключи на столе. Надо разбудить остальных моих помощников и Логана! Возможно, мы их догоним. — Он выпрямился и застонал от боли.

Посетитель подошел к письменному столу, взял что-то и оглянулся на шерифа:

— Ты не догонишь их, Сэм.

— Почему? — растерялся шериф.

— Потому что ты сейчас умрешь.

Эль Дьябло выстрелил два раза и оставил его умирать на полу.

Никто не слышал выстрелов и никто не видел, как Эль Дьябло вышел из тюрьмы и растворился в темноте улиц Дель-Фуэго.

Джека разбудил отчаянный стук в дверь.

— Логан! Скорее вставайте! Это помощник шерифа Халлоуэй!

Джек молнией рванулся с кровати, натянул брюки и распахнул дверь.

— Что случилось?

Халлоуэй ворвался в комнату.

— Ночью был налет на тюрьму. Шериф погиб... и Дэвис тоже.

— Все арестованные сбежали? И Мейджорс?

— Все! Все до единого! И этот Мейджорс, который уверял нас в своей невиновности! Ему чуть не поверили... — Он с ненавистью выплевывал каждое слово. — Если он ни в чем не виноват, чего же он сбежал?

Пока они говорили, Джек судорожно одевался.

— Не знаю. Можно предположить, в котором часу это произошло?

— Нет. Судя по всему, шериф мертв довольно долго. Его застрелили, заперев сначала в камере. Наверное, Мейджорс и застрелил!

— А если не он? — с вызовом спросил Джек.

— Он наемник. Убийца! Это его ремесло. Мы с самого начала знали, что от него жди беды. Его надо было сразу пристрелить тогда, в банке!

Джек чертыхнулся себе под нос, пристегивая пояс с пистолетом. Он-то прекрасно понимал, почему Люк сбежал с бандитами: из-за обещанных ему денег.

Джек никогда бы не позволил Люку так рисковать. Он думал, что тот просто разузнает кое-какие сведения и сообщит ему. Но все пошло кувырком. Люк уехал с бандитами, и теперь Джек должен найти какой-то способ помочь ему... Вот только какой?

— Там, перед конторой шерифа, собирается толпа, — сказал Халлоуэй. — Мэр и все помощники шерифа... Нам надо поспешить.

— Пошли. — Схватив на ходу шляпу, Джек захлопнул за собой дверь.

В тюрьме было много народа. Все молчали, глядя на залитый кровью пол. Шериф Грегори был хорошим человеком, и Джеку было больно думать о его смерти. Он дал себе слово, что лично позаботится, чтобы убийца шерифа ответил за это.

Саре Грегори сообщили о смерти мужа. Она вбежала в тюрьму полубезумная, с мокрым от слез лицом.

— Где он? Где этот рейнджер?

— Он здесь, Сара. — Фред Халлоуэй махнул рукой в сторону камеры.

— Вы тот самый рейнджер, о котором муж сказал мне, что вы приехали ему помочь?! — яростно крикнула она Джеку.

— Да, мэм.

— Немного же вы ему помогли. Мой муж мертв! — Она глядела на него с ненавистью.

— Я очень сожалею об этом, миссис Грегори.

— Сожалеете? Что мне ваше сожаление? Оно не вернет мне мужа. Вы должны были давно поймать этих бандитов. Мой муж мертв, Джонатан Харрис все равно что мертв, а их убийцы разгуливают на свободе и продолжают грабить и убивать дальше!

— Мы их поймаем, мэм. Обещаю вам это.

— Когда? Сколько еще невинных людей должно умереть, прежде чем вы сделаете что-нибудь, рейнджер Логан?

— Я предлагаю назначить награду за Мейджорса! — воскликнул Халлоуэй. — Живого или мертвого!

— Да! — поддержал его помощник шерифа по имени Стивенс. — Наверняка это Мейджорс спустил курок.

— Мы все знаем, что он стрелял в Харриса, не сомневаюсь, что в моего мужа тоже! Я хочу, чтобы он заплатил за это! Заплатил своей жизнью!

По толпе собравшихся прошел гул одобрения.

— Рейнджеры поймают их, мэм. Вся банда понесет заслуженное наказание, — попытался успокоить Сару Джек.

— Если вы не смогли даже удержать их в тюрьме, как же вы собираетесь «заслуженно наказать» их? Нет, надо объявить награду за поимку! — настаивала она.

— Я внесу деньги на это, — предложил мэр Аткинс, — Пятьсот долларов за Мейджорса. По двести за голову каждого из остальных двоих. Они нам нужны живые или мертвые, причем Мейджорс — лучше мертвый, чем живой.

— Спасибо, — тихо проговорила Сара и, сразу обессилев, медленно вышла из кабинета.

А остальные продолжили обсуждать поимку Люка Мейджорса. Казалось, они забыли и об остальных бандитах, и об Эль Дьябло, их интересовало только одно — как скоро Мейджорс окажется на виселице. Слушая их кровожадные речи, Джек пришел в ужас. До этого он думал, что Люку грозит опасность только со стороны бандитов, а теперь его еще будут искать представители закона и охотники за наградой. Но как ему помочь? Если бы только можно было рассказать правду... Но Джек подозревал, что в городе у Эль Дьябло есть помощник.

— Фред Халлоуэй, место шерифа ваше... если вы согласны, — говорил в это время мэр. — Мне нужно как можно быстрее навести в городе порядок, а вы работали с Сэмом дольше всех.

Халлоуэй был ошеломлен этим предложением.

— Ну-у... конечно... только...

— Сейчас наступили тяжелые времена для всех нас. Наш город нуждается в вас.

— Я почту за честь занять место Сэма, — скромно ответил он.

Наступила неловкая пауза, все безмолвно попрощались с Грегори. Затем Халлоуэй взял себя в руки и вызвался возглавить погоню в надежде найти хоть какой-нибудь след. Он понимал, что это практически невозможно — прошло слишком много времени после бегства банды, но всем хотелось что-то делать.

— Логан, едете с нами? — спросил Халлоуэй.

— Да, — откликнулся Джек.

— Выезжаем через полчаса. Встречаемся здесь.

Собравшиеся у тюрьмы мужчины разошлись за лошадьми.

Джек тоже направился в конюшню, но по дороге завернул на телеграф послать депешу одному охотнику за вознаграждениями, о котором был наслышан. Говорили, что этот Коди Джеймсон из Сан-Антонио предпочитал доставлять своих пленников живыми. Если Люка и схватят, Джек по крайней мере будет уверен, что его привезут сюда живым.

Текст телеграммы был прост и ясен:

«Есть работа, думаю, интересная для вас. Если заинтересуетесь, свяжитесь со мной в Дель-Фуэго, гостиница «Хоумстед», в течение недели. Джек Логан».

Затем он пошел седлать коня. Конечно, бандитов они не догонят, но возможно, наткнутся на какую-то улику, которая сможет им помочь. Больше всего он боялся, что они все-таки случайно напорются на разыскиваемую банду. Тогда или их отряд погибнет, или Люк повиснет на веревке. Джек должен был сделать так, чтобы не случилось ни того ни другого.

Они вернулись через четыре дня, усталые, голодные и злые. След они потеряли на второй день, милях в сорока от города, а остальное время безуспешно прочесывали окрестности.

Единственный, кто обрадовался такому повороту событий, был Джек. Во время погони мэр и другие горели желанием «прикончить этого сукиного сына Мейджорса». И Джек не знал, как он сможет остановить их, если они вдруг каким-то чудом догонят бандитов.

После того как отряд распустили, Джек поспешил в гостиницу, узнать, нет ли для него сообщений, и расстроился, узнав, что ничего нет. Еще более взвинченный, он отправился в салун «Райский сад». Взяв бутылку виски, он уселся за столик в глубине зала и пил стакан за стаканом, вновь и вновь пытаясь найти выход из тупика. Но пока он твердо был уверен лишь в одном: если Коди Джеймсон не приедет, Люк погибнет.

Дилижанс приехал в Дель-Фуэго поздно ночью. Он остановился у транспортной конторы, и кучер спрыгнул на землю открыть пассажирам дверцу. Оттуда вышел старый, кроткий на вид индеец, за ним — хорошенькая молодая женщина. Сопровождающий дилижанс охранник спустил прямо в руки служащего конторы принадлежащий женщине сундук, который она распорядилась отнести в гостиницу. За всей этой суетой никто не заметил, как индеец бесшумно растворился в ночи.

— Добрый вечер. Будьте так добры, один номер, — сказала Коди, останавливаясь у регистрационной стойки.

— Добрый вечер, мэм, — улыбнулся клерк, кладя перед нею регистрационный журнал. — Надолго к нам, мисс... Джеймсон?

— По крайней мере дня на два. Я еще не уверена.

Клерк передал ей ключ от ее комнаты.

— Благодарю вас. Кстати, не остановился ли у вас некий мистер Логан?

— Да, мэм. Рейнджер Логан в комнате 203, но его пока нет.

Коди удивленно вскинула брови. Рейнджер? Зачем рейнджеру понадобилось нанимать охотника за наградой?

— Когда он вернется, пожалуйста, сообщите ему номер моей комнаты и скажите, что Коди Джеймсон хочет его видеть.

— Обязательно скажу, но, боюсь, это будет очень поздно.

— Не важно, я буду ждать.

И Коди, мило улыбнувшись, направилась в свою комнату.

Джек чувствовал себя просто отвратительно, покидая салун и отправляясь спать. Несмотря на все выпитое, тревога о Люке не покидала его. Когда он вошел в маленькое фойе гостиницы, его окликнул клерк:

— Мистер Логан, у меня для вас сообщение.

Джек, быстро трезвея, обернулся к нему.

— Коди Джеймсон в городе и ждет вас прямо сейчас в комнате 211.

— Джеймсон здесь?

— Да, сэр. Недавно прибыл дилижанс.

Джек кивнул и поспешил наверх. Слава Богу, Джеймсон приехал. Теперь у Люка появился шанс. Надо только уговорить охотника взяться за это дело. Подойдя к двери номера 211, он постучал.

Дверь открыла молодая женщина:

— Чем могу помочь?

— Простите, что потревожил вас, мэм. Наверное, вышла какая-то ошибка. Меня зовут Джек Логан. Клерк сказал мне, что 211 — комната Коди Джеймсона.

— Так и есть.

— Ох, извините.

Джек почувствовал себя неловко. Он и предположить не мог, что Джеймсон возьмет с собой жену. Конечно, она была очень красивой, с чудесными темно-рыжими волосами и сияющими зелеными глазами, и он мог понять, почему Коди всюду возит ее с собой, но если учесть, какой работой он занимается... Это просто опасно.

— Ладно, я хотел бы поговорить с Коди Джеймсоном, если можно.

— Заходите, мистер Логан. Я вас ждала. — Она, улыбаясь, отступила, приглашая его в комнату.

— Вы меня ждали? — Он, хмурясь, последовал за ней.

Коди закрыла за ними дверь.

— Я и есть Коди Джеймсон, мистер Логан, и мне было бы интересно послушать, что за работа у вас для меня.

— Вы — это он? — Джек уставился на нее и вдруг рассмеялся. Теперь он понял многое из того, что говорилось о Коди Джеймсоне: что его почти никто не видел, как успешно он работает... Неудивительно! Джеймсон оказался женщиной!.. Но сможет ли она найти Люка и вытащить из самого логова бандитов? Улыбка сползла с его лица.

— Мисс Джеймсон... я знаю, вы считаетесь одним из лучших охотников за преступниками, но не знаю, выйдет ли у вас что-нибудь в этом деле.

— Вам известна моя репутация. Не так ли? — ледяным тоном поинтересовалась она.

Видимо, она не раз слышала сомнения в свой адрес. Джек смутился.

— Да, в общем-то известна.

— Тогда я не вижу, в чем проблема. Как я понимаю, вы хотите, чтобы я доставила вам кого-то. Я умею это делать, и делаю хорошо.

Джек отметил про себя, как спокойно и уверенно она это сказала. Да, возможно, она справится с этой работой.

— Ладно, Коди Джеймсон, вот что я от вас хочу...

Джек дал ей лишь самую существенную информацию. Что Мейджорс сбежал из тюрьмы вместе с членами банды Эль Дьябло, что при этом были убиты шериф и его помощник и что он хочет, чтобы ему доставили Мейджорса... Живым.

У Коди похолодело в груди, когда она услышала, что был убит представитель закона. Ее отец тоже был шерифом и тоже погиб при побеге бандитов из тюрьмы. Именно его смерть побудила ее заняться розыском преступников.

— За Мейджорса назначено большое вознаграждение. Город предлагает за него пятьсот долларов... за живого или мертвого. Я заплачу вам еще столько же, если вы доставите мне его живым.

— Почему для вас это так важно?

— У меня есть сомнения насчет вины Мейджорса. Я хочу, чтобы восторжествовала справедливость, — Джек старался говорить спокойно, чуть равнодушно, — а никакой справедливости не будет, если мы сначала его повесим, а уже потом начнем задавать вопросы.

— Вы его знаете? — внезапно спросила Коди.

Ее вопрос удивил Джека и дал понять, что Коди не только красива и отважна, но еще и очень умна. Он криво усмехнулся.

— Я сказала что-то смешное, мистер Логан?

— Совсем наоборот, мисс Джеймсон. Я просто подумал, что вы правильно выбрали себе работу. Вы достойный противник для любого мужчины.

Впервые за много-много лет Коди почувствовала симпатию к человеку, с которым ей пришлось работать.

— Благодарю вас. Я нечасто слышу от мужчин такие слова.

Его ответная улыбка была полна уважения.

— Я действительно так думаю, мисс Джеймсон. И я надеюсь, что вы оправдаете свою репутацию и доставите Мейджорса живым.

— Вы получите его живым. Даю вам слово.

Глава 5

Эль-Тражар был городом необузданных страстей и всевозможных пороков. Здесь собирались самые отъявленные негодяи и закоренелые грешники, чтобы повеселиться в многочисленных салунах с развратными красотками. И вот однажды в этом рассаднике греха появилась «Миссия спасения сестры Мэри». Если еще оставались в этом Богом забытом месте не совсем пропащие души, то сестра Мэри была твердо намерена их спасти.

Ее приезд в город породил бурные пересуды. Одинокий фургон «Миссии» прогрохотал по городским улицам вскоре после полудня. Религиозные послания, размашисто написанные ярко-красной краской на боках фургона, обещали спасение и Господню милость раскаявшимся.

«Покайтесь и спасите свои души» — было написано с одной стороны.

«"Мне отмщение", — сказал Господь» — гласила надпись на другой.

И наконец, сзади красовалось: «Аллилуйя!»

Неопределенного возраста чопорная женщина в очках, правившая фургоном, остановила его перед самым шумным салуном города, носившим весьма удачное название «Адское пламя». Не задумываясь о своей безопасности, она соскочила с козел и, схватив Библию, решительно вошла внутрь. На какую-то секунду она застыла на пороге, наблюдая открывшееся ей богомерзкое зрелище. Ее пронзительные зеленые глаза внимательно рассматривали находившихся перед ней грешников. Те пили, играли в карты, тискали полуголых красоток и не обращали на нее никакого внимания. Тогда она перехватила покрепче Библию и закричала во все горло со страстной убежденностью:

— Услышьте слово Господа нашего! Только он спасет вас от ада, который вы себе уготовили! Возродитесь! Спасите ваши души от вечного проклятия! Раскайтесь, грешники! Покайтесь — и спасетесь!..

Воздев Библию, сестра Мэри прошла по салуну, призывая присутствовавших мужчин и женщин очистить свою душу от скверны.

— Да заткнись ты наконец, — лениво сказал один из ковбоев. — Сколько тебе дать, чтобы ты отсюда убралась? Пять долларов? Десять?

— Мне не надо твоих денег! Мне нужен ты!

Взрыв хохота заглушил ее слова.

— Она хочет тебя, Уилли!

— Дьявольщина, на твоем месте, парень, я бы убежал!

Ковбой вспыхнул и отвернулся. Несколько посетителей, бросая косые взгляды на проповедницу, покинули салун.

— Убирайся отсюда, женщина! — взревел хозяин.

С угрожающим видом он двинулся к надоедливой особе, но, ко всеобщему изумлению, двое девушек-танцовщиц встали на ее защиту.

— Она права, Генри. Мы в самом деле грешники, — сказала ему Люси.

— Не вини ее за то, что она говорит правду, — продолжила вторая, по имени Джина.

Сестра Мэри посмотрела на своих защитниц и тепло улыбнулась им:

— Поистине вы ангелы Господни, явившиеся мне на помощь. Отриньте свой греховный путь. Обратитесь к Богу. Лишь в нем найдете вы истинное счастье.

— Нам уже поздно, сестра, — вздохнула Люси.

— Никогда не поздно. Господь всемилостивый простит вас, если вы на самом деле раскаетесь в своих поступках.

Говоря это, сестра Мэри испытующе глядела на обеих женщин. Она увидела тоску во взгляде Люси, проблеск надежды на лице Джины.

— Приходите вечером к моему фургону, дети мои, на моленье. Я буду говорить о Божьем прощении и любви. — Она обращалась главным образом к Джине, стремясь сохранить в ней огонек надежды, помочь покончить с греховным образом жизни.

— Любовь?! — пьяно проревел сидевший поблизости Салли. Накренившись в их сторону, он обхватил проповедницу за талию и бесцеремонно притянул к себе на колени. — Если ты, сестричка, сегодня раздаешь любовь, я там буду обязательно!

— Тебе больше всех нужно там быть! — с достоинством провозгласила она.

— Раз уж я грешник, должен же я получить от этого удовольствие!

Он обнял ее, но сестра Мэри действовала проворно. Она взмахнула Библией и со всей силы опустила ее ему на голову. От неожиданности Салли разжал объятия, и сестра Мэри тут же отскочила подальше.

— Господь больно наказывает тех, кто не слышит Его зова!

Смех стих, и в салуне воцарилась тишина. Всем был известен бешеный нрав Салли, особенно когда ему шли наперекор. В такие минуты редко кто отважился бы встать на его пути.

— Сегодня в восемь часов. Добро пожаловать, все грешники, — объявила сестра Мэри.

Прямая, как палка, она с достоинством прошествовала к выходу, сохраняя невозмутимое спокойствие леди среди царящего вокруг разгула.

— Ну и безобразная же баба! — прорычал Салли, когда дверь за ней закрылась.

Все с облегчением снова засмеялись, довольные, что гроза, кажется, миновала.

— А ей все равно, считаешь ты ее красивой или нет. Она просто хочет, чтоб ты пришел послушать, как она проповедует Слово Божье!

— Я ей покажу слово, — не унимался он, свирепея оттого, что эта святоша унизила его перед всем салуном.

— Не бери в голову, Салли. — Люси подошла и уселась к нему на колени. — Если хочешь хорошо провести время, тебе нужна я, а не сестра Мэри. Не думай о ней. Ей нужны твои деньги, чтоб спасти твою душу. А я за твои деньги доставлю тебе удовольствие. Что лучше?

— Люси, милашка, ты же знаешь, что я выберу. Пошли наверх.

И падшая голубка повела пьяного Салли на второй этаж.

Джина смотрела, как они уходят, и радовалась, что Люси удалось отвлечь его от мыслей о проповеднице. Салли, когда напивался, мог быть по-настоящему опасным, а Джине не хотелось, чтобы с этой доброй и хорошей женщиной что-то случилось. Как ни странно казалось это ей самой, но в душе Джина знала, что обязательно изловчится и пойдет сегодня в восемь к фургону... Во что бы то ни стало.

— Ну, как дела? — осведомился Крадущий-ся-в-Ночи, когда Коди шмыгнула в палатку, раскинутую перед фургоном.

Старый друг ее отца, Крадущийся-в-Ночи, помогал Коди в поимке преступников. Он снабжал ее информацией, которую она не могла раздобыть сама, и сопровождал в каждом поиске, следуя за ней неслышно, как тень. Когда же она играла очередную роль, он становился ее глазами и ушами, защищал ее и всегда находился неподалеку, словно ангел-хранитель. Вот и сейчас Коди высадила его на окраине городка и лишь потом проследовала к «Адскому пламени». Он же не спеша успел осмотреть весь город. То, что он увидел, ему крайне не понравилось. И здесь Коди была полностью с ним согласна.

— Разнузданное местечко. Я пожалела, что у меня не было пистолета, и пришлось действовать Библией.

На лице индейца отразилось некоторое удивление. Она нечасто вспоминала об оружии.

— У тебя появились сомнения насчет твоего плана?

— Сегодняшний вечер может оказаться опасным, — начала было она, но потом замолчала и пожала плечами. — А с другой стороны, у нас каждый раз опасный...

Он что-то буркнул и пошел расседлывать лошадей. Им еще многое предстояло сделать: установить попрочнее фургон, расставить скамейки и подготовить факелы, чтобы зажечь, когда стемнеет. На все это у них оставалось лишь несколько часов.

— Я не заметила в салуне никого мало-мальски похожего на Люка Мейджорса. — Она вытащила из сумочки печатное объявление о награде за его поимку, которое ей дал Джек Логан, и стала разглядывать. Если художник не погрешил против истины, а Логан уверил ее, что сходство отличное, этот Люк Мейджорс был просто красавцем. Однако красавец или нет, а прежде всего он был стрелком... наемным убийцей, и сейчас еще связался с бандой Эль Дьябло. Вся округа знала, какие это кровожадные головорезы. Об их жестокости говорил весь западный Техас.

— Самым трудным будет заманить его сюда одного... если он вообще здесь, — задумчиво пробормотала она. — А в этом нет никакой уверенности. Сведения из Сан-Антонио не такие уж и достоверные.

Коди всегда старалась до начала розыска узнать все, что можно, о преследуемом. В этот раз она опять воспользовалась главным своим источником информации — другом отца, шерифом Нэтом Томпсоном, и подробно расспросила его о банде Эль Дьябло. Но в этот раз Нэт смог сообщить ей немногое. Банда Эль Дьябло состояла из убийц и грабителей. Они брали, что хотели, когда хотели, и плевали на последствия. Каким-то образом они, казалось, всегда знали об очередной перевозке оружия из форта в форт и о том, когда лучше грабить банки в окрестных городах. Их отличительной чертой была жестокость. Стремясь узнать побольше, Коди разыскала нескольких не слишком приятных типов, обязанных ее отцу. Пока она расспрашивала их, Крадущийся-в-Ночи проводил собственное расследование. Из всех добытых ими обоими сведений, совпадали только, пожалуй, слухи о том, что банда регулярно посещает город Эль-Тражар.

Коди знала, что доставить Мейджорса к Логану будет нелегко, но предложенные рейнджером деньги стоили всех усилий. Она была уверена, что, как только Люк покажется в Эль-Тражаре, все пойдет как по маслу. Ей, правда, еще надо будет придумать, как застать его одного, но как только это произойдет, он в ее руках. Если что, Крадущийся-в Ночи ей поможет. А затем, сменив обличье, они окажутся в пути еще до того, как в банде сообразят, что он пропал. Конечно, это потребует изрядной ловкости, но она не сомневалась, что справится. В конце концов, размышляла она, поправляя на носу очки, ей уже удалось убедить горожан в своей глубокой и страстной религиозности.

— Так когда же Эль Дьябло встретится с нами? — спросил Люк у человека, о котором знал только, что его зовут Хэдли.

Они сидели за столиком в глубине зала «Адского пламени». С того самого момента, как они после побега из тюрьмы приехали в тайное убежище банды, маленький тупиковый каньон, Люк старался не высовываться. Он понимал, что ему не доверяют, и не делал ничего, что могло бы возбудить подозрения. Эль Дьябло в лагере пока не появлялся, но, по наблюдениям Люка, Хэдли был, пожалуй, самым близким к предводителю человеком.

Хэдли посмотрел на Люка в упор. Люк заставил себя выдержать его взгляд.

— Все в свое время. У Эль Дьябло есть дела поважнее. Что за спешка?

Люк пожал плечами, стараясь вложить в этот жест как можно больше безразличия.

— Никакой спешки нет. Просто я столько о нем слышал, что хочется на него посмотреть.

Бандит кивнул, но больше не сказал ни слова.

Крайне раздосадованный, Люк начал пить всерьез. Он надеялся, что виски притупит нараставшие в нем раздражение и отвращение. Он проклинал тот день, когда выиграл в покер это злосчастное ранчо. Единственное, что хоть немного утешало его, это что благодаря ему шериф Грегори остался жив.

Люк пил и все больше впадал в отчаяние. За те две недели, что он провел в банде, он делал все, что ему велели. Днем раньше они ограбили дилижанс. Люку было противно участвовать в этом, но уклониться было невозможно. К счастью, никого не убили. Одно дело было ради Джека согласиться проникнуть в банду, и совсем другое — наблюдать за гибелью ни в чем не повинных людей.

Грабеж прошел настолько гладко, что Хэдли предложил отправиться в Эль-Тражар и отпраздновать это дело. И вот теперь Люк сидел здесь, наблюдая, прислушиваясь, надеясь, что вдруг кто-нибудь проболтается насчет личности Эль Дьябло, и он наконец сможет убраться отсюда. Неужели всего месяц назад он верил, что заживет нормальной жизнью, будет разводить скот, собирать урожай?

Если бы в эту минуту он был один, то посмеялся бы над своей наивностью. Вместо этого он отхлебнул еще виски.

Темнело. Народу в салуне становилось все больше и больше. Люк уже забыл о стычке Салли с проповедницей, как вдруг его пьяный голос прорезал на весь зал:

— А я говорю, что надо выгнать ее из города! — Он был вне себя от бешенства. Эта чертова шлюха посмела ударить его, смеялась над ним. Ей это так просто не сойдет. Он проучит эту гордячку — она еще будет ползать перед ним на коленях и умолять о прощении.

— Да, брось ты, Салли. Выпей еще, — уговаривала его Люси. — Эта сестра Мэри никому не вредит. Она лишь хочет помочь.

Но Салли уже завелся.

— Она просто дешевая шлюшка, вроде тебя!

Люси выпрямилась, глаза ее сверкнули. Маленькая, бесстрашная, она шагнула к Салли, сжав кулачки:

— Слушай меня, ты. Эта женщина — храбрая и чистая душа. А если есть на свете такие гадкие женщины, как я, то это из-за таких мужчин, как ты. И не смей больше так говорить о сестре Мэри! Ты меня слышишь?

— Эй, бармен, двойное виски! — Салли пьяно расхохотался и оттолкнул Люси так, что она упала.

Эта шлюшка вздумала ему угрожать. И все из-за этой проповедницы! Снюхались две стервы. Ну ничего, он ей покажет, этой святоше, она заплатит ему за все.

— Сейчас допью виски и пойду к ней... спасаться.

— Что, Салли, захотелось еще получить Библией по башке? А я-то решил, что одного раза тебе хватит! — крикнул пьяный Карсон и сам захохотал над своей шуткой.

Салли схватился за пистолет. Карсон побледнел, увидев выражение его лица. Он слишком хорошо знал его бешеный нрав. Для Салли убить — раз плюнуть.

— Салли, я же только пошутил, — нервно сказал бандит.

Салли ничего не ответил: он проверял, заряжен ли его пистолет. Затем он одним глотком допил свой стакан.

— Я хочу попробовать этой сучки. И попробую.

Люк говорил себе, что не должен вмешиваться. Ему надо вести себя тихо, не привлекать внимания. Но, увидев, как тот вытащил пистолет, он понял, что не может просто сидеть, ничего не делая. Салли — псих. Если его не остановить... Люк встал и подошел к бару.

— Ладно. По-моему, я готов немного повозрождаться, — объявил Салли, — Пойдешь со мной, Карсон?

— Конечно, Салли. — Он был счастлив, что Салли не собирается заводить с ним ссору. — Пошли побалуемся с сестрой Мэри.

— Она, может, и выглядит как старая ханжа, но, бьюсь об заклад, за этим ее неприступным видом прячется чертовски горячая баба. Пошли проверим.

Люк видел зловещий огонек в глазах Салли и понял, что проповеднице придется туго. Он надеялся, что у нее есть какая-нибудь охрана. Кто-нибудь способный защитить ее от подобных выродков.

— Знаешь, конечно, это не мое дело указывать тебе, как поступать, но...

— Вот в этом ты прав, Мейджорс. — Салли скривился. Ему никогда не нравился этот красавчик стрелок, которого притащили в банду Карсон и Джонс, и он этого никогда не скрывал.

— Но эта сестра Мэри хорошая женщина. Она — Божья душа.

Салли презрительно фыркнул:

— Шлюха она... такая же, как все другие, хоть и носит при себе Библию. Все бабы одинаковы. — Он издевательски растянул губы. — Сиськи-письки. Только на одно и годны.

Люка передернуло от отвращения. Он был воспитан в уважении к женщине. Даже предательство Клариссы не изменило его отношения к прекрасному полу. Его мать была благородной женщиной, умной и доброй. Она говорила ему, что женщин всегда нужно защищать.

— Салли в жизни не встречал ни одной хорошей женщины, — пошутил Джонс, сидевший за столиком с девицей на коленях.

— Хорошей для чего? — бросил в ответ Салли и повернулся к Люку: — Если ты, Мейджорс, считаешь, что все женщины чисты и непорочны, то ты просто болван. Таких на свете нет. Все бабы — шлюхи в душе. Некоторые, почестнее, продаются за деньги, другие — за обручальное кольцо. Но разницы между ними никакой!

Люк сжал кулаки. Как ему хотелось сейчас врезать по этой гнусной ухмыляющейся роже! Заставить его замолчать, не слышать больше оскорблений. Но Люк говорил себе, что Салли — давний член банды, а его самого только что приняли в ближний круг, и не все еще ему доверяют. Он понимал, что должен действовать мягко, потихоньку, но он не мог допустить, чтобы этот подонок причинил вред невинной женщине.

— Да ну ее, эту проповедницу. — Люк старался говорить как можно более беззаботно. — Давайте лучше выпьем еще, сыграем в покер... Мы же для этого приехали в город. Если ей так хочется, пусть себе проповедует. Может, к ней никто не придет, и завтра она сама уберется отсюда.

Салли яростно обернулся к нему:

— А может, я не хочу, чтобы она убралась! Может, мне захотелось ее попробовать. Сбить с нее спесь. Я люблю укрощать таких. — Он уже представлял, как будет это делать, и на лице его появилось мерзкое выражение.

Люк содрогнулся. Салли просто зверь. Он убьет сестру Мэри, а никто вокруг даже и пальцем не пошевелит, чтобы помочь ей. Никто, кроме него.

Глава 6

Толпа, собравшаяся около фургона сестры Мэри, была на удивление большой.

— Братья и сестры! — горячо и вдохновенно говорила сестра Мэри. — Господь рад вашему присутствию здесь.

Коди тоже была очень рада. Она-то рассчитывала в лучшем случае человек на десять. Значит, люди в этом городе вовсе не так испорчены, как говорят.

— Ваше присутствие здесь доказывает, что в этом проклятом месте живут и богобоязненные люди... которые верят в слово Божье... верят в Божью кару! Вы спасены, братья и сестры! Аллилуйя! Давайте же скажем вместе: «Аминь!»

— Аминь! — повторила за ней толпа.

— С нами здесь сегодня находится одна заблудшая душа... женщина, чье сердце полно любви.

Она ищет у Бога прощения, чтобы начать новую жизнь! Сестра Джина, встань, чтобы добрые люди могли тебя видеть.

Коди была потрясена, когда перед проповедью эта молодая женщина подошла к ней и представилась. Она выглядела совсем иначе, чем при их первой встрече в салуне. Джина смыла со своего лица всю краску, собрала свои пышные волосы в скромный пучок, перевязанный простой лентой. Она надела простое платье и выглядела как чья-то юная хорошенькая сестренка. Исчезла женщина, зарабатывающая себе на жизнь продажей выпивки посетителям «Адского пламени», не говоря уже обо всем прочем. Джина решила покончить со всем этим. Она пришла к сестре Мэри, потому что верила ей, ее словам о прощении и новой жизни. Коди не могла подвести ее теперь.

Джина очень смутилась, даже испугалась, но, доверяя сестре Мэри, послушно встала.

— Назови всем свое имя и расскажи, почему ты пришла сюда.

— Меня зовут Джина Мэйджер. Я пришла сюда, потому что хочу жить более правильной и хорошей жизнью.

— Веруешь ли ты, сестра Джина?

— Верую, — робко прошептала та.

— Веруешь ли ты? — повторила Коди. — Я не слышу твоего ответа.

— Я верую! — отозвалась Джина с большей силой и убежденностью.

— Люди Эль-Тажара, поможете ли вы этой молодой женщине вести добродетельную жизнь?

— Поможем! — отозвалась толпа, и Коди видела, что они говорят правду.

— Так скажем вместе: «Аллилуйя!»

— Аллилуйя! — эхом отвечала толпа.

Джина увидела вокруг доброжелательные улыбки и заплакала от счастья. Никогда больше не будет она работать и унижаться в этом ужасном салуне. Она вернется туда ненадолго, чтобы забрать свои вещи, а затем уйдет не оглядываясь.

— Помолимся вместе! — воззвала сестра Мэри, и голос ее, полный силы и веры, разнесся далеко вокруг.

Выйдя из салуна, Салли и еще несколько бандитов направились к фургону сестры Мэри. Еще издали они услышали ее проповедь:

— Господи, спаси нас от адского огня. Господи, убереги нас от искушений этого мира. Влей в наши души силу отвернуться от греха. Наполни сердца наши жаждой следовать за тобою, творить добро, поступать чисто и непорочно. О Господи, спаси нас! Аминь!

— Аминь! — молились с нею горожане.

Салли слушал ее молитву и свирепел все больше. Нечего какой-то проклятой бабе твердить ему, что он грешник. Бога нет, а значит, и ада нет никакого. И небо и ад находятся прямо здесь, на земле. Он ускорил шаг. Он ей покажет царство Божие! Как тогда она унизила его при всех в салуне, так он сейчас унизит ее при всех этих молящихся. Он возьмет эту сучку прямо там, на помосте, и никто его не остановит.

Люк шел за ним следом. Он не знал, что затеял Салли, но не сомневался, что это будет что-то очень мерзкое. Они подошли к окраине города, где стоял ее фургон, и первое, что увидел Люк, — огромная толпа около ее палатки. Людей было так много, что они запрудили почти всю площадь.

Он посмотрел на помост. Сестра Мэри стояла в центре и проповедовала. На ней было простое строгое черное платье с длинными рукавами и высоким воротом, единственным украшением которого были белые манжеты и такой же воротничок. Волосы ее были зачесаны назад и сколоты строгим узлом на затылке. Она была некрасивой, бесцветной, но в ней, во всей ее фигуре и лице, обращенном к слушателям, была какая-то магнетическая притягательность. С Библией в руке она призывала людей отринуть греховный путь, вести жизнь боголюбивую и богобоязненную.

Люка самого чуть не захватил ее призыв, но в этот момент он заметил пробиравшегося к платформе Салли и сразу забыл о божественных словах сестры Мэри. Единственная душа, спасение которой его сейчас тревожило, была ее собственная.

Оглядевшись, Люк увидел стоявшего в сторонке индейца. Тот внимательно наблюдал за толпой. Похоже, один охранник у сестры Мэри все же есть. Наверное, он приехал вместе с ней. Индеец был не вооружен, и Люк чертыхнулся про себя. Он да безоружный индеец-старик... Если начнется заварушка, им придется туго.

Люк все еще надеялся, что Салли постоит и успокоится, хотя понимал, что надеется зря. Если Салли взбрело что-то в голову, он пер напролом, как взбесившийся бык, и ничто не могло заставить его свернуть.

Люк встал сбоку, в тени, чтобы наблюдать за Салли. Но невольно взгляд его все время обращался на проповедницу. Люк не понимал, что с ним происходит, но не мог оторвать глаз от женщины на помосте, женщины, которая вступила в схватку с Салли и победила. Она ходила взад и вперед по платформе. Сила ее убеждения была поразительна. Она вдохновляла и завораживала толпу. Люк восхищался ее мужеством. Чтобы так вести себя, надо было иметь душу стойкую и дерзкую.

Чем больше Люк наблюдал за ней, тем сильнее был заинтригован. В ней было что-то необыкновенное... Сестра Мэри была высокой, но не слишком. Строгая прическа и очки в металлической оправе сильно старили ее. Ее фигура под мешковатым черным платьем была... нет, по правде говоря, фигура была весьма и весьма женственной, и Люк подумал: интересно посмотреть на нее без очков и с распущенными волосами.

Осознав направление своих мыслей, Люк рассердился на себя. Сестра Мэри — целомудренная добродетельная женщина, чистая и благородная душа, а он... на мгновение он стал похож на Салли, с его грязными намеками в ее адрес. А он еще хотел защитить ее от него! Люк сгорал от стыда. Господи, неужели он ничем не лучше Салли?

— Скажем: «Аминь»! — воскликнула проповедница.

Ее громогласный призыв вернул Люка на землю.

— Аминь, сестра!

— Эй, сестра! Я тоже хочу спасения!

Салли протолкался вперед.

— Сестра! Можете вы спасти мою душу? — нескрываемые ненависть и издевка слышались в его голосе.

Легкий шум прошел по толпе. Они знали Салли и всю банду, и знали, какими жестокими те могли быть. Когда он подошел к сцене, все замерли.

Люк тоже затаил дыхание. Сестра Мэри казалась ему косулей, загнанной в ловушку безжалостным хищником.

— Только ты сам можешь спасти свою душу, брат, — проговорила сестра Мэри, узнавая того пьянчугу из салуна. Она держалась спокойно, не давая страху овладеть собой, и только крепче сжала в руках Библию. Крадущийся-в-Ночи рядом, если что, он придет ей на помощь.

— А я думал, это вы спасаете души, — хохотнул Салли, облизывая губы в предвкушении развлечения и мести.

— Я могу указать вам дорогу к праведной жизни. — Она вскинула Библию. — Вам надо открыть себя слову Божьему и выбрать правильный путь. Но только вы можете сделать этот выбор. Вы сами должны решить, жить ли вам праведно или обречь себя на вечные адские муки.

— А если мне обречь себя на «Адское пламя»? — ухмыльнулся он. — Тогда я счастливо проведу целую вечность в салуне за выпивкой! Как ты думаешь? — Он потянулся к ней.

Вокруг все ахнули

— Нет спасения в дьявольском зелье! В нем лишь смрад и погибель. В пьянстве грех и горе. Пусть вино слова Божьего согревает вас. Пусть радость Духа Святого наполнит вам душу, и взыграет сердце ваше весельем высшим, никогда ранее не испытанным.

Коди нечасто молилась, но сейчас она молилась по-настоящему, молилась, чтобы Салли убрался отсюда. У горожан был испуганный вид, и она не могла их винить. Этот пьяный бандит не задумываясь убьет любого, кто встанет у него на пути.

Она обвела взглядом площадь в поисках помощи и вдруг увидела его... Люка Мейджорса. На миг она забыла обо всем. Он стоял в стороне и пристально смотрел на нее.

Ей подумалось, что он — сущий дьявол. Высокий, худой, красивый какой-то темной красотой, он буквально источал силу. Дрожь пробежала по ее телу. Коди инстинктивно поняла, что схватить и доставить его Логану будет самой трудной задачей из всех, с которыми она до сих пор сталкивалась. Ей придется приложить все свои силы, чтобы...

— Ну, сестрица Мэри, что же мне предстоит? Вечное проклятие или вечное спасение? — кричал Салли, цепляясь за край платформы.

Коди чуть не завизжала от злости. Мейджорс тут! А она должна разбираться с этим идиотом. Она уже отчаялась найти Мейджорса, и вот он здесь, совсем рядом, а она, пропади все пропадом, у всех на виду, да к тому же вынуждена отбиваться от какого-то пьянчуги. Вот неудача! Вдруг он уйдет куда-нибудь, пока она будет любезничать с этим кретином? Ох, надоел, ну просто убила бы его на месте!

— Спасение, брат, только спасение. Выйди вперед и позволь мне дать тебе Божье благословение. — На самом деле больше всего ей хотелось еще раз треснуть его Библией по голове.

— Я хочу, чтоб ты дала мне не благословение, а кое-что другое.

— Узрите грешника! — провозгласила она, когда Салли полез на сцену. — Придите, братья, возложите руки свои на этого человека и просите демонов, его обуревающих... демона пьянства и демона похоти... покинуть его!

Коди не знала, откуда пришла ей в голову мысль призвать всех молящихся на помощь, но это сработало. Толпа зашумела, двинулась вперед, окружила пьяного бандита.

— Что за черт? — зарычал Салли. В тот момент, когда он уже почти дотянулся до проповедницы, толпа сомкнулась вокруг него. — Отцепитесь от меня!

— Молитесь, друзья, о мятущейся, измученной пороком душе этого человека. Молитесь, чтобы пошел он по жизни в поисках пути Божьего. Молитесь, чтобы увидел он свет Божественный!

— Убирайтесь от меня к чертовой матери! — вопил Салли, с ненавистью глядя на ту, которая второй раз перехитрила его. Он быстро развернулся и, грубо расталкивая собравшихся, бросился к выходу.

Коди мысленно возблагодарила Бога. Она была спасена. Встрепенувшись, она оглядела площадь, проверяя, не ушел ли Мейджорс. К ее удивлению, он был на месте. Поймав ее взгляд, он слегка приподнял свою шляпу, салютуя ее находчивости.

Она почувствовала, что краснеет, и поспешно повернулась к молящимся, возобновляя проповедь. Когда она снова посмотрела в его сторону, Мейджорс исчез. Коди не знала, радоваться ей тому, что избавилась от Салли, или злиться, что упустила Мейджорса. По крайней мере она его нашла. Теперь все остальное — лишь вопрос времени. Она доставит его к Логану и получит свое вознаграждение.

***

Отправляясь на религиозное представление, Салли был зол, теперь он был в ярости. От выпитого им виски он уже слабо соображал, но продолжал искать способ, как ему отплатить этой поганой сучке. Один раз горожане защитили ее, но не будут же они вечно рядом. Он выждет, пока моление закончится, а тогда вернется и посмотрит, кто кого «спасет»... Он вернулся в «Адское пламя» и, подойдя к стойке бара, заказал еще виски.

— Ну как, спасли тебя? — поинтересовалась Люси.

Он смерил ее ледяным взглядом:

— Мою душу так просто не спасешь.

Люси рассмеялась:

— Я могла сказать это тебе заранее, Салли.

Салли молча пил виски, и через час был вполне готов осуществить свой план. Правда, на ногах он держался нетвердо, но его это не смущало, потому что то, что он хотел сделать, он собирался делать верхом на лошади.

— Карсон, у меня есть идея. Хочешь поразвлечься?

— Конечно, — радостно отозвался вдребезги пьяный Карсон. — Но я и так неплохо развлекаюсь. — На каждом колене у него сидело по девушке, и он чмокал их по очереди.

— Я имею в виду настоящее развлечение.

— А что будем делать?

— Я хочу вернуться назад, к проповеднице. Хочу ее немножко позлить.

— Да зачем? Здесь столько женщин, которые тебе рады, зачем связываться с этой? Одни хлопоты...

— Я твоего дурацкого мнения не спрашиваю! Я спросил, хочешь ли ты поразвлечься?

Карсон, зная вспыльчивый характер Салли, не стал с ним спорить. Он знал, что тот не успокоится, пока не проучит проповедницу, так что следует пойти с ним и покончить с этой историей раз и навсегда.

— Ладно. Девочки, подождете меня? — спросил он у двух красоток, которых обнимал.

— Не сомневайся, Карсон. Мы никуда отсюда не уйдем без тебя. — Девушки засмеялись, и, перед тем как он встал, жарко поцеловали его.

Люк поднял глаза от карт. Вернувшись вслед за Салли, он сел играть в покер. Пока все было тихо, и его это вполне устраивало. Но когда он увидел, что Салли в сопровождении Карсона направился к двери, то понял: они что-то задумали. Спасовав, он подошел к бару.

— Куда отправились Салли и Карсон? — спросил он у бармена.

— Он никак не выбросит из головы эту сестру Мэри. Не надо было ей днем с ним цапаться. Больно уж подлый он, сукин сын.

— А шериф у вас в городе есть?

— Да есть, но от него мало толку. По-моему, у маленькой леди будут большие неприятности.

Люк выругался себе под нос и бросился из салуна вслед за двумя бандитами. Он увидел, как они вскочили на коней и поскакали к фургону проповедницы. В руках они держали пистолеты.

На площади еще были люди, задержавшиеся после моления, чтобы поговорить с сестрой Мэри. Но Салли было на них наплевать. Он твердо решил получить то, что хотел.

Увидев, что сестра Мэри, стоя на помосте, разговаривает с молоденькой Джиной, Салли пришпорил коня. Он вылетел на площадь, беспорядочно паля из пистолета. Карсон скакал вслед за ним. Привязанные неподалеку от палатки лошади испуганно заржали, и люди кинулись врассыпную, отчаянно толкая друг друга. Коди похолодела от страха.

— Это Салли! — ахнула Джина, в ужасе хватая ее за руку.

— Где шериф? — быстро спросила ее Коди.

— Шериф ничего не сделает. Будет прятаться, пока они не уедут из города. Они ведь из банды

Эль Дьябло. Когда они наезжают к нам в город, все прячутся по домам.

— Тогда ты тоже беги, — сказала Коди.

— А как же вы? Вы не спрячетесь от них в фургоне! Вам тоже надо бежать!

Коди потрепала ее по руке, помня, сколько мужества проявила Джина сегодня на молении.

— Со мной все будет в порядке. А теперь беги. Спасайся сама.

Джина порывисто обняла проповедницу и кинулась прочь.

Коди спустилась и встала около фургона, рядом с Крадущимся-в-Ночи. Крепко сжимая в руках Библию, она наблюдала, как мчится к ней Салли.

Крадущийся-в-Ночи полез было в фургон за своим ружьем, но Коди покачала головой, боясь задеть кого-либо случайным выстрелом. Она и раньше имела дело с пьяницами вроде Салли, но обычно, напившись, они валились и засыпали. А этот чем больше пил, тем злее становился. Мысль о том, что она нежданно приобрела себе мстительного врага, никакой радости у нее не вызвала. Она охотилась за Мейджорсом, но, полюбовавшись на фокусы Салли, поняла, что ей доставило бы огромное удовольствие засадить в тюрьму и его.

— Сестра Мэри! Я хочу спастись. Придите, спасите меня, — орал Салли. — Или я для вас слишком погряз в грехах?

— Лучше мне поговорить с ним, — прошептала она Крадущемуся-в-Ночи. Она поняла, что этот скандалист не уйдет, пока она не ответит ему.

— Не надо, — сказал Крадущийся-в-Ночи.

— Я должна. Нам бежать некуда. Не думаю, что он причинит мне вред, но все-таки достань ружье и держи его под прицелом во время разговора. На всякий случай.

Он кивнул и посоветовал:

— Возьми с собой Библию.

Она крепко прижала Святую книгу к груди и храбро шагнула вперед.

— Я здесь, брат Салли, — объявила она. — Зачем разрушил ты дом Божий? Ты хочешь творить здесь дело дьявола?

— Я здесь, чтобы дать тебе урок, женщина. — Он двинулся в ее сторону.

— Пути Господни неисповедимы. Если вы сделаете еще шаг, то обнаружите, что на вас направлено ружье.

Он захохотал:

— Если ты говоришь о своем друге-индейце, у меня для тебя плохое известие. Не он держит меня на прицеле, я его держу.

Коди оглянулась и увидела, что Карсон стоит за спиной Крадущегося-в-Ночи, наставив на него пистолет.

— А теперь, курочка, усвой, что мне не нравится, что ты о себе воображаешь. По-моему, тебе стоит отправиться с нами в салун и пропустить стаканчик-другой в нашем обществе. Может, я обращу тебя в свою веру.

— Ваше предложение очень любезно, однако я уже посещала этот притон один раз, и этого более чем достаточно. Я не хочу ссориться с тобою, брат. Я лишь хочу мирно нести спасительное слово Господне всем, кто в нем нуждается.

Она стояла такая гордая, такая набожная и праведная, что Салли чуть не задохнулся от ярости. Гнусно выругавшись, он поскакал к ней, намереваясь схватить и перекинуть перед собой через седло.

Внезапно, к его изумлению, другой всадник промчался мимо него.

— Пустите меня! — взвизгнула Коди, когда сильная рука незнакомого всадника обхватила ее за талию.

Она билась и извивалась, пытаясь вырваться, но он, как пушинку, перекинул ее к себе на седло. Пока он старался одновременно справиться и с ней, и с конем, Коди извернулась и бросила взгляд на дерзкого похитителя.

— Вы?! — ахнула она. Это был Люк Мейджорс.

— Эй, Мейджорс, погоди! — завопил Салли. — Эта проповедница моя!

— Извини, Салли. Ты слишком канителился. Кто успел, тот и съел, так что я беру ее себе.

— Ах ты ублюдок! Тебе это даром не пройдет!

Люк повернул коня и теперь оказался лицом к лицу с бандитом. Он подтянул сестру Мэри, так что правая рука его освободилась и могла дотянуться до пистолета.

— Она моя, если только ты не захочешь за нее драться. — Люк посмотрел вниз на свою добычу. Лицо ее было в грязи, пряди волос выбились из тугого узла, очки съехали набок. К груди она продолжала прижимать Библию. — Правда, вид у нее не так уж хорош, чтобы стоило из-за нее умирать. Ты как думаешь?

— Ты не имеешь права...

— Я первый ее схватил. Какое еще право мне нужно?

— Я первый захотел ее.

— А я первый добыл, — повторил Люк.

— Я могу отобрать ее у тебя!

— Давай попробуй. — Неуловимое движение — и в руках у Люка оказался пистолет. — Но вряд ли это будет очень умно.

Коди была потрясена, с какой быстротой он это проделал.

Салли уже открыл было рот, чтобы принять вызов, но, поглядев в черное дуло направленного на него оружия, передумал.

— Так как, Салли? — Люк предпочитал схватиться с ним сейчас, лицом к лицу, чем ждать пулю в спину. — Что выбираешь?

— Ты, Мейджорс, однажды заплатишь мне за это.

— Дай только знать когда, Салли. А пока что сестра Мэри моя.

Глава 7

Салли развернул коня и ускакал. Он не шумел, не ругался, что для знавших его было плохим признаком. Тихий он был особенно опасен.

Бросив Крадущегося-в-Ночи лежащим без сознания на земле около фургона, Карсон быстро вскочил на лошадь. Когда Салли рванулся вперед, чтобы схватить проповедницу, индеец вскинул ружье, и Карсон ударил его сзади.

Он хотел было вмешаться в стычку между Салли и Мейджорсом и попробовать подстрелить того, но, увидев быстроту, с какой тот выхватывает пистолет, тут же изменил свое решение. Немногие могли похвастаться такой сноровкой. Да, репутация этого стрелка явно была заслуженной. Он был опасен. Однако Карсон не сомневался, что Салли найдет способ с ним расквитаться.

Крепко держа проповедницу, Люк выждал, пока оба бандита не скрылись из виду.

— Они уехали, — облегченно вздохнула Коди, — вы можете спустить меня на землю, друг. Я благодарю вас за помощь.

— Меня зовут Люк, Люк Мейджорс, и я сожалею, сестра Мэри, но никуда вас не отпущу, — проговорил Люк и, развернув коня, поскакал прочь из города.

— Отпустите меня!

Когда Коди поняла, что он увозит ее непонятно куда, она с удвоенной силой начала вырываться из его рук. А она-то решила, что Люк ниспослан ей Провидением. События приняли весьма неприятный оборот, и он тогда подоспел вовремя. Но теперь ей пришло в голову, что она попала из огня в полымя. Люк был не менее, а может быть, и более опасен, чем Салли. О, она была достаточно наслышана, что он за человек.

— Вы не можете так поступить!

С легким смешком он лишь плотнее прижал ее к себе:

— И кто же меня остановит?

В этот момент они как раз проезжали мимо фургона, и Коди заметила лежащего без сознания Крадущегося-в-Ночи!

— Крадущийся-в-Ночи! — с ужасом воскликнула она, глядя на распростертое тело друга. — Сэр, если есть в вашем сердце хоть капля христианской доброты, вы освободите меня! Я должна позаботиться о своем друге! Он ранен. Возможно, умирает!

В ответ Люк лишь пришпорил коня.

— Отпустите же меня! — требовала она, пытаясь вырваться.

— Нет, вы теперь будете со мной. — Люк держал ее железной хваткой за талию, не давая шевельнуться.

— Вы что, хотите попасть в ад? — Коди поняла, что так она не вырвется, и решила его припугнуть, используя всю силу своего красноречия.

— Я уже там нахожусь, — отвечал Люк, чуть придерживая коня, чтобы оглянуться на площадь.

Один из освещавших помост факелов упал и поджег палатку. Алые языки пламени полыхали в ночи, придавая картине какой-то дьявольский вид.

При виде этого зрелища она затихла, затем извернулась и взглянула ему в лицо. В первый раз он показался ей красивым, теперь, в этом жутком красном свете, лицо его казалось резким и жестоким. Впервые Коди засомневалась в своих силах. Она была рада, что не выпустила из рук Библии. Возможно, это ее единственная надежда.

— Вы еще можете спасти свою душу.

— Поздно беспокоиться о моей душе. Я выжег ее много лет назад. Сейчас я тревожусь о вашей.

— О моей? — нахмурилась она. — Если вы обо мне тревожитесь, то лучше всего отпустите меня. Салли уехал. Я позабочусь о Крадущемся-в-Ночи, и с нами все будет в порядке.

Люк взглянул на нее с досадой:

— Сестра Мэри, вы вообще-то хотите живой увидеть рассвет? Может, сейчас Салли и нет рядом, но он не тот человек, который легко отдаст то, что раз захотел. А вас, поверьте мне, он очень хочет.

Коди побледнела при этом недвусмысленном заявлении.

— Но Крадущийся-в-Ночи...

— Сам сумеет о себе позаботиться, — угрюмо буркнул он. Люку стало жалко ее, но он был рад, что она наконец поняла, в какую передрягу влипла. — Салли не забывает обид. Тогда, в салуне, вы его унизили. Ему это очень не понравилось. Если я сейчас вас отпущу, вы не успеете из города выехать, как он вас настигнет. А, судя по всему, от вашего индейского друга толку немного.

Коди вздрогнула и, крепче прижав к груди Библию, мысленно взмолилась, чтобы с Крадущимся-в-Ночи ничего не случилось.

— Я лишь пыталась обратить его к Господу. Почему он так возненавидел меня?

— Почему злые люди делают то, что делают? — Он пожал плечами. — Вы же занимаетесь спасением душ. Если б вам удалось спасти его душу, ручаюсь, место в раю было бы вам гарантировано.

— Тогда не могли бы вы просто оставить меня где-то здесь, в городе? Я бы спряталась, пока он не уедет отсюда.

— Он так легко не сдастся. Он упрям, как... ну, не важно кто. — Он оборвал фразу, чтобы не оскорбить ее слух грубым выражением. — Скажем так, сестра Мэри, сейчас вам безопаснее всего быть со мной.

— Но я не хочу быть с вами! — запротестовала она.

Люк начал злиться. Нет, все-таки эта проповедница глупа как пробка.

— Послушайте, леди, мне вы тоже не больно-то по сердцу. Я люблю женщин помоложе, покрасивее и повеселее. Так что на вашу добродетель я покушаться не собираюсь. Но если вам хочется остаться живой, то, черт возьми, делайте все, как я велю.

— Пожалуйста, сэр, разговаривая со мной, не пользуйтесь такими гадкими выражениями. Использовать дурные слова для объяснения своих мыслей — признак невежества и порочности.

— Нет, вы послушайте меня, проповедница. Если вас сейчас не беспокоит ничего, кроме употребления плохих слов, с вашей головой не все в порядке. Или вы думаете, что ваш старик сможет защитить вас от банды Эль Дьябло?

— А вы, по-вашему, сможете? — вызывающе бросила она.

— Я один из них.

Она ахнула от этого заявления и, извернувшись, посмотрела на него:

— Если вы один из них, то почему хотите меня спасти? Разве они не обозлятся на вас за это?

— Я бывал и в худших переделках. Выберусь и из этой.

— Но...

— Если хотите остаться в живых, сидите смирно, — приказал Люк, ближе притягивая ее к себе. Он почувствовал ее сопротивление и улыбнулся про себя: сестра Мэри боролась до конца.

— Я ценю ваши мужество и доброту ко мне, мистер Мейджорс.

— Люк.

— Люк. Но куда вы меня везете? — спросила она, стараясь держаться прямо как палка, чтобы невзначай не прислониться к нему. Сделать это на лошади было крайне неудобно, но об удобстве она думала меньше всего. Она не может позволить себе расслабиться... Только не теперь...

— Подальше от Эль-Тражара, — уклончиво ответил он. — Я хочу, чтобы вы были там, где он ничего не сможет вам сделать.

— Где это?

— Увидите.

— Как долго вы собираетесь держать меня в плену?

— Если вы будете задавать столько вопросов, я брошу вас прямо здесь на радость Салли, который наверняка уже едет за нами. Поняли? — Люку она надоела. Уму непостижимо, как это его угораздило стать нянькой странствующей проповеднице! Все, чего он хотел, это узнать, кто такой Эль Дьябло, и убраться отсюда к чертовой... куда подальше.

Осознав, что из-за нее он, даже мысленно, смягчил выражение, Люк поморщился. Меньше всего на свете ему хотелось, чтобы какая-то размахивающая Библией дамочка вмешивалась в его жизнь. Он не сомневался, что за него уже объявлена награда, и хотел покончить со своим заданием прежде, чем кто-нибудь покончит с ним. Ему надо поскорее разузнать нужные сведения и сообщить их Джеку.

Коди тоже была зла, но злилась она больше на себя. Если бы днем она не взбесила Салли, все было бы отлично. Люк Мейджорс действительно оказался в Эль-Тражаре, и к этому времени она уже схватила бы его. Однако о пролитом молоке не плачут. Судьба сдала ей другие карты, значит, с ними и играть.

Она должна была признаться, что в каком-то смысле ей повезло и она получила, что хотела. Она была наедине с Люком Мейджорсом. Но даже если представится возможность и ей удастся оглушить его и связать, без помощи Крадущегося-в-Ночи она его с места не сдвинет. К тому же все ее вещи, за исключением Библии, находились в городе, в фургоне. Да, застряла она прочно... Так что пока она будет играть роль сестры Мэри. Прямо скажем, эта мысль восторга у нее не вызывала, но впереди маячила громадная награда.

Мысленно помянув всех обитателей ада, она задумалась о своей дальнейшей судьбе. Очевидно, следовало готовиться к худшему, хотя надо признаться, тот факт, что он тревожится о ее судьбе, весьма удивлял. И то, как держал он ее перед собой в седле, не больно, не похотливо, тоже вызывал недоумение. Можно было сказать, что, с учетом ситуации, он держал ее скорее заботливо... С его-то репутацией! Просто невероятно.

Коди решила, что то, что он равнодушен к ней как к женщине, только к лучшему. Иначе он начал бы приставать, и ей пришлось бы применить решительные меры, а ей этого совсем не хотелось. Она обещала Логану, что доставит Мейджорса живым, и сдержит свое слово.

Она поймала свои последние мысли и слегка нахмурилась. Конечно, ей вовсе не хочется вызывать в нем желание. Он ведь бандит, наемный стрелок. И все же его слова, что он любит женщин помоложе и покрасивее, больно ранили Коди. Одно дело играть роль сестры Мэри всего несколько часов, проповедуя перед толпой. И совершенно другое — жить так день за днем, без передышки. Да, в этот раз деньги достанутся ей тяжело.

Некоторое время они ехали молча.

— Вам не хочется избавиться от Библии? — в конце концов поинтересовался Люк, заметив, как неудобно ей ехать, сжимая в одной руке толстую книгу.

— Нет! — возмущение и испуг были совершенно искренними. — Слово Господне — мое спасение и защита. Эта Библия спасала меня от бед гораздо больше, чем вас спасало ваше оружие. Я с ней никогда не расстанусь. Это подарок моего дорогого, ныне покойного отца.

— Он тоже был служителем веры?

— По-своему. Он стремился исправить зло в мире и помогать людям, но иногда люди не желают, чтобы им помогали.

— Вот в этом вы правы, — заметил Люк, вспоминая ограбление банка и то, как, вытащив свой пистолет, чтобы помочь кассирам, он оказался в тюрьме.

Они снова замолчали. Люк не хотел останавливаться, пока они не окажутся в горном убежище банды. Только там, в каньоне, он позволит себе расслабиться.

Все случилось так, как Люк и опасался. Примерно через час после их отъезда он услышал стук копыт. Он раздавался все громче и громчс. Люк не сомневался, что гонятся за ними. Выехав на вершину небольшого холма, он остановился, поджидая преследователей. Через несколько минут Хэдли, Салли, Карсон и другие показались внизу.

— Добрый вечер, джентльмены. Могу я вам чем-то помочь? — крикнул им Люк сверху вниз.

Они так резко осадили коней, что те встали на дыбы.

— Мы просто пытались тебя нагнать, — промолвил Салли.

— Отлично. Вы нас догнали. Теперь можете поезжать вперед, а мы последуем прямо за вами.

Бандиты тихо ругались. Салли сказал им, что Мейджорс отвезет сестру Мэри недалеко от города, попользуется ею и бросит. Они намеревались позабавиться с ней после него. А выходит, что Салли ошибся. Мейджорс и в самом деле собирался оставить ее себе. А это совсем другое дело. Никто из них не хотел ссориться с Мейджорсом. Слишком рискованно было вступать с ним в перестрелку из-за бабы. Не стоила она того. И после минутного раздумья маленькая кавалькада проследовала дальше.

Коди была потрясена, что Салли так быстро отправился в погоню за ней. Мейджорс не наврал ей. И снова она задумалась, зачем он это делает? Если он был тем хладнокровным наемным убийцей, каким его все считали, почему его беспокоила ее судьба? Неужели он в самом деле страшился Божьего гнева? Неужели сохранилось добро в его душе, или им двигали иные, неизвестные ей низменные побуждения?

Глядя вперед, на отъезжающих бандитов, Коди вдруг поняла, что поддержка сильной руки Люка не стесняет ее, а успокаивает. Рядом с ним она испытывала ощущение безопасности, а не страх. На секунду ей захотелось прислониться к нему. Но вместо этого она еще сильнее выпрямилась, напоминая себе, что хоть он и чуточку лучше остальных, но все равно убийца. Близился рассвет, когда усталость наконец одолела ее, и она, обмякнув, прижалась к Люку.

Низкий насмешливый голос прозвучал у нее над ухом:

— А я все думал, сколько еще вы сможете так держаться, сестра Мэри.

Коди слишком устала, чтобы отвечать на его колкости. Она закрыла глаза и, продолжая прижимать к себе Библию, помолилась Богу, чтобы он дал ей силы выбраться из этой истории. А еще она помолилась за Крадущегося-в-Ночи.

На рассвете они достигли каньона. Люк безумно устал, но все так же настороженно прислушивался и внимательно следил за Салли. От него он ждал любой подлости. Вслед за другими они проследовали мимо охраны через узкий въезд в каньон. Затем Люк направился к маленькой грязной хижине, которую ему отвели, когда он присоединился к банде. Остальные отправились по своим домам, но Салли, задержавшись, оглянулся и злобно сверкнул глазами на Люка.

Люк ответил ему взглядом не менее красноречивым и проговорил угрожающе:

— Она моя, а свое я умею хранить.

— Посмотрим, Мейджорс, посмотрим. — И Салли проехал дальше.

Люк спрыгнул с коня и протянул руки, чтобы подхватить сестру Мэри.

— Не трогай меня! Я могу слезть сама!

Пытаясь уклониться от его прикосновения, она чуть не упала с лошади. Он пробормотал что-то себе под нос, крепко схватил ее за талию, бесцеремонно снял с седла и буквально шмякнул на землю рядом с собой.

— Не испытывайте мое терпение, — сурово произнес он. — Сейчас отправляйтесь в дом, а я позабочусь о лошади.

Коди уставилась на него. Он был суровым, надменным и очень сильным. Да, перехитрить его будет очень сложно. Потребуется вся ее смекалка. Вызывающе вскинув голову, как и подобает оскорбленной проповеднице, она неохотно вошла в дом.

Оказавшись внутри, она внимательно огляделась. Да, это не номер-люкс... Узкая кровать, придвинутая к стене, стол и два стула — вот и вся мебель. Что ж, Коди привыкла к суровым условиям, но бывали дни, вроде сегодняшнего, когда она хотела бы сыграть роль царицы Савской, чтобы для разнообразия понаслаждаться роскошью. Устало ткнув пальцем в давно не стиранное одеяло, она обрадовалась, что по крайней мере ничего оттуда не выползло. Поскольку постель выглядела гораздо мягче стула, она с облегчением опустилась на нее и стала ждать возвращения Мейджорса.

Люк расседлал и почистил своего коня, позаботился о еде и воде для него, а затем, захватив с собой ружье, направился в свой домик. Распахнув дверь, он застыл на пороге, увидев сидящую на кровати Коди. Она подняла глаза и в тот же миг с запоздалым смущением осознала, куда уселась. Она сразу вскочила: меньше всего ей хотелось наводить его на мысли о постели.

— Вы занимались своей лошадью?

— Да, а теперь пришло время позаботиться о вас.

— Что вы имеете в виду? — Широко открыв глаза, она смотрела, как он шел к ней. Нервно глотнув, она вспомнила его слова о том, что он не собирается посягать на ее добродетель. Правда? Ложь? Она что есть силы вцепилась в Библию, которую так и не выпустила из рук.

— Всего лишь это. — Он положил руки ей на плечи и ласково подтолкнул к кровати. — Ложитесь спать. Вам нужно отдохнуть.

— Но ведь уже солнце взошло. А вы что собираетесь делать?

— Я тоже посплю.

— Где?

Люк улыбнулся:

— Прямо у вас под боком, а около меня будет лежать вот это ружье.

— Оно вам не понадобится! Я не стану убегать!

В ответ — короткий жесткий смешок.

— Оно не для вас. Так, для непрошеных гостей вроде Салли. А теперь ложитесь и ведите себя тихо. Я устал. Ночь была трудной, и неизвестно, что еще будет днем. Нам обоим надо выспаться, пока возможно.

— Ладно. — Она отодвинулась от него как можно дальше, прижалась к стене и замерла.

— Хотя вам придется сделать еще одну вещь.

— Какую? — еле слышно выдавила она. Коди решила, что он потребует, чтобы она разделась, и пыталась сообразить, как ей тогда поступать.

Люк криво усмехнулся:

— Я всего лишь хочу, чтобы вы отложили Библию.

— И все? — Коди улыбнулась от уха до уха.

На какое-то мгновение при виде этой лучезарной улыбки Люк решил, что она просто хорошенькая. Но, моргнув, снова увидел перед собой очкастую мышку.

— Благослови вас Бог!

«Да еще и проповедует без отдыха, — добавил он про себя. — Нет, мне просто необходим отдых — я так устал, что уже кажется, что сестра Мэри... привлекательна».

— Спите.

Она поспешно положила книгу между собой и стеной и замерла, пока он устраивался рядом.

Люк завозился рядом, устраиваясь поудобнее. Ну и в переделку он влип! Зачем ему эта проповедница? Она только осложнит все. С ней, наверное, хлопот не оберешься. Люк вздохнул, приподнялся.

— Возьмите. — Он передал ей единственное одеяло.

Коди чуть не вырвала его из рук.

Люк молча глядел, как она заворачивается в него, и понимал, что нравится это ей или не нравится, но выхода нет. Пока он не достанет еще одно одеяло, ей придется делить с ним это.

— Сестра Мэри, так не пойдет.

— Что именно? — спросила она.

— Здесь только одно одеяло. Как там говорится в Библии насчет того, чтобы делиться с неимущими?

Коди лишь открыла рот при этой нахальной просьбе. Он хочет забраться под одно одеяло с ней? Набат в ее голове забил тревогу. Неужели его красивые слова были всего лишь... словами?

— Да, так сказано в Библии, и я всегда этого придерживаюсь. Однако вы похитили меня, увезли от дома и друзей. Вы притащили меня в это гнездовье грешников и теперь хотите, чтобы я спала с вами под одним одеялом? Боюсь, сэр, что не смогу с этим согласиться. Моя добродетель — это все, что у меня сейчас осталось, и я не смею так рисковать.

Она высвободилась из одеяла и передала его Люку.

— Можете взять его себе целиком. Моя вера согреет меня. — Став затем на колени на своей половине постели, она начала громко молиться: — О Господь, изыми меня из гущи этих грешников. Спаси душу мою, Господи Боже, чтобы славила я тебя по долам и весям. О том прошу тебя, Господи! Аминь!

Люк вздохнул. Он вспомнил, как ребенком молился перед сном с матерью. Теперь она умерла, а от той жизни ничего не осталось... Комок подступил к горлу — таким одиноким и несчастным он вдруг почувствовал себя.

— Ладно, оставьте это проклятое одеяло себе! Я буду спать там.

С этими словами он схватил ружье и улегся на полу в другом конце комнаты.

Коди чуть не захихикала, увидев, как подействовала на него ее молитва. Кто бы мог подумать — религиозный бандит! Надо будет иметь это в виду.

Она украдкой взглянула на него, сняла очки, положила их рядом с Библией и устроилась поуютнее под одеялом. Она хотела поскорее заснуть, но сон не шел. Голова шла кругом, когда она вспоминала все события прошедшего дня. В принципе пока все идет как нельзя лучше. Однако Мейджорс удивил ее своими манерами и повадками. Из полученной заранее информации она знала, что он по рождению южанин. Возможно, размышляла она, когда-то в отдаленном прошлом он был джентльменом.

Люк тоже долго не мог заснуть. Он думал об обещании, которое дал Джеку. С каждым днем он все яснее понимал, что выполнить его будет очень трудно. Этот Эль Дьябло был просто призрак какой-то, а не человек. И похоже, он наводил ужас не только на мирных жителей, но и на членов своей банды. Они или вообще отказывались говорить о нем, или говорили очень мало и неохотно, все время оглядываясь, как будто он мог возникнуть в любой момент за их спиной. Люк пытался представить себе, что человек может вызывать такой страх. Он, должно быть, настолько жесток, что по сравнению с ним Салли покажется невинным младенцем. Он очень умен, и еще он прирожденный лидер — бандиты готовы идти за ним в огонь и в воду. Да уж, действительно настоящий дьявол — полностью соответствует своему прозвищу. Когда же он наконец приедет в лагерь?

Одно время Люк серьезно подумывал о том, чтобы удрать из банды. Он узнал одно из их убежищ и мог сообщить об этом Джеку. Но это казалось слишком незначительным достижением. Люк обещал Джеку узнать, кто такой Эль Дьябло, и, если, оставаясь здесь подольше, он поможет схватить главаря, что ж, он потерпит еще. Вот только теперь здесь появилась эта сестра Мэри, которая значительно осложнит все дело. Его, наверное, бес попутал, когда он решил взять ее с собой. Как будто у него и так забот мало, так теперь еще и с ней нянчиться.

Незаметно Люк задремал, но сон не принес ему облегчения. Проснувшись через несколько часов, он почувствовал себя полностью разбитым. Бросив взгляд на сладко спящую сестру Мэри, он встал и вышел на улицу.

У костра сидел Джонс и пил кофе. Увидев Люка, он предложил:

— Хочешь горячего?

— Звучит заманчиво. — Люк присел рядом на корточки и налил себе кружку кипящего крепкого варева.

— Прошел слух, что ты привез сюда с собой какую-то проповедницу. — Похоже, Джонса это весьма забавляло.

— Верно.

Джонс фыркнул:

— В Эль-Тражаре полным-полно красоток. Как же тебя угораздило связаться с какой-то чокнутой проповедницей, которая к тому же, говорят, уродина страшная?

Люк пожал плечами:

— В тот момент она меня вполне устраивала.

— А теперь, когда ты уже протрезвел? — рассмеялся Джонс.

Люк криво усмехнулся и встал. Ну вот, теперь он объект насмешек для всего лагеря. Вошел в доверие, называется. Пожалуй, проблем с сестрой Мэри будет больше, чем он думал.

— Ничего, сгодится, — только и пробурчал он.

— Что ж, когда она тебе надоест, дай нам знать. Уверен, что найдется немало желающих попробовать нечто новенькое.

— Поверь, если я когда-нибудь решу поделиться, сразу дам тебе знать.

Джонс кивнул.

— А где сегодня все? — поинтересовался Люк. Лагерь выглядел безлюднее и тише обычного. Не было видно ни Хэдли, ни Салли, ни Карсона.

— Они уехали на встречу с Эль Дьябло.

Люк сразу насторожился:

— Эль Дьябло приедет в лагерь?

Джонс искоса взглянул на него:

— Нет. Эль Дьябло не любит приезжать сюда. Босс только сообщает нам, что и где, а остальное наше дело.

— Разве он никогда не выезжает с вами?

— Редко.

— Ну если он не возглавляет вас при налетах, как же получилось, что банду называют его именем?

— Не волнуйся. Мы на самом деле банда Эль Дьябло. Хозяин приказывает нам, куда ехать и что делать, а мы выполняем. Те, кто не слушается приказов, долго здесь не задерживаются. За этим присматривает лично Хэдли.

— В этом я не сомневаюсь, — буркнул Люк. — А как насчет меня? Я с вами уже несколько недель, а у меня было только одно дело.

— Поэтому они и встречаются с Эль Дьябло. Босс скажет нам, какая будет следующая работа. Босс знает все. Когда они вернутся, наверное, станет известно, принят ты к нам или нет.

— Я не знал, что у вас тут конкурс.

— Конкурс не конкурс, но мы ведь не слишком много о тебе знаем. И ты пытался помешать налету на банк.

— Да, и очень удачно. Меня бросили в тюрьму и готовы были повесить.

— Не надо было злить их и орать о своей невиновности.

— Я думал, хоть кто-то поверит мне.

Джонс презрительно фыркнул:

— Поверят они, как же. Да они такие же, как и мы. Мы тоже никому не верим и не любим чужаков, но мы хотя бы не строим из себя всяких там добропорядочных и почтенных граждан. Мы здесь все воры и убийцы и ведем себя так же. Но по крайней мере ты знаешь, чего от нас ждать. А взять их: эти добрые люди Дель-Фуэго готовы были линчевать тебя, даже не разобравшись, что случилось. И будь уверен, повесили бы.

Люк кивнул. Джонс был прав.

— Так что же ты теперь думаешь о добрых горожанах?

— Я здесь. Это само по себе говорит, что я о них думаю. По крайней мере тут меня принимают таким, каков я есть. Салли и несколько других могут не любить меня, но мне их дружба особо и не нужна.

— Здесь немного настоящих друзей. Мы держимся друг друга, но никому не доверяем. А остаемся здесь, потому что получаем хорошие деньги.

— Я их еще не видел. Лучше пусть это подтвердится, иначе я уеду. Я могу заработать чертовски хорошие деньги, нанявшись стрелком на какое-нибудь южное ранчо.

— Не волнуйся. Как только Эль Дьябло скажет, что ты принят, тебе будут платить так же, как нам.

— Как же Эль Дьябло сможет одобрить меня, если он меня никогда не видел?

— У Эль Дьябло есть способы выяснять все, что нужно. Не удивлюсь, если ребята вернутся через пару дней и скажут, что ты принят.

Люк кивнул, одним глотком допил остаток кофе и повернулся пойти посмотреть, как там сестра Мэри.

Его очень устраивало, что Салли на какое-то время уехал. Можно будет немного расслабиться. Хотя то, что его не взяли на встречу с неуловимым предводителем банды, было в высшей степени досадно. Снова приходилось ждать.

Вернувшись в хижину, Люк обнаружил, что сестра Мэри все еще спит. Она лежала спиной к нему и выглядела маленькой и уязвимой. Однако он не сомневался, что, проснувшись, она снова превратится в грозного воина, хотя единственным ее оружием были Библия и неукротимый дух. Надо было решать, что ему делать с ней дальше.

Коди открыла глаза и несколько секунд ошеломленно разглядывала незнакомую обстановку. Она с бешено бьющимся сердцем села в постели, но потом вспомнила, что она здесь делает и кто она теперь. Окидывая взглядом грязную комнату, она перебирала в памяти вчерашние события и не знала, радоваться или горевать, что оказалась вместе с Люком Мейджорсом.

Сделав глубокий вдох, она сказала себе, что все к лучшему. Ей подвернулся прекрасный случай. Человек, за которым она гонялась, был с ней. Теперь ей просто надо было придумать, как его обмануть и вывезти из банды Эль Дьябло. И, конечно, как потом доставить к Логану.

Коди вновь нацепила очки, хотя они ее зверски раздражали. Зрение у нее было отличное, но очки были существенной частью маскарада. Они придавали сестре Мэри неприступный вид.

Встав с постели, она подошла к двери и выглянула наружу. Мысль о побеге тут же пришла ей в голову, но она отогнала ее. Бежать было еще рано.

Она быстренько подколола выбившиеся из тугого пучка волосы, затем одернула платье и разгладила складки на юбке. Наконец, взяв в руки Библию, она решительно вышла из хижины.

Глава 8

Поселок бандитов в каньоне был их постоянным убежищем. Здесь хватало воды, и многочисленные хижины соседствовали с коралями для лошадей и другого домашнего скота. Еще Коди увидела там женщин и детей, что, впрочем, не удивляло. Каньон затерялся в горах и был, наверное, самым безопасным местом жизни для семей разбойников.

Коди побродила вокруг, а потом ветерок донес до нее божественный аромат кофе. Угрюмого вида мужчина сидел над кофейником около одного из открытых очагов и рассматривал ее с откровенным интересом. Приветливо улыбаясь, она подошла к нему.

— Доброе утро, друг. Ваш кофе так замечательно пахнет, что я подумала, не уделите ли вы мне чашечку?

— Наливайте, если хотите. — И он махнул рукой в сторону кофейника, улыбнувшись ей несколько смущенно.

— Благодарю вас, вы очень добры. Между прочим, меня зовут сестра Мэри, — проговорила Коди, наливая горячее черное варево в жестяную кружку, которую, судя по всему, не мыли месяца три. Но выбирать не приходилось, и она осторожно отхлебнула из кружки.

— Меня зовут Джонс.

— Очень приятно познакомиться, — сказала она с улыбкой, вполне искренней, так как кофе был отличным. Все это время она следила, не появится ли Салли, готовая, если что, тут же мчаться в хижину Люка. Но мужчин в поселке почти не было.

— Кажется, Господь благословил нас хорошим деньком.

Он пожал плечами:

— По крайней мере тихим.

— Почему вы так говорите? — полюбопытствовала она.

— Большинство мужчин уехали и не вернутся еще несколько дней, может, даже неделю.

— Мейджорс уехал с ними? — При этом известии в ее душе непонятным образом всколыхнулись страх и надежда.

— Нет. Он сейчас пошел ухаживать за лошадьми. — И мужчина указал на отдаленный кораль в глубине каньона.

— Спасибо вам за вашу доброту. Скажите, а еды тут никакой нет? — Судя по всему, здесь жили каким-то подобием общины: то, что доставалось, делилось на всех.

— Спросите вон там, у Хуаны. Может, у нее что-нибудь осталось.

— Благослови вас Бог, брат Джонс.

Она направилась в указанном направлении. Джонс глядел ей вслед и качал головой. Настоящая проповедница, надо же. И о чем только думал Мейджорс, привозя ее сюда. Он ухмыльнулся, наблюдая, как она идет к Хуане. Тощая, прямая как палка, в своем черном платье, больше похожем на балахон, а под мышкой — Библия. Она что, собирается здесь проповедовать? То-то будет потеха! Прямо скажем, святостью здешние обитатели не отличаются.

Хуана уже слышала о женщине, которую привез в лагерь Мейджорс. Увидев, что та идет к ней, она уставилась на вновь прибывшую с нескрываемым интересом. С первого взгляда Хуана поняла, что эта новенькая ей не нравится. Кожа да кости, бледная как смерть, да к тому же в очках. Хуана не могла понять, почему Мейджорсу захотелось затащить ее в свою постель. Она же наверняка холодная как ледышка.

При мысли, что эта мымра спит с Люком, Хуана позеленела от злости. Она хотела его с той минуты, как он появился в лагере. Чего она только не делала, чтобы обратить на себя внимание красавца стрелка. Пожелай он только... А он взял себе эту бледную немочь. Бред какой-то, как можно даже сравнивать эту уродину и такую жаркую женщину, как она? Новенькая приближалась, и глаза Хуаны опасно прищурились.

— Что тебе нужно? — вызывающе бросила Хуана, не дожидаясь, пока та заговорит.

— Вы Хуана? — Получив кивок, Коди продолжала: — Брат Джонс сказал мне, что у вас, может быть, найдется какая-нибудь еда.

— Нет. Все съедено. Мы едим на рассвете.

Коди никак не могла понять, чем она вызвала такую ненависть Хуаны. Та просто кипела от злости. Ведь они даже никогда не встречались. Ох, не хватало ей еще одного врага...

— Все равно спасибо, — вежливо проговорила она. — Меня зовут сестра Мэри. Приятно было с вами познакомиться. — Коди решила сразить ее наповал своей доброжелательностью. — Всегда так приятно встречать новых людей и заводить новых друзей. Господь благослови вас, Хуана.

Хуана уставилась на нее как на сумасшедшую, а Коди с достоинством зашагала прочь, кожей чувствуя устремленный ей вслед ненавидящий взгляд молодой женщины. Ощущение было не из приятных. Да, такую одной доброжелательностью не проймешь.

Коди заставила себя не думать об этом, и обратилась мыслями к тому, что делать дальше. Сначала надо осмотреться. Совершенно ясно, что одной ей с Люком не справиться, так что в любом случае ей понадобится помощь. Важно выяснить, как охраняют каньон, сколько дорог из него ведет, все ли дороги охраняются. Направляясь к коралю, где находился Люк, она заметила, что большинство встречных смотрят на нее весьма недружелюбно.

— Благослови Господь это доброе утро, — отвечала сестра Мэри на каждый угрюмый взгляд.

Они сразу же морщились и отворачивались, некоторые торопились отойти от нее. Прекрасно. Значит, они не будут следить за каждым ее шагом, и она сможет хорошенько рассмотреть все вокруг, не вызывая подозрений. Обычно в этом ей помогал Крадущийся-в-Ночи. Вспомнив о своем друге, она мысленно помолилась еще раз, чтобы рана его оказалась неопасной.

В течение всех четырех лет охоты за преступниками она знала, что индеец рядом, что он незаметно приглядывает и охраняет ее. Теперь она впервые оказалась одна, и это не могло не беспокоить. Не то чтобы Коди сомневалась в своих силах. Отец хорошо ее обучил, и свою работу она делала отлично. Просто не привыкла она работать в одиночку. Здесь ей никто не поможет и рассчитывать можно только на себя.

— Доброе утро, Люк, — проговорила она, подходя к коралю. — Какой прекрасный день. Не правда ли?

— Доброе, — пробурчал Люк, несколько удивленный и раздосадованный ее сияющим видом. — Я думал, вы не выйдете из дома, пока я не вернусь.

— О нет. Здесь слишком много работы для служителя Божьего, чтобы предаваться лени. Вы когда-нибудь видели место, более нуждающееся в Божьей помощи? — спросила она, оглядываясь по сторонам.

— Да, видел, — ответил он, не поднимая головы.

— Правда? Наверное, это был просто ад на земле, если там было хуже. Где это было?

— На Юге, сестра Мэри. Точнее, в Джорджии, в конце войны. — Голос его звучал совершенно безучастно.

Коди растерялась от его ответа. Она ожидала, что он назовет еще какую-нибудь бандитскую нору.

— Вы с Юга?

— Был. А теперь ниоткуда.

Она замолчала, потрясенная горечью, прозвучавшей в его словах.

— Простите меня.

— За что?

— За то, что причинила вам боль этим напоминанием.

— Чтобы чувствовать боль, вы должны испытывать привязанность к чему-то. А я, поверьте, сестра, такого чувства почти ни к чему не испытываю.

— Это заметно. Почему бы иначе вы оказались здесь? Возможно, я была послана в Эль-Тражар Божественным провидением, чтобы избавить вас от такой жизни, — задумчиво сказала сестра Мэри.

— Мне ничего от вас не нужно, сестра. А избавления меньше всего, — проворчал он, подумав, что, по-видимому, единственное время, когда она не стрекочет о спасении душ, это когда спит. Если это и в самом деле так, он не возражает, если она будет спать целыми сутками.

— Разумеется, нужно. Посмотрите на свою жизнь! Судя по тому, с кем вы водите компанию, вы вор и, возможно, убийца. И если после этого вам не нужно спасение, то не знаю, кому оно нужно больше. — Она смолкла, словно ее озарила какая-то блестящая идея. — А тогда выходит, что я, возможно, была послана Господом, чтобы спасти не только вас, но всю вашу банду. — И сестра Мэри широко улыбнулась, обрадованная такой прекрасной возможностью послужить Господу.

— Только этого мне не хватало! Вы что, не понимаете, что едва заикнетесь здесь о спасении души, мигом лишитесь своей? А я-то думал, что мне надо защищать вас лишь от Салли.

— Каким образом проповедь доброй вести может причинить мне неприятности?

Люк даже застонал от досады:

— Тут живут не ваши благочестивые горожане, жаждущие спасения. Здешние люди скорее пристрелят вас, чем станут выслушивать лекции о порочности своей жизни.

— Таковы все грешники. Они убеждены, что живут правильно, а что будет с ними в ином мире, не важно. Поэтому и призвал нас Господь глаголить истину. Это долг наш. Если хотим мы, чтобы наши собственные души попали в рай обетованный, мы должны показывать несчастным путь праведный. Тех, кто не слышал никогда слова Божьего, надо пожалеть и возлюбить, потому что они еще могут обратиться к Богу и спастись. А вот те, кто вроде вас обучен был закону Божьему и знает о Его любви бессмертной, но предпочел отринуть Его, вот с такими иметь дело труднее всего. С вами, сэр, будет очень сложно, но я не отступлюсь!

— Сестра Мэри! — Люк швырнул скребок и повернулся к ней лицом. — Вы можете проповедовать, сколько вам угодно, но только не мне. Я давно перестал просить Бога о помощи. Он не помогал мне тогда, и я очень сомневаюсь, что он изменил свое мнение сейчас. Так что направьте ваш пыл на кого-нибудь другого. Меня уже не спасешь.

— Вы не должны так думать! У всех есть свои хорошие стороны. Просто иногда у таких, как вы, их найти труднее. Но не печальтесь, я их у вас найду. Вот, например, вы же спасли меня вчера. Уверена, вы делали это из добрых побуждений, а значит, в вашем сердце еще сохранилась частичка добра, — убежденно закончила она.

— С каждой минутой я начинаю все больше и больше сожалеть об этом «добром деле».

— Ладно, Люк. Я буду как песчинка в раковине устрицы. Я буду говорить и говорить вам о добре, пока вы не преобразитесь в драгоценный жемчуг.

При виде зверского выражения его лица она поняла, что пора переменить тему.

— Я голодная, — призналась она. — Мне удалось выпить кофе, но Хуана сказала, что еды не будет до вечера.

Люк удивился. До сих пор, когда бы он ни захотел поесть, Хуана рада была услужить.

— Пойдем посмотрим, что я смогу для вас раздобыть.

— Спасибо.

Он закончил ухаживать за конем, и они отправились назад, в поселок.

— Здесь такое правило: все трудятся. Вам тоже придется что-то делать, чтобы отработать свое пропитание.

— Разумеется, я буду только рада проводить службы для тех, кто захочет прийти.

— Вообще-то я имел в виду не это, а настоящую работу. И желательно такую, где вы будете сидеть тихо и не высовываться. Женщину должно быть видно, но не слышно.

— Я думала, это говорят о детях.

— К вам это тоже относится, — хмыкнул он.

Тем временем они дошли до его жилища.

— Подождите минутку, я скоро.

Коди не возражая вошла в хижину. Пожалуй, сейчас с ним лучше не спорить, а вести себя как послушная девочка. К тому же надо подумать, как отсюда выбраться. Она успела рассмотреть лагерь. Второго выхода отсюда не было. Въезд и выезд осуществлялся через единственный главный проход. А стены каньона были такими крутыми, что если бы представители закона захотели сюда ворваться, охрана с легкостью бы их перестреляла.

Коди немного походила по комнате, затем снова вышла наружу и села в тени. Здесь был хороший наблюдательный пункт. Отсюда она видела весь лагерь. Коди постаралась запомнить точное расположение всех домов и количество людей. Каждая подробность была важна. Какая-нибудь мелочь могла впоследствии спасти ее или погубить.

Скоро вернулся Люк с тортильей, начиненной непонятным мясом. Коди хотела было спросить, что там такое, но затем решила, что лучше этого не знать. Благодаря Люку сегодня она с голоду не умрет.

— А где Салли и остальные? — поинтересовалась она, зная от Джонса, что они уехали, но не зная куда.

— Их несколько дней не будет в лагере, — туманно ответил Люк.

Она улыбнулась:

— Я рада, что их нет, но почему вы не уехали с остальными?

— Пытаетесь отделаться от меня? Я остался, чтобы заботиться о вас, — солгал он, раздосадованный, что, возможно, именно в эту минуту остальные общаются с Эль Дьябло, а его с ними нет.

— Не стоит сидеть здесь из-за меня. Вообще, раз Салли уехал, дали бы вы мне лошадь и отпустили на свободу. Больше ведь защищать меня не надо.

На секунду это показалось Люку хорошей идеей. Она уже так ему надоела, что он был бы счастлив избавиться от нее. И правда, если Салли уехал, она может вернуться в город, погрузить свои пожитки в фургон и вместе со своим индейцем убраться из Эль-Тражара.

Да, это было бы просто прекрасно, но... но ему придется везти ее в город, и он может разминуться с Эль Дьябло. Вдруг предводитель банды решит вернуться в лагерь с остальными бандитами, а его тут не будет. К тому же остальные бандиты могут заподозрить неладное, если он вдруг так быстро отпустит проповедницу.

— Я отпущу вас, но в свое время.

— И когда же оно настанет?

— Когда я от вас устану! Я говорил о вас с Хуаной, и отныне вы будете отрабатывать свое пропитание, помогая ей.

Коди заскрипела зубами от злости, но ничего не сказала. Она ненавидела нудную женскую работу. Это было скучно, тоскливо... именно из-за этого она еще в восемь лет упросила отца научить ее стрелять. У мальчишек жизнь всегда веселее, чем у девочек. Кто захочет мыть полы и варить еду, когда можно скакать на лошади, охотиться или стрелять в цель?

— Я буду делать все, что нужно, но не могу оставить свое призвание, — торжественно объявила она.

— Тогда я не ручаюсь за вашу безопасность. Это не ваши горожане. Женщины в основном проститутки, а мужчины...

— Мария Магдалина была проституткой, но получила спасение, — провозгласила Коди, несколько оскорбленная его отношением. — А кроме того, женщины не занимались бы этим унизительным ремеслом, если бы мужчины не были готовы за него платить...

— А мужчины здесь и того хуже, — закончил он, не обращая внимания на ее слова.

— Вы в том числе?

— Я в том числе.

— Тогда я буду рассматривать время, проведенное здесь, как вызов судьбы, на который должно ответить верой и добрыми делами.

Люк застонал про себя от ее неукротимого оптимизма. У него больше не было сил с ней спорить. Пока Салли не вернется, ей ничего не грозит. Ему придется лишь слегка за ней приглядывать.

— Хуана сказала, что вы можете помочь ей готовить ужин.

— Как любезно с ее стороны.

— Вы ведь хотите есть? — Он выразительно посмотрел на нее. — А если вы не любите готовить, есть, знаете ли, и другие пути отработать свое содержание.

— Я очень люблю готовить, — поспешно ответила Коди, покраснев от недвусмысленного намека.

— Я так и подумал.

Коди встала и направилась к хижине Хуаны. Та встретила ее все с тем же кислым выражением на лице.

— Вижу, ты явилась помогать.

— Я буду рада делать все, что вам угодно, добрая сестра.

— Я тебе не сестра.

— Перед Богом мы все братья и сестры.

— Перед Богом нам всем надо есть, так что давай мешай вот это, а я займусь другими делами. — Она передала Коди черпак и указала на большой котел, в котором что-то кипело. — Я скоро вернусь.

Хуана повернулась и ушла, а Коди уставилась на варево, которое должно было в конце концов стать их трапезой. Вид у него был не слишком аппетитный, но она уже поняла, что здесь привередничать не приходится, и начала мешать.

Хуана рада была уйти подальше от новой помощницы. Оглядевшись, она не спеша направилась к Люку.

— Спасибо, что прислал проповедницу помогать. Я уже приставила ее к работе, — сказала она, останавливаясь на пороге его хижины. Он сидел за столом и чистил свой пистолет.

— Ну и хорошо. Она очень рвется помочь, чем может, — произнес Люк, даже не взглянув на Хуану.

— Зачем ты привез ее сюда? — спросила Хуана, лаская взглядом мощные широкие плечи Люка и жесткую линию упрямого подбородка, оттененного пробивающейся щетиной.

В ней нарастало голодное желание. Она наблюдала, как он возится с пистолетом, и представляла, как эти сильные руки прикасаются к ней. Хуана хотела Люка с момента его присоединения к банде, и вот пришла пора сделать первый ход. Салли и все остальные уехали, так что она сможет полностью посвятить себя тому, чтобы доставить ему удовольствие и получить свое.

Услышав ее вопрос, Люк удивленно взглянул на нее, но тут же при виде выражения ее глаз все понял. За время пребывания в лагере Люк не обращал на Хуану особого внимания. Ему было известно, что она охотно ублажает других мужчин, когда им нужна женщина, но это его не интересовало. Желая раз и навсегда охладить ее пыл, он ответил:

— Я привез сестру Мэри сюда, потому что захотел ее.

На Хуану словно вылили ушат холодной воды, такой ошеломленной она казалась.

— Так, значит, она — твоя женщина?

— Именно так.

— И она тебя удовлетворяет?

Люк услышал недоверие и насмешку в ее голосе.

— Это не твое дело.

— Ах, но я могу сделать это своим делом. — Ей никак не хотелось признать поражение. — Я гораздо лучше, чем она, и могу сделать тебя счастливым.

— С чего ты это взяла? Мне вполне хватает сестры Мэри.

— Она не похожа на женщину, которая способна доставить тебе удовольствие.

— В сестре Мэри есть много такого, о чем с первого взгляда не догадаешься. Она именно то, что мне нужно, и другие женщины мне без надобности.

Однако, говоря это, Люк задумался на миг: а какая, собственно, женщина могла бы его привлечь? Он глянул в дверной проем на сестру Мэри. Она была некрасивой, целиком поглощенной своим призванием, безразличной к зову плоти. Неудивительно, что Хуана ему не верит.

— Я не верю тебе, Люк Мейджорс, — обольстительным грудным голосом проговорила Хуана. — У нее вид старой ханжи. Не думаю, чтобы она хоть что-нибудь знала о том, как доставить радость мужчине.

Люк загадочно усмехнулся. Ему придется что-то сделать с этой проповедницей, чтобы Хуана убедилась, что он не лжет. Нравится ей это или нет, он докажет Хуане, кто ему нужен.

— Чтобы доставить радость мужчине, Хуана, нужно нечто большее, чем просто удовлетворить его низменные потребности. Сестра Мэри, может, и не похожа на мечту каждого мужчины, но, повторяю, она именно то, что мне нужно.

Хуана недоверчиво фыркнула.

— Я могу показать, что тебе нужно в действительности, — медовым голосом предложила она, придвигаясь поближе.

Ей хотелось сесть к нему на колени, целовать и ласкать его так, чтобы он выбросил из головы эту другую женщину. Она встала перед ним и положила руки ему на плечи. Свободный круглый вырез ее блузки открылся, полностью обнажив ее пышные, тяжелые груди. Эта уловка всегда срабатывала с мужчинами, и Хуана радостно предвкушала реакцию Люка. Она ждала, что он схватит ее и тут же ею овладеет. От возбуждения она вся горела.

Люк ощутил жар ее желания. Она была вполне привлекательной, и он сознавал, что может взять ее, когда захочет, но не собирался даже дотрагиваться до нее. Если он это сделает, она никогда не поверит, что сестра Мэри — его женщина.

— Я ценю твое предложение, но, как я уже сказал, у меня есть женщина, которой мне достаточно.

Лениво поднявшись на ноги, он уклонился от цепких рук Хуаны и вышел из хижины. Он знал, что она вышла за ним следом и остановилась, наблюдая. Что ж, тем лучше, он отвадит ее раз и навсегда.

Коди увидела, что Люк идет к ней, и удивилась: что ему надо? Она заметила, как Хуана зашла перед этим к нему в хижину, а через несколько минут он буквально выскочил оттуда. Хуана вышла вслед за ним, и лицо у нее было перекошено от злости. Он подошел, и Коди вопросительно посмотрела на него:

— Что-то неладно? У Хуаны, по-моему, недовольный вид.

— Просто она сердится. Ничего страшного.

— Неужели?

— Если хотите остаться в живых, подыграйте мне, — тихо сказал он.

— О чем это вы?

Не говоря в ответ ни слова, он заключил ее в объятия и поцеловал.

Глава 9

Коди была потрясена. Растерянная, она стала вырываться. Никогда ей и в голову не могло прийти, что Люк совершит нечто подобное, да еще на глазах у людей! Он ведь говорил, что находит ее непривлекательной, что она его не интересует, что поэтому с ним она в безопасности. И вот теперь...

— Что вы себе позволяете? — возмущенно зашептала она, когда он оторвался от нее.

— Хуана наблюдает за нами. Я сказал, что вы — моя женщина. Хоть раз в жизни не спорьте и молчите, — распорядился он, подхватывая ее на руки.

Остальным обитателям лагеря могло показаться, что он действует в порыве страсти, но Коди ясно видела его предупреждающий взгляд. Черпак, который она сжимала в руке, выпал из ее ослабевших пальцев, и она обняла его за шею. Это какое-то безумие! Средь бела дня! Посреди лагеря! На виду у всех! Люк видел все эти восклицания в глубине ее зеленых глаз и тихо пробормотал:

— Просто поцелуйте меня.

— Но... — начала было она.

— Пожалуйста, — прошептал он, снова находя губами ее рот.

Губы Люка с внезапной настойчивостью снова овладели ее губами, и Коди вдруг перестала соображать, перестала бороться. Она говорила себе, что это из-за Хуаны, из-за того, что та не сводит с них глаз, и ей надо постараться, чтобы объятие выглядело убедительным. Она говорила, что всего лишь помогает Люку убедить эту женщину, будто принадлежит ему. Она говорила, что только притворяется, будто его поцелуй доставил ей удовольствие... но на самом деле никакого притворства не было. Поцелуй Люка оказался самым изумительным поцелуем в ее жизни. За последние годы ее несколько раз целовали молодые люди, пытавшиеся ухаживать, но ни один из них не пробуждал в ней таких ощущений.

Невольный вздох, почти стон, слетел с ее уст, и она почувствовала, как вздрогнул и напрягся Люк при этом звуке. Внезапно его губы, замершие на ее губах, стали жесткими и требовательными, но это не было больно. Люк подчинял ее себе, и, к ее полному изумлению, она наслаждалась этим.

Коди еще теснее прильнула к нему, потому что вокруг все плыло и кружилось. Она смутно сознавала, что он куда-то ее несет, но ей было все равно. Когда поцелуй наконец закончился и она оглянулась вокруг, то увидела, что он пронес ее мимо Хуаны, которая, не скрывая отвращения, разглядывала их.

На мгновение, лишь для того чтобы бросить пару слов Хуане, Люк остановился в дверях хижины.

— Может, тебе лучше вернуться к огню и приглядеть за стряпней? Сестра Мэри будет некоторое время занята другим огнем и не сможет тебе помочь.

Проговорив все это низким хрипловатым голосом, он повернулся и исчез в хижине, захлопнув за собой дверь.

Хуана застыла на миг в ярости. Нечасто бывало, что мужчина ей отказывал, и теперь в ее груди бушевала ревность. Ее так и подмывало поднести к их хижине горящий факел, лишь бы не давать какой-то набожной святоше завладеть тем, что она жаждала заполучить сама. Она едва сдержалась. Однако, не желая слушать страстные ахи и стоны, которые вскоре начнут доноситься изнутри, она круто развернулась и пошла прочь, доваривать свою стряпню.

А внутри хижины Люк поставил Коди на ноги. Она попятилась, прижимая пальцы к губам и растерянно глядя на него. Она выглядела так, как и должна выглядеть непорочная девственная монашка, на которую напал насильник. Никогда в жизни ее маскарад не сочетался так идеально с ее переживаниями. По правде говоря, у нее перехватило дыхание и она лишилась дара речи от того, что только что произошло между ними. Никогда в жизни не испытывала она подобных чувств. Даже не подозревала, что их можно испытать. Теперь она уставилась на Люка, не понимая, почему простой поцелуй заставил ее сердце забиться как бешеное, почему у нее все плыло перед глазами.

— Зачем вы это сделали? — прерывистым, задыхающимся голосом спросила она.

— Ш-ш-ш, — тихо произнес он, прислушиваясь, не крутится ли по-прежнему рядом с хижиной Хуана.

Коди разозлилась. Сначала он страстно целует ее на глазах у всего поселка и чуть ли не пар не пускает, а теперь стоит тут как ни в чем не бывало, безучастный, как полено.

Коди просто кипела от злости, сама не понимая, что ее больше злит: что он поцеловал ее тогда или что не целует сейчас. Господи, о чем она думает! Ей ведь это совершенно безразлично. Ну и что, что он не хочет ее как женщину. Она и сама его совсем не хочет. Да, не хочет! Ей нужно только одно: побыстрее поймать его, привезти Логану и получить за это деньги. И все!

— По-моему, она ушла, — наконец сказал он, поворачиваясь к Коди. — Прошу прощения за то, что пришлось поцеловать вас, но Хуана не поверила, когда я сказал ей, что вы моя женщина. Нам надо было устроить этот спектакль, чтобы ее убедить.

— Ну и как? Удалось нам это?

— Надеюсь. Она предложила мне себя, а я отказался. — Он смущенно пожал плечами. — Она не могла поверить, что я предпочитаю вас ей. Так что я должен был это показать.

— Ах так. — Самолюбию Коди сегодня наносили удар за ударом. — А что мы будем делать теперь?

Он задорно ухмыльнулся:

— Останемся здесь достаточно долго, чтобы убедить ее и любого, кто за нами наблюдает, что вы на самом деле моя женщина... во всех смыслах.

А она-то волновалась из-за поцелуя!

— Это унизительно. Они сочтут меня распутной. Целомудрие — один из библейских заветов. Вести добродетельную жизнь — единственный путь в рай.

— Не тревожьтесь. — Упрек заставил его поморщиться. — Я не собираюсь покушаться на вашу добродетель, так что с моей стороны ей ничего не грозит. Просто надо будет сделать так, чтобы об этом никто не догадался.

— Пусть так, но как мне глядеть людям в глаза, когда я стану проповедовать? Они же все будут думать, что мы с вами...

Коди почувствовала, что краснеет. Она знала, он припишет ее румянец смущению из-за того, что их считают любовниками, хотя на самом деле она вспомнила их поцелуй. Когда она прильнула к нему, обхватила его шею, когда дотронулась до его плеч... его тело было таким... твердым... А когда он нес ее в хижину, на секунду ей захотелось... захотелось, чтобы все было по правде. При воспоминании об этом сердце ее забилось сильнее.

— Я всегда считал, что безгрешные священники — народ довольно нудный. Может, после этого приключения ваши проповеди станут более увлекательными, — весело сказал он. Люк злился, и сам не мог понять почему. Что-то такое произошло, пока он нес ее в дом, что-то странное...

— Ох, ну что вы говорите! — Коди отвернулась.

Люка рассмешило ее возмущение. Он смеялся все время, пока они ждали.

***

Сидевшая около очага Хуана напрягала слух, пытаясь уловить, о чем они говорят, но смогла различить лишь его смех. От этих беззаботных звуков ревность ее запылала еще жарче. Это *она* должна была находиться с ним в хижине! *Она* должна была доставлять ему удовольствие! Хуана не сводила глаз с закрытой двери, ожидая, когда он покажется.

Между тем в хижине Коди по-прежнему стояла спиной к Люку, размышляя, что будет дальше.

— Сестра Мэри...

Он произнес это примирительным тоном, так что она посмотрела на него через плечо. К ее ужасу, он разделся до пояса. При виде его обнаженного тела у Коди пересохло во рту.

— Что вы делаете? — ахнула она, круто поворачиваясь к нему. Она вдруг подумала, какой же он красивый. Ей захотелось дотронуться до него, и мысль эта ее совсем смутила. Она с трудом заставила себя отвести глаза.

— Играю свою роль, а вы что думаете? Просто закрытая дверь Хуану не убедит. У нее глаз острый.

— Так что же, вы собираетесь ходить голым, чтобы ее обдурить?

Он снова лукаво улыбнулся:

— Только если *вы* этого захотите.

Коди совсем перетрусила. Она схватила Библию и прижала к груди.

— Вы не Адам, я не Ева, и здесь определенно не райский сад. Так что свои штаны оставьте на себе!

Люк согнулся пополам от смеха.

— Ладно. Штаны останутся на месте, но как быть с вами? Вы не можете вернуться к очагу помогать Хуане, выглядя так, будто я до вас не дотрагивался.

— Что вы имеете в виду? — Она широко открыла глаза, потому что он решительно надвигался на нее.

— Повернитесь спиной.

— Зачем?

— Повернитесь и все.

Услышав в его голосе нетерпение, она послушно повернулась и почувствовала прикосновение его рук: он вытаскивал у нее из волос шпильки, удерживавшие тяжелую массу локонов в старомодном тугом пучке.

— Погодите!

— Вы должны выглядеть так, словно я занимался с вами любовью, — произнес Люк, продолжая распускать ей волосы.

— И как же это? — Ой, что она говорит?!

— Счастливой... сытой... жаждущей большего, — проговорил он намеренно тихим обольстительным голосом, взбивая ей локоны.

При этих словах дрожь пробежала по ее телу. Она стояла, напряженно выпрямившись, а он хихикал у нее за спиной. Наконец полностью освобожденные от шпилек волосы рассыпались пышной массой. Их шелковистая мягкость поразила его. Она держалась с ним так резко, все время настороже, ощетинившись, так что он представлял себе ее волосы грубыми и шершавыми на ощупь. Вместо этого перед ним предстала роскошная грива сверкающих кудрей.

— У вас чудесные волосы, — произнес он тихо. Еще раньше она удивила его своей отзывчивостью на его поцелуй. Какое-то мгновение ему казалось, что она получает от него удовольствие.

— Спасибо, — осторожно ответила она, не понимая, почему у него изменился голос, не понимая, почему она вся задрожала, когда его пальцы погрузились в ее волосы. Она закрыла глаза, но его образ, высокого, худощавого, голого до пояса, стоял в них, не исчезая, а он продолжал разглаживать пышные локоны.

— А теперь повернитесь, — слегка осипшим голосом велел он.

Это вернуло ее к реальности, и Коди мысленно обругала себя. Рядом с ней находится Люк Мейджорс! Она должна доставить его правосудию! Что с ней происходит? Круто обернувшись, она яростно сверкнула глазами.

— Кончили растрепывать мне волосы? — прошипела она, вкладывая в вопрос все возмущение, которое смогла в себе разжечь.

Люк вдруг обнаружил, что всматривается в ее лицо. Разрумянившиеся щеки в сочетании со сверкающим облаком волос придали ей необычайную прелесть. Даже несмотря на очки. Он нахмурился и мысленно встряхнулся. Перед ним стояла не какая-нибудь там соблазнительница, а сестра Мэри. И ему следует хорошенько помнить об этом. Он привез ее сюда, чтобы спасти, а не погубить.

— Еще только одна деталь.

Он протянул руку и расстегнул верхние пуговки ее платья, остановившись, только когда дошел до крепко прижатой к груди Библии. Затем, не в силах сдержаться, он поднял руку и осторожно провел пальцем вниз, по щеке, по изящному изгибу шеи, туда, где ткань платья разошлась, приоткрывая грудь. Взглянув ей в лицо, он промолвил:

— Теперь у вас вид женщины, которую только что как следует любили.

Несмотря на все адресованные себе упреки, Коди стояла, зачарованная нежностью его прикосновения. Однако при этих словах вся сжалась.

— И вам это доставляет удовольствие?

— Огромное. — Он снова ухмыльнулся. — Нам надо, чтобы все выглядело правдоподобно. А теперь идите помогать Хуане.

С этим он повернулся и вышел из хижины без рубашки и с улыбкой на губах.

Со своего места у огня Хуана наблюдала за Люком. Он надевал рубашку, и движения его говорили о том, что перед ней самец, удовлетворенный, самодовольный и уверенный в себе. Он зашагал прочь, а Хуана провожала его глазами, пока он не скрылся из вида, и внутри у нее мучительно сводило от неудовлетворенного желания. Она поклялась себе, что найдет способ привлечь к себе красавца стрелка.

Коди выждала несколько минут, прежде чем выйти из хижины.

— Иди-ка сюда, — помахала ей поварешкой Хуана. — Один огонь ты, может, и погасила, но этот не залей ни в коем случае.

— Не думай, что я охотно участвую в этом разврате. Грех окружает нас, и мы должны с ним бороться. Даже когда он грозит затопить нас, даже если вынуждает делать что-то против своей воли, мы должны стараться поступать правильно.

— Кажется, я не слышала из хижины твоих криков о помощи.

— Кто бы меня спас? Ты? Однажды, Бог даст, я спасусь от этой судьбы, и грехи мои будут мне прощены. А сейчас я могу лишь терпеть его прикосновения и надеяться, что скоро этому придет конец.

Хуана смотрела на нее во все глаза, презирая и жалея.

— Эх, проповедница, какая же ты дура.

— Ты считаешь меня дурой, потому что я верю в святость брачных обетов? Потому что я верю, что мужчина будет больше уважать тебя, если не дать ему щедро то, что он хочет сильнее всего? Не по своему выбору оказалась я здесь и подвергаюсь этим непристойностям. Но я буду молиться, зная, что Бог хранит меня от дальнейших бед.

— На твоем месте я бы молилась скорее вернуться в его постель, а не спастись от нее.

Коди видела ревность в глазах Хуаны.

— Не тогда, когда тебя затащили в нее против воли. Ты должна хранить самый драгоценный дар, свою любовь, для брака с мужчиной, который полюбит тебя и будет всю жизнь о тебе заботиться.

Но Хуана только расхохоталась ее словам. Если бы Люк Мейджорс захотел ее, она бы никогда не покинула его постели.

День клонился к вечеру. Джек Логан сидел с Фредом Халлоуэем в конторе шерифа. Настроение у него было препаршивое. Единственное, что он сумел сделать хорошего за две недели после побега из тюрьмы, это дать Джессу денег для уплаты налогов за «Троицу». Но он не получил никаких вестей ни от Люка, ни от Джеймсон. Может быть, им сейчас грозит опасность, а он должен сидеть на одном месте и терпеливо ждать. Он извелся от этого.

— Не слышали, есть какие-нибудь новости о Харрисе?

— Ничего хорошего, — ответил Фред. — Позавчера я разговаривал с доктором, и он сказал, что у Джонатана не прекращается лихорадка и он то приходит в сознание, то снова теряет его.

— Каково должно быть сейчас его жене? — Образ Элизабет Харрис преследовал Джека. Он не мог забыть, в каком отчаянии была она в ту ночь, как хотела посмотреть в лицо людям, стрелявшим в ее мужа. Она сейчас, наверное, убита горем.

— По словам доктора, она почти все время проводит у постели Джонатана.

— Необыкновенная женщина.

— Вы хотите сходить к ним в дом, проведать Джонатана? Не знаю, сумеет ли он нам что-то рассказать, когда ему станет получше, но очень хотелось бы послушать, что он скажет о роли Мейджорса в этой истории..

— Очень интересно. Если я вам зачем-то понадоблюсь, то я навещу Харрисов, а потом отправлюсь в гостиницу.

Джек вышел от шерифа и направился к дому банкира, одному из самых красивых в городе.

Сняв шляпу, он поднялся по ступенькам крыльца и постучал в дверь.

— Рейнджер Логан, как приятно вас видеть, — улыбнулась ему Элизабет.

— Добрый вечер, миссис Харрис.

Она вышла к нему из дома, нервно приглаживая волосы.

— Есть какие-нибудь новости? Вы нашли эту банду?

— Нет, мэм, но не тревожтесь, найдем непременно. В конце концов Эль Дьябло будет болтаться на веревке.

Элизабет вздрогнула от прозвучавшей в его словах ярости.

— Спасибо.

Взгляды их встретились, и на мгновение он потерял дар речи. Она была такой прелестной... и ранимой. Но он тут же вспомнил, зачем пришел.

— Я зашел узнать, как чувствует себя ваш муж. Есть какие-нибудь перемены?

Она кивнула и чуть улыбнулась.

— Вчера лихорадка спала. Ему гораздо лучше.

Джек заметил, что она как-то не слишком радуется этому.

— Не знаете, когда он достаточно окрепнет, чтобы поговорить со мной? Мне очень важно знать, что скажет он об ограблении.

— Вы можете поговорить с ним сейчас, но он очень быстро устает.

— Спасибо.

— Есть еще одна вещь, которую я должна вам сказать.

Джек выжидательно посмотрел на нее.

— Доктор ушел немногим больше часа назад. Теперь, когда Джонатану лучше, он смог осмотреть его тщательнее. — Она замолчала, пытаясь справиться со слезами. — Пуля повредила ему позвоночник. Мой муж... парализован. Он будет до конца жизни прикован к инвалидному креслу. — Лицо ее исказилось от невыразимой муки.

— Мне очень жаль. — Его охватило неудержимое желание привлечь ее к себе и сказать, что все будет хорошо, что он все исправит. Но что он мог поделать?!

— Это не ваша вина. — Она отвернулась, пряча свою печаль. — Просто Джонатан в такой ярости. Он сказал мне, что предпочел бы умереть, чем жить получеловеком.

Джек ласково коснулся ее плеча:

— Уверен, что он не думает так на самом деле. У него есть столько всего, ради чего стоит жить.

При этих словах она снова поглядела на Джека. Устремленные на него глаза лучились мягким светом, и голос, когда она заговорила, звучал тихо и нежно:

— Он в глубине дома, в нашей спальне. Вы можете с ним поговорить.

Она провела его к большой спальне и медленно открыла дверь.

— Джонатан, здесь рейнджер, о котором я тебе говорила... Рейнджер Логан хочет поговорить с тобой об ограблении.

Джонатан Харрис неподвижно лежал посреди широкой постели. При звуке ее голоса он повернул голову и посмотрел в ее сторону. Лицо его казалось пепельным, взгляд темных глаз был жестким.

— Мистер Харрис, я рад, что вам лучше.

— Вы называете это «лучше»? — огрызнулся он. Он был очень слаб, но ненависть дала ему силу, и голос звучал громко. — Лучше бы я умер. Но сначала хочу поглядеть, как этого ублюдка повесят!

— О ком вы говорите?

— О Люке Мейджорсе! Я с самого начала знал, что добра от него не будет! А потом он еще сказал, что я об этом пожалею... Что ж, я уже жалею.

Джек насторожился.

— Он сказал, что вы пожалеете? О чем? Что там случилось, когда началось ограбление?

— Он явился, чтобы получить заем для уплаты налога за ранчо. Но я ему отказал. Я сказал ему, что таким, как он, мы займов не даем.

— Каким таким? — Джек почувствовал, как его захлестывает ярость при этих словах.

— Мейджорс — наемный убийца... стрелок. Как раз перед тем как в меня выстрелили, я заявил ему, что займа он не получит. Он не держал у нас вкладов, его ранчо было убыточным. Тогда он стал мне угрожать, сказал, что я пожалею.

— А что случилось, когда началась стрельба?

— Он вставал, когда мужчина позади него объявил, что это ограбление. Мейджорс выхватил пистолет, и они оба выстрелили. Тогда я и был ранен.

— Вы уверены, что в вас стрелял Мейджорс?

— Конечно, уверен! Они все были вместе! Нам не надо таких типов в нашем городе. — Харрис говорил с таким пылом, что почти сумел приподняться на локте.

— Вы своими глазами видели, как он в вас выстрелил? Не мог это быть тот второй человек?

— Вы не видели выражения его лица, когда я заявил ему, что займа он не получит. Он выстрелил в меня точно так же, как потом застрелил шерифа Грегори. Найдите его, Логан. Найдите его и убейте!

Джонатан без сил снова упал на постель, на лбу от напряжения выступила испарина.

— Убейте его, — глухо повторил он. — Мне жаль, что он не убил меня. Лучше смерть, чем такая жизнь.

— По-моему, сейчас вам лучше уйти, — проговорила Элизабет из-за спины Джека.

Он повернулся и, не говоря ни слова, вышел из комнаты. Элизабет ласково сказала несколько слов Джонатану и вышла к Джеку.

— Извините, что я его так расстроил. Но мне было необходимо услышать о том, что случилось, от него.

— Я понимаю... и ценю то, что вы для нас делаете. — Она отперла дверь.

— Если вам когда-нибудь что-нибудь понадобится, миссис Харрис, только дайте мне знать. Я остановился в гостинице «Хоумстед».

— Вы очень любезны, рейнджер Логан, и, пожалуйста, зовите меня Элизабет.

— А я Джек.

— Спасибо... Джек.

Они попрощались, и она вернулась к постели мужа.

Джек направился было в гостиницу, но по дороге изменил решение. После того как он выслушал рассказ Харриса о том, что произошло в банке, ему требовалось выпить. Все без исключения были уверены, что Люк участвовал в ограблении. Джек понимал: ему будет чертовски непросто доказать невиновность друга. Голова у него шла кругом. Он вошел в салун, взял бутылку виски и стакан и уселся в одиночестве за дальний столик.

Глава 10

Хэдли, Салли и всей компании пришлось несколько дней прождать в условленном месте встречи с Эль Дьябло. Когда же наконец тот появился, они несказанно обрадовались, так как начали бояться, что с их предводителем что-то случилось.

— Слава Богу, все в порядке! — крикнул Хэдли, приветствуя его.

Эль Дьябло остановил коня перед ними и спешился. Лицо его было злым. Это была их первая встреча после ограбления банка в Дель-Фуэго, и Эль Дьябло все еще был в ярости от того, как оно прошло.

— А мне видеть вас радости не доставляет, братец. Что за чертовщина случилась в банке? Я знаю, что вам помешал Мейджорс, но почему вы просто не пристрелили его и всех остальных в придачу, как я вам велел? И особенно Харриса?! Я же дал четкие указания, что он должен быть убит.

— Харрис все еще жив?

— Жив, черт бы его побрал! Вы все дело испортили. Оставили кучу свидетелей, и теперь представители закона гоняются за нами, не говоря уже об армии охотников за вознаграждением. Чудо, что вы хоть побег организовали без оплошек. Но опять же, какого дьявола вы не убили шерифа?

— Он не умер? — Хэдли посмотрел на Салли, который занимался побегом.

— Я зашел в тюрьму примерно час спустя после вашего побега, чтобы проверить, все ли прошло по плану. Шерифа я нашел в камере, он как раз приходил в себя. Мне пришлось доделывать вашу работу.

— Салли, почему ты его не пристрелил? — Хэдли обернулся к приятелю.

— Когда мы уходили, Мейджорс сказал, что позаботится о нем.

— Наверное, он оглушил его, чтобы не было шума от выстрелов, — предположил Хэдли.

Эль Дьябло свирепо поглядел на Салли:

— В следующий раз никому не доверяй свою работу. Сам о ней заботься. А пока приглядывайте за Мейджорсом, посмотрим, на что он годен.

Униженный Салли был в ярости.

— Не волнуйтесь. Присмотрю. Не сомневайтесь.

Хэдли молчал. Эль Дьябло ругал их справедливо. Он приказал им не оставлять никаких свидетелей, а все обернулось так паршиво, что пришлось все бросить и бежать. Когда они в следующий раз пойдут на крупное дело, то подготовятся ко всем неожиданностям.

— Больше такого не случится.

— Лучше пусть не случается. Вы стали ошибаться слишком часто, и начинают гибнуть люди... наши люди.

— Что сейчас делается в Дель-Фуэго? Награда и впрямь такая большая?

Эль Дьябло рассказал последние городские новости. Остальные молча слушали.

— После того как шериф и его помощник убиты, а Харрис тяжело ранен, весь город вооружился. Сейчас вам опасно что-нибудь предпринимать. Оставайтесь в лагере и присматривайте за Мейджорсом. У меня пока нет уверенности, что ему можно вполне доверять. Все свидетели клянутся, что именно он стрелял в Харриса, а все остальные убеждены, что и шерифа убил он.

— Я бы ему не доверял, — встрял Салли.

Эль Дьябло лишь отмахнулся. Может, Салли и был одним из самых кровожадных членов банды, но наверняка не самым сообразительным. Свое мнение о людях он основывал только на том, нравится ему этот человек или нет, а не на том, полезен ли он банде.

Люк Мейджорс был многообещающим прибавлением. Он был стрелком с очень известной репутацией. Лишь одно упоминание его имени нагоняло страх на людей. Эль Дьябло это нравилось. Чем больше будут их бояться, тем меньше будут оказывать сопротивление.

— Слишком рано выносить о нем окончательное суждение. Поэтому я и хочу, чтобы вы понаблюдали за его словами и поступками. Возможно, он доставит нам неприятности, но, с другой стороны, может оказаться именно тем, кто нам нужен.

— Он нам не нужен! — заспорил Салли. — Из-за него Джонса и Карсона чуть не убили при ограблении!

— На все бывают свои причины.

— По какой такой причине Мейджорсу вдруг захотеть стать одним из нас? Позвольте мне, когда вернемся в лагерь, просто пристрелить его, и дело с концом.

Эль Дьябло резко обернулся к Салли:

— Я сказал, пока его не трогать.

В голосе Эль Дьябло звучала смертельная угроза, и Салли тут же отступил.

— Да нечего волноваться по этому поводу. У Салли свои счеты с этим парнем, — проговорил Карсон. — Там, в Эль-Тражаре, есть одна шлюшка, которую захотел Салли, а Мейджорс забрал себе.

— Ты позволяешь похоти влиять на свои суждения? — Эль Дьябло снова пронзил Салли свирепым взглядом. — Если ты работаешь на меня, держи себя в узде.

Салли, злобно зыркнув на Карсона, поспешил оправдаться перед боссом:

— Здесь другое. Она из этих проповедующих о спасении души. Нос задирала так, что я решил показать ей, что по чем на самом деле.

Эль Дьябло надоело слушать Салли. Когда-нибудь этот тип из-за своего ослиного упрямства поставит всю банду под угрозу.

— Запомни, Салли, эта проповедница такая же баба, как все прочие. Развлекайся с девочками из салуна, но не пытайся отнять женщину у Люка Мейджорса, если хочешь остаться в живых. Мне будет неприятно услышать от твоих друзей, что им пришлось тебя хоронить.

Салли был оскорблен в лучших чувствах.

— Да я могу заделать этого Мейджорса одной левой!

— Хвалиться — хвались, но проверять, так ли это, не советую. Он человек опасный. На твоем месте я бы ходил вокруг него на цыпочках.

Салли был уверен в себе, но он знал, что с боссом лучше не спорить. Ничего, он выберет момент и обделает все в лучшем виде.

— А теперь к делу. — Эль Дьябло посмотрел на Хэдли. — В форт скоро должны привезти партию ружей. Точную дату я пока не знаю. Как только выясню, сразу вам сообщу.

— А что делать пока?

— Сидите смирно, дайте понять Мейджорсу, что он — один из нас, и поглядите, что из этого получится. Я свяжусь с вами, как только получу достоверную информацию.

Эль Дьябло уехал. Хэдли, Салли и остальные бандиты наблюдали за ним, пока он не скрылся за поворотом. День близился к концу, поэтому они решили раскинуть лагерь здесь же, а в каньон вернуться на следующий день.

— Полагаю, нам придется какое-то время выждать, а, Салли? — произнес Хэдли.

Вспыльчивый бандит обвел приятелей взглядом, полным ненависти.

— Ладно, я выжду, но лишь до той минуты, пока не выясню, что Мейджорс замышляет. Босс сказал присматривать за ним, и я собираюсь заняться именно этим. И еще собираюсь добраться до этой его сучки. Сестра Мэри будет моей. Вот увидите.

— Да что она тебе так далась? Он наверняка уже не раз ее поимел.

При мысли об этом Салли совсем озверел.

— Пусть он вставил ей дюжину-другую раз, но это не значит, что она попробовала настоящего мужика. Я еще многому хочу ее научить. Посмотрим, как ей понравится после всех разговоров о Боге и спасении души оказаться во власти дьявола. — Он захохотал и улегся спать, как и остальные.

А тем временем в каньоне все собрались у огня на вечернюю трапезу. Коди помогала Хуане и еще нескольким женщинам подавать еду. Подождав, пока не была роздана последняя миска, она звучным голосом провозгласила:

— Мы должны сперва благословить еду. Давайте помолимся.

На нее поглядели как на ненормальную, но Коди это не смутило.

— Господи Боже, благослови пищу, которую ты нам дал.

Громкое фырканье одного из разбойников раздалось ей в ответ.

— Эту жратву дал нам никакой не Бог. Это Сэм поохотился днем. Так что это его заслуга.

— Воззри, Господь, на нас и охрани от зла. Аминь! — закончила она.

Большинство собравшихся уже ели, не обращая на нее внимания. Ее слушали лишь несколько женщин и ребятишек. Коди задумалась, какая жизнь ждет выросших здесь детей. Страшно себе представить. Если бы она могла им как-то помочь!

Наполнив свою тарелку и взяв кружку с кофе, она подошла и села рядом с Люком около их хижины.

— Завтра воскресенье, — сказала она ему, принимаясь за еду.

— Ну и что?

— Мне надо будет подняться на рассвете, чтобы провести воскресную службу.

— Вы это серьезно? — Он бросил на нее взгляд, полный откровенного недоверия.

Коди поджала губы и выпрямилась с возмущенным видом.

— Я более чем серьезна. Я полна решимости. Если кому и надо услышать слово Господне, то именно этим людям. Оглянитесь вокруг. Вы живете в притоне воров и убийц. А детям здесь каково... — Голос ее прервался от переполнявших сердце чувств.

— Вы ошибаетесь, воображая, что этим людям хочется спастись. Они здесь, потому что этого хотят. Никого тут не держат против воли.

Коди взглянула на него с осуждением:

— Не все попали сюда по доброй воле. Возможно, тут есть и другие женщины, с судьбой, похожей на мою, а к тому времени, как им разрешили уйти, возврата к прежней жизни для них не было.

Люк упрямо тряхнул головой:

— Если бы я не увез вас сюда, вас могли бы убить. И уж наверняка вас бы изнасиловал Салли, а может быть, и остальные.

— Почем вы знаете? Вы могли просто уехать, прихватив с собой Салли. Что бы там потом ни произошло, это была бы *моя* жизнь.

Люк ощутил укол совести, но постарался его заглушить.

— Сомневаюсь, что, если бы я просто уехал, у вас была бы какая-то жизнь. Такие, как Салли, смертельно опасны, когда считают, что их оскорбили или унизили.

— Унизили? — возмущенно воскликнула она. — Я расскажу вам, что такое унижение! Для меня унижение стараться не опустить голову, когда все вокруг считают, что я ваша женщина!

Люк хохотнул и поинтересовался:

— Неужели это и вправду так ужасно? Быть моей женщиной?

Он вспомнил их поцелуй. И снова удивился, как нежна и женственна была она тогда.

При этих словах Коди подняла на него глаза. Только толстые стекла очков помогли скрыть охватившие ее растерянность и смущение. Сестра Мэри, на помощь! Сестра Мэри возмущенно сказала:

— Я собиралась вести жизнь целомудренную и добродетельную. Однако трудно сохранять достойный вид, когда все считают тебя...

— Понял, понял. — Люк оборвал ее на полуслове, не желая слышать из ее уст «шлюха» или «девка». Ей это не шло. И вообще она этого не заслуживала. — Но все же хотелось бы, чтобы вы задумались о другом. Представьте, что случилось бы с вами, если бы я не забрал вас с собой. Тогда никто бы не защитил вас от Салли. Подумайте об этом на сон грядущий. Разыграйте это все у себя в голове. Думаю, вряд ли после этого ваш сон будет безмятежным, сестра Мэри.

Люк встал и пошел прочь. Глядя ему вслед, Коди увидела, что Хуана поднялась и поспешила за ним. Она окликнула его, и он остановился с ней поговорить. Затем они вместе куда-то направились.

Коди внезапно обнаружила, что нервно дергает подол платья. Куда он с ней пошел?! Она убеждала себя, что должна радоваться: он оставил ее в покое. А вместо этого разозлилась как никогда. Вскочив, она бросилась в хижину.

Уже почти стемнело, так что она зажгла стоявшую на столе лампу и огляделась вокруг. Злость бурлила в ней, и она знала, что если срочно не займется делом, то выкинет что-нибудь дикое. В хижине стояла такая грязь... Нет, просто невозможно здесь жить! Коди набросилась на одеяло. Она вынесла его наружу и безжалостно вытрясла.

Покончив с одеялом, она принялась за матрас. Вытащила его из хижины и как следует выколотила. Она била его так, словно хотела забить несчастную подстилку до смерти.

Она порядком запыхалась, но на душе у нее полегчало. Коди улыбнулась. Матрас успешно выдержал ее атаку, но до настоящей чистоты ему было далеко. Она затащила его назад, пообещав ему, что в первый же погожий денек вывесит его на солнышко. Затем она снова застелила постель одеялом, аккуратно разгладив его на матрасе.

Как обычно, когда гнев исчез, Коди почувствовала себя бесконечно усталой, но все равно ей нужно было вымыться. Слишком много времени прошло с ее последнего купания. Захватив стоявшее у двери ведро, она отправилась к колодцу за чистой водой и сама притащила его обратно. Люк пропал куда-то с Хуаной. Ну и пусть, ей ведь это совершенно безразлично... Даже лучше — теперь она вымоется без помех. С этим она закрыла за собой дверь хижины.

Коди нашла кусочек мыла и теперь дождаться не могла, когда смоет с себя грязь, хоть после ей и придется снова одеться в грязную одежду. Раздевалась она очень хитро, так как не хотела оказаться во власти всякого, кто вздумает вломиться в дверь. Расстегнув пуговицы, она спустила платье с плеч и стала намыливать грудь и руки. Прохладная вода показалась ей божественной, и хотя мыло было едким, ощущение чистоты после него было восхитительным. Она блаженно вздохнула.

Люк терпел, как мог, общество Хуаны, лишь бы находиться подальше от сестры Мэри. Он говорил себе, что больше не может слушать ее речи, но на самом деле он просто никак не мог забыть о ее поцелуе. Люк знал, что не испытывает к ней физического влечения. Этого просто не могло быть! Она же была проповедницей. И все же ее поцелуй пробудил в нем что-то непонятное.

Он попытался разобраться в своих чувствах. Она была некрасивой, это он знал прекрасно, однако когда он внес ее на руках в хижину и освободил ее волосы из этого старушечьего пучка, она выглядела почти прелестной. Черт побери, нужно помнить, что она девственница, что она посвятила себя

Богу, что она почти монашка... И все же воспоминание о том, как он прижимал ее к себе, не желало уходить.

Несмотря на все хлопоты, связанные с ней, Люк не жалел, что защитил ее. В ней, несмотря на всю ее воинственность, было что-то трогательное. Она, похоже, еще не потеряла веру в людей. Что ж, он постарается, чтобы этого не произошло по его вине.

Люк лениво шел за Хуаной. Ему было почти смешно, что она старательно уводила его прочь от хижины и сестры Мэри. Он понимал, что она надеется заманить его в свою постель, и пошел лишь потому, что хотел достать лишнее одеяло. Когда он вышел от нее, даже не поцеловав, уже стемнело. Хуана осталась в полной ярости.

Подходя к своей хижине, Люк глубоко вздохнул. Он устал, и при мысли, что еще одна ночь пройдет на полу, заломило все кости. Вообще-то больше всего ему хотелось оказаться в собственной постели в «Троице», но эту роскошь он сможет себе позволить только после того, как узнает, кто такой Эль Дьябло.

Он открыл дверь и замер на пороге. Представшее перед ним видение заставило его окаменеть. Так и стоял он, незамеченный, наслаждаясь изумительным зрелищем.

Люк не мог поверить, что стоящий перед ним ангел и есть та самая женщина, в обществе которой он провел столько времени, считая ее практически уродиной. Она стояла к нему спиной. Платье она спустила до пояса, и хотя оставалась в рубашечке, красота ее тела и кожи цвета слоновой кости была открыта его жадному взору. Ее волосы все еще оставались заколотыми, но это лишь подчеркивало изысканный изгиб ее лебединой шеи. В мягком свете лампы кожа ее казалась золотистой. Сестра Мэри выглядела заправской обольстительницей.

У Люка перехватило дыхание, перед глазами все поплыло. Он был на грани того, чтобы ворваться в комнату и использовать представившуюся возможность. Он был готов подхватить ее на руки, уложить на кровать и...

И в эту минуту глаза его остановились на... Она лежала на постели... эта неодолимая преграда...

Ее Библия.

Люк не понимал, как получилось, что он чуть не забылся. Осторожно закрыв дверь, он зашагал прочь от хижины, усилием воли подавляя в себе желание. Он был сам себе противен. Всего один взгляд, и он готов был взять то, что она и не думала предлагать. Отойдя подальше, он остановился и постоял в темноте, глядя в ночь и ожидая, пока уйдет из тела мучительная боль.

Люк простоял так довольно долго, затем повернул назад. На этот раз он постарался как можно более шумно подойти к крыльцу, распахнул дверь и не мог решить потом, что почувствовал: облегчение или разочарование, когда, войдя, обнаружил ее лежащей под одеялом.

— Уже собрались спать, сестра?

— Завтра воскресенье. Мне надо будет встать пораньше.

— Вы все-таки собираетесь утром устроить моление?

— Я должна это сделать. Меня для этого призвал Господь. Если я не стану молиться за них, кто же это сделает?

Люк буркнул в ответ что-то невнятное. Его страстный порыв, уже притупившийся, теперь почти пропал.

— Вы достали второе одеяло? — заметила она.

— Хуана дала мне свое лишнее.

— Я рада, что вы больше не будете испытывать неудобств из-за меня.

— Вы представить себе не можете, какие неудобства я из-за вас испытываю, — проворчал он себе под нос, задувая лампу и устраиваясь на полу.

Когда он потянулся к лампе, Коди невольно посмотрела на него. Он был потрясающе красив. Она нервно глотнула, вспоминая ощущение его губ на своих губах и то, как колотилось сердце, когда он прижимал ее к себе.

«Он стрелок, — напомнила она себе. — Он убил шерифа и стрелял в банкира». Ее задачей было доставить его в тюрьму, а не влюбляться в него по уши... Но она и не собирается влюбляться! Коди тихонько вздохнула.

— Спокойной ночи, — мягко произнесла она.

Он только буркнул в ответ. Ночь предстояла долгая.

Глава 11

— И сказал Господь: «Придите ко мне и будьте, как дети малые».

Коди проповедовала. У ее ног сидели несколько женщин и трое ребятишек. Она высоко подняла Библию, чтобы все могли ее увидеть.

— В Библии содержатся все истины, какие есть на свете. Больше нигде не надо искать правду о том, как жить счастливо. В ней находятся десять заповедей, по которым должны жить все люди, — она перечислила их, делая особое ударение на «Не укради» и «Не убий».

— Господь любит нас, всех и каждого, но мы должны стремиться быть достойными этой любви. Любовь эту никогда не заработать, она просто щедро дается нам. Точно так же мы решаем покоряться Господней воле: не ради чего-то, а просто потому, что этого хотим, потому, что так поступать правильно.

Подняв глаза, она увидела, что неподалеку стоит Люк и смотрит на нее. Лицо его было непроницаемым. Не останавливаясь, она продолжала проповедь:

— Только живя по слову Господню, найдем мы счастье истинное и долговечное. Здесь находятся ответы на все ваши горести. — Она почтительно коснулась Библии. — Доверьтесь ей и никогда не обманетесь... Выходите же вперед, братья и сестры, и покайтесь в грехах своих. Господь простит тех, кто раскается и изменит свою жизнь, — призывала она. Голос ее утешал и успокаивал. Выражение лица было не обвиняющим, а любящим и полным понимания. — Бог все видит и все прощает тем, кто по-настоящему раскаивается. Выходите вперед и примите Божье любящее прощение в сердца ваши.

Коди склонила голову в ожидании. Один маленький мальчик подбежал и потянул за юбку. Она опустилась перед ним на колени и, взяв его ручки в свои, заговорила с ним тихим ласковым голосом.

Люк стоял поодаль, так что, когда она начала разговаривать с ребенком, едва мог расслышать их слова.

— Как тебя зовут? — спрашивала Коди.

— Карлос, — ответил малыш.

— Благослови тебя Бог, Карлос. — Она видела, что он стесняется говорить с ней, и постаралась его ободрить: — Что ты хотел мне рассказать? Что-то важное?

Он с серьезным видом кивнул:

— Я разозлился на Эстебана и украл его игрушечного солдатика.

— Тебе стало лучше, после того как ты его взял?

— На какое-то время, — честно сказал он.

— Почему ты сейчас рассказываешь мне об этом?

— Потому что вы сказали, что воровать нехорошо.

— Так и есть. Эта игрушка все еще у тебя?

— Да, сестра Мэри, — признался он, опуская глаза. Он ощутил первый укол совести.

— Тогда отнеси эту игрушку Эстебану и скажи, что просишь прощения. Скажи ему, что больше не станешь красть. Можешь так поступить?

Карлос с трудом глотнул:

— Это трудно...

— Что именно? Сказать ему, что просишь прощения, или больше не красть?

— И то и другое, — жалобно ответил он.

— Быть хорошим иногда очень трудно, — объяснила она, — но награда за это больше, чем ты можешь себе представить. — Она ласково коснулась его щеки. — А теперь беги и сделай все, как надо. Ты будешь потом гордиться собой, и мама будет тобой гордиться.

Она подняла глаза и увидела, что одна из женщин внимательно наблюдает за ней.

— Ваш Карлос — хороший мальчик. Ему повезло, что у него такая любящая мать.

— Спасибо, сестра Мэри.

Мальчишка побежал делать то, что она велела, а мать поспешила за ним.

Коди подождала еще немного, хотя особо не надеялась на то, что кто-то еще выйдет на покаяние. Женщины настороженно смотрели друг на друга и на нее. По крайней мере она обрадовалась, что дети отнеслись к ее словам серьезно. Она снова посмотрела на Люка. Он все еще был здесь и внимательно наблюдал за происходящим.

— Если нет больше никого, кому хотелось бы сегодня покаяться, то наше моление окончено. Радуйтесь красоте Божьего воскресенья. Сохраните слово Его в сердце своем и бегите от зла. Поступайте так, и вам даруется жизнь вечная. Так сказал Господь. — Она высоко, чтобы все видели, подняла Библию. — Господь вас благослови!

Продолжая прижимать к груди Святую книгу, она оставила собравшихся и направилась назад, в хижину.

— Очень милая проповедь, сестра Мэри, — небрежно сказал Люк. Он нагнал ее и пошел рядом. Сегодня она не казалась такой злючкой, а как ласково она говорила с детьми...

Коди искоса взглянула на него:

— Если б я на самом деле хорошо проповедовала, то сумела бы убедить вас покаяться в грехах ваших и тем облегчить душу.

— Вы считаете, я в этом нуждаюсь? — Он поднял брови, изображая удивление.

— Если все, что я слышала об этой банде, правда, то, безусловно, вам надо как следует отстирать полотно вашей души. Вам нужно вытащить на свет самые темные свои тайны и молить Бога о прощении.

Люк лукаво улыбнулся:

— Вы не знаете, где можно найти ближайшего отца-исповедника?

Коди почувствовала, что заводится.

— Я, между прочим, в своей жизни выслушала много исповедей.

— А что, если я скажу вам, что не делал ничего заслуживающего покаяния? — Он едва сдерживал смех.

— Тогда я отвечу, что вам нужен кто-нибудь, кто объяснит вам разницу между дурным и хорошим, — возразила она, — Если когда-нибудь надумаете исповедаться, я охотно вас выслушаю.

— Но, сестра Мэри, я невинен, как новорожденный младенец. — В синих глазах сверкали веселые искорки.

Она остановилась и посмотрела на него в упор:

— Тогда что же вы здесь делаете?

Он пожал плечами.

— Здесь ничем не хуже, чем где-нибудь еще, — уклончиво ответил он и тут же перешел в наступление: — А как насчет вас, сестра Мэри? Почему вы странствуете из города в город, никогда не задерживаясь в одном месте надолго? Почему не хотите осесть, обзавестись домом? Почему у вас нет ни мужа, ни детей?

— Потому что я была призвана. Мой отец побуждал меня прислушиваться к своему сердцу, и оно повелело мне. Не буду отрицать, порой мне бывает очень тяжело, — впервые она говорила ему чистую правду. Говорила как Коди Джеймсон, а не как сестра Мэри.

— А как насчет того, чтобы самой исповедаться? Вы когда-нибудь признавались кому-либо в своих ошибках?

— В своих грехах и ошибках я признаюсь Господу Богу. Вам же скажу, что самой большой моей слабостью, величайшим недостатком, является потребность увидеть торжество справедливости на этом свете. Я хочу, чтобы каждый получил по делам своим. К несчастью, то, чего я хочу, и то, что происходит в жизни на самом деле, часто резко отличается. — Она подняла на него глаза, всматриваясь в четкие черты сильного красивого лица, поражаясь, как это он может быть убийцей. У него был такой добрый взгляд.

Все говорили, что Люк застрелил безоружного шерифа. Один этот факт должен был вызвать лютую ненависть к нему. Все говорили, что именно он стрелял в банкира во время ограбления. Однако было в нем что-то такое, отчего все эти обвинения казались ложными. Он был с ней добрым и благородным, даже почтительным. Он спас ее от Салли, хотя он видел ее тогда в первый раз в жизни. Почему? Эти поступки никак не вязались с тем, что ей рассказали о банде и о нем.

Однако затем Коди вспомнила тот момент, когда Люк схватил ее на площади, а Салли бросил ему вызов. Холодное спокойствие, сталь в его голосе, внезапно напрягшиеся мускулы, смертельная угроза во взгляде — тогда он действительно был похож на стрелка-убийцу. Но почему его так встревожила ее судьба? Все это никак не складывалось в единое целое, и впервые с начала розыска она усомнилась в его вине. Это была загадка, а Коди загадок не любила. Она всегда находила на них ответ.

— А какой самый большой ваш недостаток, Люк? В чем ваша слабость? В каком вопросе больше всего нужна вам Божья помощь? — Она надеялась на искренний ответ. Казалось, он всерьез увлекся их разговором, возможно, удастся узнать о нем побольше...

Люк взглянул сверху вниз на сестру Мэри. Та смотрела на него с жадным интересом. Самый подходящий момент, чтобы проучить эту любопытную мышку. Он медленно и многозначительно усмехнулся.

— Я так скажу, малышка, ваши ушки еще недостаточно повзрослели, чтобы слушать рассказ о моих слабостях. Особенно о той, которую я питаю к невинным маленьким проповедницам вроде вас.

— Ох!

Она посмотрела на него круглыми глазами, во рту у нее пересохло. На мгновение она заглянула ему в глаза и увидела в них вспышку желания, способного опалить женщину до глубины души. Коди понимала, что он просто дразнит ее, чтобы она отстала, но жар этого взгляда заставил кровь быстрее бежать в ее жилах, а сердце бешено забиться в груди.

Она лишь крепче вцепилась в свою Библию, чтобы руки не дрожали. Люк Мейджорс был, несомненно, силой, с которой следовало считаться, и Коди от всей души возблагодарила небо за свой маскарад. Если бы ей пришлось столкнуться с ним в собственном обличье, еще неизвестно, сумела ли она с ним справиться. Эта мысль ее испугала и взволновала. Жаркая волна прокатилась по телу, и она почувствовала, как вспыхнули щеки.

— Вы, сэр, не джентльмен, — объявила она, отворачиваясь от его насмешливых глаз.

— А вы, сестра Мэри, очень проницательно судите о людях, — рассмеялся Люк.

Он получал огромное удовольствие, наблюдая за сменой выражений ее лица, когда до нее дошел смысл его намека. По правде говоря, он счел ее реакцию трогательной. Женщины, с которыми он последнее время общался, краснеть разучились еще в детстве. А сестра Мэри краснела совсем как Кларисса.

Чувствуя, что не в силах справиться с румянцем, Коди поспешила обогнать его. Но, исчезая в дверях хижины, она слышала за спиной его насмешливый смех.

***

А в Дель-Фуэго Джек просто с ума сходил от ожидания. Он был человеком действия, так что просто сидеть и ждать вестей от Люка или от Коди Джеймсон было для него невыносимо. Он понимал, что не должен сейчас ничего предпринимать, чтобы не спугнуть Эль Дьябло, но вынужденное бездействие просто убивало его. Если бы только хоть одна весточка от Люка, чтобы знать, что с ним все в порядке... Но о нем никто ничего не слышал.

Выйдя из гостиницы, он отправился повидаться с Халлоуэем. Не успев далеко отойти, он услышал за спиной разговор двух женщин.

— Они ничего не делают, Кэролайн! Ничего. Этого рейнджера прислали сюда помогать, а он бездельничает. Сэм уже давно посадил бы их всех за решетку! — Тишина, затем резко втянув воздух, женщина выкрикнула: — Посмотри, это он, рейнджер Логан. Трус!

Джек обернулся и оказался лицом к лицу с Сарой Грегори, яростно сверлившей его взглядом.

— Поразительно, как у вас хватает наглости смотреть мне в лицо! — Сара со злостью глядела на него.

— Сара, право же, ты не должна говорить такое, — пыталась остановить ее Кэролайн.

— Добрый день, миссис Грегори, — Джек слегка коснулся шляпы в знак приветствия. — И вы, мэм, — поздоровался он со второй женщиной.

— Рейнджер Логан, — холодно обратилась к нему Сара, — есть ли какие-нибудь известия относительно убийцы моего мужа? Нашли вы уже этого мерзавца Люка Мейджорса?

— Нет, мэм, — почтительно ответил он, прекрасно понимая ее боль и досаду. — Но мы делаем все, что можем.

— Как же, вижу, — откликнулась она с нескрываемым сарказмом. — Поэтому, наверное, вы с Фредом болтаетесь в городе, ждете, что Мейджорс сам прискачет и сдастся вам в руки.

— Миссис Грегори, у нас нет никаких доказательств, что вашего мужа убил именно Люк Мейджорс.

— Разумеется, он! Ведь это он стрелял в Джонатана.

Джек уже знал, что переубедить ее и других жителей города просто невозможно.

— Необходимо, чтобы все было по справедливости.

— Оно и видно. Поэтому вы и сидите здесь день за днем, убийцы разгуливают на свободе, а мой муж лежит на кладбище! Почему вы не ищете его убийцу? Чего вы боитесь?

— Сара, ты не понимаешь, что говоришь, — раздался нежный голос из-за спины Джека.

Джек сразу узнал его. Это была Элизабет Харрис.

— Элизабет! — Сара удивилась, увидев подругу.

— Здравствуй, Сара... и Джек, — отозвалась та, поднимая глаза на Логана и одаряя его милой улыбкой.

— Здравствуйте, Элизабет, — откликнулся Джек, в который раз восхищаясь ее мужеством и красотой.

— Сара, я несколько раз говорила с Джеком и знаю, что они с Фредом делают все возможное, чтобы виновники смерти Сэма поплатились за свое преступление.

— Тогда почему же они до сих пор их не схватили? — Голос Сары прервался от невыразимой муки.

Элизабет подошла к ней и обняла за плечи.

— Схватят. Я в этом уверена.

— Конечно, схватят, — сказала Кэролайн.

— Но почему же это так тянется? — теперь Сара плакала в открытую.

Кэролайн взяла ее за руку:

— Пойдем, Сара, я отведу тебя домой.

— Я свяжусь с вами, как только что-то станет известно, — пообещал Джек, мечтая, чтобы вся эта история поскорее закончилась, и в то же время зная, что простого решения здесь не будет.

Он молча стоял рядом с Элизабет, провожая взглядом уходящих женщин.

— Вы очень добрый человек, Джек Логан, — сказала Элизабет.

Джек перевел взгляд на нее и с трудом выдавил улыбку.

— Она имеет полное право быть недовольной. Ее мужа хладнокровно застрелили. Она осталась совсем одна. Я прекрасно понимаю, почему она сердится на нас.

— Но ведь вы в этом не виноваты. Вы тут ни при чем, — защищала она его.

Джек грустно улыбнулся:

— Спасибо... А как вы?

Улыбка мгновенно исчезла с ее лица.

— Со мной все в порядке.

— А ваш муж?

— Он в том же состоянии, — тихо ответила она.

— Никакого улучшения?

— Он лучше ест, но разгневан по-прежнему... — Она резко замолчала. — Право, вам мои проблемы ни к чему. У вас своих хватает.

— Я не жалуюсь. Мне лишь хотелось бы помочь вам чем-то еще, кроме сочувствия.

Она улыбнулась в ответ, но улыбка получилась вымученной.

— Вы уже очень мне помогли, больше, чем можете себе представить. А сейчас я лучше пойду. Джонатан ждет меня.

Элизабет повернулась, чтобы уйти.

— Элизабет?

Она остановилась и посмотрела на него.

— Если вам когда-нибудь что-то понадобится, что угодно... только дайте мне знать.

Она кивнула, на миг встретилась с ним глазами и поспешила прочь.

Глава 12

В эту ночь Коди долго не могла заснуть. Все слишком запуталось. Она любила, выслеживая преступника, контролировать ситуацию. Именно поэтому, прежде чем взяться за дело, она тщательно выясняла все, что можно, о предмете своего розыска. Но проверка биографии Люка Мейджорса, проведенная ею после встречи с Джеком Логаном, не дала почти ничего. Так что теперь она застряла в бандитском лагере вместе с человеком, который был для нее полной загадкой.

Глядя на спящего на полу Люка, она видела, что привычное суровое выражение его лица смягчилось во время сна. Он выглядел необыкновенно привлекательным. Коди вдруг почему-то стало очень тоскливо. Он относится к ней с почтением, да, но он совсем не обращает на нее внимания как на женщину. Невероятно, но это больно задевало ее.

Она говорила себе, что подобные чувства с ее стороны нелепы, что она здесь для того, чтобы его арестовать, а не соблазнять. Но память о его поцелуе не уходила. Она со вздохом призналась себе, что он произвел на нее огромное впечатление. А вот она, по-видимому, никакого.

На самом деле ей следовало благодарить судьбу за то, что он не имел к ней таких намерений. Взгляд ее упал на Библию, лежавшую около кровати на полу. Она держала ее при себе в целях самозащиты, но и вообразить не могла, что это средство окажется таким действенным. Посмотрев последний раз на Люка, она дотянулась и приоткрыла книгу. В хижине еще хватало света, чтобы разглядеть отцовский пистолет, спрятанный в специально вырезанной середке. Да, Священное писание защищало ее во многих смыслах.

Она захлопнула книгу и снова откинулась на постель. Большую часть ночи она ворочалась с боку на бок, пытаясь сообразить, что же ей делать. Принятая на себя роль становилась невыносимой. Вскоре ей надо будет что-то предпринимать. Заснула она лишь на рассвете.

Люк мучился от неизвестности. Он устал от безделья, но, пока не вернулись в лагерь со своей встречи с Эль Дьябло Хэдли и остальные бандиты, делать тут было нечего.

Он бросил взгляд туда, где рядом с другими женщинами и детьми работала сестра Мэри. Последние несколько дней он не раз ловил на себе ее взгляд, видел встревоженное лицо. Ему хотелось успокоить ее, сказать, что он не бандит, то есть рассказать ей всю правду. Он хотел, чтобы она поверила, что, пока он рядом, с ней ничего не случится. Она ведь могла убедиться, что он держит слово и не прикасается к ней. Ей-богу, да он просто святой после этого! Какие еще доказательства в его порядочности ей нужны?

Люк понимал, что, когда вернется Салли, дело может принять неприятный оборот. Неизвестно, сколько времени сумеет он не подпускать его к сестре Мэри. Остается надеяться, что ему как-то удастся поскорее вывезти ее из лагеря, не вызывая особых подозрений, а затем без помех вплотную заняться Эль Дьябло. Не мог он одновременно охотиться на главаря банды и заботиться о ее безопасности.

Внезапно до него донесся крик дозорных, что едут всадники, и Люк оживился: наконец-то хоть что-то. Он снова взглянул на сестру Мэри и увидел, что к ней подошла Хуана.

Хуана бросила взгляд в его сторону и, заметив, что он наблюдает, послала ему знойную улыбку. Люк вежливо улыбнулся в ответ, не желая ни поощрять, ни обижать ее. Она была женщиной опасной, и он не стал бы спать с ней, даже если бы не было сестры Мэри.

Люку нравились женщины честные, которые говорят правду, нежные и деликатные, не способные на обман. Коварства и фальши он вдоволь нахлебался с Клариссой. В будущем он не собирался иметь с такими ничего общего. Больше всего он мечтал о женщине искренней и прямодушной. Наверное, поэтому, несмотря на все неприятности, связанные с нею, ему понравилась сестра Мэри. Она была просто сокровищем — абсолютно честной женщиной.

Поднявшись со своего места, Люк перешел туда, откуда мог лучше видеть тропу, ведущую в лагерь. Он увидел подъезжающих всадников и пересчитал их в надежде, что окажется лишний, что означало бы приезд Эль Дьябло. Но его надежде не суждено было сбыться.

Разбойники подъехали ближе, и женщины радостно бросились навстречу. Хуана помчалась к Салли. Он спешился и, наградив ее жарким поцелуем, тут же потащил в свою хижину. Остальные мужчины быстро разошлись со своими женщинами.

Люк оглянулся и увидел, что сестра Мэри осторожно пятится к их хижине. В руках у нее был какой-то сверток и сомбреро. Ни того, ни другого он у нее раньше не видел.

— Что это? — спросил он.

— Мне очень нужно постирать мою одежду, и Мария была так добра, что дала мне на время все это. — Она показала ему брюки и мужскую рубашку.

— Вы собираетесь надеть мужские штаны? — он не знал, смеяться ему или хвататься за голову.

— Бог позаботился обо мне, а чистоту надо блюсти не меньше святости, — ответила она улыбаясь и пожала плечами. — Думаю, что платье высохнет лишь к утру, так что мне придется и спать в них.

Люк ухмыльнулся, представляя ее в мальчишеском наряде.

— Да, это поистине перемена.

— Я должна была что-то сделать. Никогда я так долго не носила платье, не меняя.

Он сообразил, что и его одежда ничуть не чище.

— Раз вам пришла в голову такая прекрасная мысль, вы могли бы заодно постирать кое-какие мои вещи.

Коди с трудом удержалась, чтобы не сказать, что он может сделать со своими вещами.

— Хорошо, что вы так радеете о чистоте. Купание вам тоже не повредит, — с достоинством откликнулась она.

— Хотите помочь мне выкупаться? — предложил он.

— Уверена, что вы вполне способны помыться и сами. Но если считаете, что не справитесь, полагаю, я смогу попросить Хуану вам помочь, — невинно сказала Коди и обрадовалась, когда он поморщился.

— Обойдусь.

— Если решитесь на это, там, в хижине, есть мыло.

— Буду иметь это в виду.

— Мейджорс! — раздался вопль Салли. Он появился из хижины Хуаны, на ходу застегивая брюки.

— Оставайтесь тут, — приказал Люк, направляясь к Салли.

— Но я собиралась немного поиграть с детьми... — начала было возражать она, однако суровый взгляд Люка сразу заставил ее замолчать.

Люк небрежно подошел к бандиту. Салли ждал его со своей мерзкой ухмылочкой на губах.

— Хуана рассказала мне, что проповедница вполне тебя удовлетворяет...

— Удовлетворяет, — сухо произнес Люк.

Салли с ненавистью поглядел на него и собрался что-то добавить, но тут к ним подошел Хэдли.

Тот увидел их издали и решил не допустить свары.

— Мы встречались с Эль Дьябло, Мейджорс.

— Знаю. Мне рассказали об этом после вашего отъезда.

— Эль Дьябло сказал, что мы должны тебе доверять, раз ты теперь один из нас, — говоря это, Хэдли внимательно следил за выражением лица Люка.

При этом известии Люк улыбнулся.

— Ты рад этому?

— Очень.

— Эль Дьябло тоже. Босс доволен, что ты решил к нам присоединиться. Стрелок с твоей репутацией заставит всех еще больше уважать нас и бояться. — Хэдли решил, что Люк вполне искренен, но Эль Дьябло велел присматривать за ним, и он будет присматривать.

— Когда едем на дело?

— Кое-что планируется, но не решено окончательно. Надо дождаться подходящего момента.

— По-моему, с тех пор как я с вами, я только это и делаю, — пожаловался Люк.

— Ну, у тебя была проповедница, чтобы не скучать, — усмехнулся Хэдли. — Следующая работа будет такая, что ее стоит подождать. Самое большое наше дело. Как только я получу весточку от Эль Дьябло насчет точной даты отправки, мы немедля двинемся в путь. Если ничего не помешает, то сразу после налета мы пересечем границу и продадим там товар. А потом двинем в Рио-Нуэво и подождем, пока шум не утихнет.

— Такое крупное дело?

Хэдли посмотрел на него в упор:

— Да, такое крупное.

— Что ж, будем надеяться, что ждать придется недолго. От сидения здесь можно свихнуться.

— Наслаждайся своей женщиной... если можешь, конечно, — вставил Салли.

Люк улыбнулся не разжимая губ.

— А Эль Дьябло поедет с нами? Он вообще когда-нибудь приезжает в лагерь?

Хэдли ответил осторожно:

— Увидишься с Эль Дьябло, когда он решит, что ты к этому готов. Не раньше.

Салли нахмурился. Что-то слишком уж рьяно эта выскочка стремится встретиться с хозяином.

Коди оставалась стоять там, где ей велели, но напряглась изо всех сил, стараясь расслышать, о чем они говорят. То немногое, что ей удалось разобрать, касалось предстоящего большого ограбления. Она понятия не имела, где и когда оно произойдет, но было ясно, что потом банда укроется в Рио-Нуэво. Ей вспомнилось, что именно это место часто упоминали друзья ее отца, когда она расспрашивала о банде Эль Дьябло перед началом работы. Если бы она не обнаружила Мейджорса в Эль-Тражаре, следующим пунктом ее пути стал бы этот пограничный город. Ее информаторы предостерегали, что там находиться опасно, теперь она понимала почему. И Коди поспешила в хижину заняться стиркой.

Люк остался с Хэдли и другими. Разгоралась большая пьянка. Солнце село, а веселье все продолжалось. К ним присоединились женщины, и вскоре обстановка стала напоминать какую-то оргию, вроде описанных в Библии Содома и Гоморры. Пламя костров ярко горело, освещая Хуану и других женщин, беззастенчиво предлагавших себя мужчинам. Время от времени пары исчезали в темноту, затем появлялись снова и продолжали веселиться.

Коди лишь иногда выглядывала из своего укрытия. Казалось, о ее существовании все забыли, и ее это вполне устраивало. Она не спеша выстирала платье и нижнее белье, после чего уселась на постель в своем мужском наряде и, распустив непокорную гриву пышных волос, попыталась расчесать спутавшиеся пряди. Конечно, для этого больше подошла бы хорошая щетка, но об этом нечего было и мечтать. Поэтому она обходилась простым гребнем, который по доброте одолжила ей Мария.

Она так была занята своими волосами, что нервно вздрогнула при звуке открывающейся двери. С бьющимся сердцем она схватила Библию. Больше всего она боялась, что Салли ухитрится незаметно улизнуть от костра и явится к ней. Приоткрыв Библию, она сунула в нее руку. Пальцы сомкнулись на рукоятке отцовского пистолета, и она сразу почувствовала себя храбрее.

— Сестра Мэри? — Дверь приоткрылась пошире, и двое детей просунули в хижину головы, стараясь разглядеть ее в полумраке.

Облегченно вздохнув, Коди убрала руку и широко улыбнулась.

— Рафаэль, Чика... вы меня напугали. Что вы здесь делаете?

— Мы по вас соскучились, сестра Мэри. Мы хотели вас повидать. Наша мама велела нам не вылезать из дома, но когда мы не увидели вас среди других, то решили, что найдем здесь, — объяснил Рафаэль.

— Можно нам побыть с вами, сестра Мэри? — спросила Чика, подпрыгнув от страха, когда снаружи раздалась стрельба, за которой последовали пьяные выкрики мужчин.

Коди отложила Библию в сторону и раскрыла им объятия.

— Ну конечно, можно, — ласково ответила она. Она могла понять, как пугают их пьяные крики и дикий смех и, прижав к себе, попыталась успокоить.

— Вы смешно выглядите в этой одежде, — заметил Рафаэль, разглядывая ее наряд.

Коди засмеялась вместе с ними:

— Мне надо было выстирать платье, так что Мария одолжила мне брюки и рубашку поносить, пока все не высохнет.

— Какие у вас красивые волосы, — сказала Чика, изумленно глядя на водопад огненных локонов, спадающих почти до пояса.

— Спасибо. Мне редко теперь выдается возможность их распускать.

Снова раздались выстрелы, сопровождаемые громкими криками и проклятиями.

— Вы нам споете? — попросила Чика, умоляюще глядя на нее огромными глазами.

— Спою, но только если будете мне подпевать, — улыбнулась в ответ Коди.

Ребятишки заулыбались и уселись рядом с ней на постели. Они прижались к ней с двух сторон, и Коди тихонько запела воскресный псалом. Дети неуверенно подхватили.

— Как хорошо вы поете, — прошептала Чика.

— Ну спасибо. Ты тоже хорошо поешь.

— Я рад, что вы здесь оказались, — произнес Рафаэль, с обожанием глядя на нее.

Коди нежно прижала их к себе.

— Я тоже рада этому. Иначе я бы никогда вас не встретила. — В ту минуту она говорила вполне искренне.

Дети весело захихикали, они уже успокоились, чувствуя себя рядом с ней в безопасности.

— Расскажите нам сказку. Ту самую, про большую лодку со всеми зверями на свете.

Коди рассмеялась и снова начала рассказ о Ное и его ковчеге.

Люк пил, не отставая от Хэдли и Салли. Они сидели вокруг костра и разговаривали о новом плане Эль Дьябло. Хуана и другие женщины крутились рядом, стремясь всячески ублажить вернувшихся к ним мужчин. Спиртное лилось рекой, в основном виски и текила, так что вскоре трезвых не осталось.

Хуана подошла к Салли и, прильнув, стала что-то пылко нашептывать ему на ухо. С минуту он потискал ее на глазах у всех, а затем вдруг грубо отпихнул от себя.

— Я хочу какую-нибудь свеженькую... а не ту, которая побывала с каждым в лагере, — злобно прорычал он.

— Еще пару часов назад я тебя вполне устраивала, — обиделась Хуана.

В отместку Салли дал ей пощечину.

— А теперь не вижу в тебе ничего хорошего. Где она? — Похотливо осклабившись, он обвел взглядом стоявших и сидевших у огня. — Где проповедница? — Глаза его остановились на Люке.

— Не твое дело, — резко сказал тот.

— Нет, мое. Я первым ее нашел. Где ты ее прячешь? Достаточно ты с ней побаловался. Теперь моя очередь.

Люк давно знал, что такой момент настанет. Он лишь надеялся, что сейчас, когда эта минута пришла, остальные поддержат его. Ему не хотелось убивать Салли, ему надо было лишь не подпустить его к сестре Мэри.

— На твоем месте я бы о ней не беспокоился. Она, наверное, молится где-нибудь о спасении наших душ.

— Мне не нужны ее молитвы о моей душе. Пусть помолится насчет того, что у меня тут ноет. — Он вызывающе ухватил себя за ширинку. — Может, если она прочтет над ним пару молитв...

Окружающие мужчины захохотали.

— Давай я облегчу твои страдания, — предложила Хуана. У нее все еще саднила разбитая губа, но она продолжала липнуть к Салли, не в силах вытерпеть, что тот хочет проповедницу больше, чем ее.

— Заткнись.

— Я ведь знаю, что сумею тебя утешить. Я точно знаю, что и как ты любишь.

Салли ухватил ее руку и грубо вывернул так, что она вскрикнула.

— Я сказал, заткнись! — Отшвырнув ее прочь, он повторил: — Я хочу сегодня свеженького мясца, понял, Мейджорс?

— На твоем месте, я бы принял предложение Хуаны, — негромко произнес Люк. Он неторопливо встал и как бы невзначай положил руку на кобуру.

— Надоела мне Хуана. Хочу проповедницу.

— Я уже сказал тебе: она моя, а мое я умею беречь.

Негромкие слова прозвучали с такой силой, что сидевшие вокруг бандиты содрогнулись. Наступило тяжелое молчание. Хэдли поднял глаза и, увидев, что столкнулись Салли и Люк, с отвращением сплюнул.

— Ты теперь один из нас, — орал Салли. — Ты должен делиться «своим».

— Ты, видимо, не слышал, что я сказал, Салли, — проговорил Люк. — Я ничего ни с кем не делю. Ни пистолета, ни коня, ни женщины.

— Ах ты... — Салли дернулся к оружию, но, когда он дотянулся до кобуры, Люк уже стоял с пистолетом в руке и дуло его было направлено в грудь Салли.

— Еще одно движение — и ты покойник.

— Джентльмены... — Хэдли встал между ними. Он улыбался, но улыбка его была нервной. — Сегодня мы веселимся, а не стреляем друг в друга. В чем дело? — Он переводил взгляд с одного на другого.

— Спросите у Салли, — процедил Люк, не опуская пистолета.

— Салли, что случилось?

Побледневший Салли медленно отвел руку от кобуры. Ему не нужен был Мейджорс с пистолетом, нацеленным ему в сердце. Он должен валяться на земле, корчась и завывая от боли. Он должен умереть. Сначала его унизила проповедница, а теперь и Мейджорс! Придет день, и они оба поплатятся за это. Он заставит их пожалеть!

— Ничего не случилось. — Он злобно сверкнул глазами в сторону Мейджорса.

— Ну и хорошо, — кивнул Хэдли.

— Я не хочу, чтобы ты крутился рядом с сестрой Мэри, — кинул Люк Салли, — иначе я спущу курок.

Салли, отчаянно проклиная всех и вся, рванулся куда-то в темноту. Хуана хотела было бежать за ним, но вовремя одумалась. Сегодня он уже разбил ей губу и чуть было не сломал руку. А теперь, когда он в бешенстве, мог сделать с ней что-нибудь и похуже. Пожалуй, лучше к нему сегодня не подходить. Ей еще жизнь дорога.

Люк выпил еще немного вместе с Хэдли.

— Ты понял, что с этой ночи Салли — твой смертельный враг? — заметил Хэдли, передавая Люку бутылку виски.

Люк пожал плечами:

— Важнее, понял ли Салли, что приобрел смертельного врага во мне?

Хэдли поежился от ярости, звучащей в его словах.

— Просто ходи, оглядываясь. У Салли в лагере много друзей.

— Ты один из них?

— Да.

Люк молча кивнул. Затем, сделав большой глоток из бутылки Хэдли, он вернул ее хозяину и зашагал прочь.

Глава 13

Подойдя к хижине, Люк увидел, что окно слабо светится. Значит, сестра Мэри дома и в безопасности.

Он мельком заглянул в окно, уверенный, что она сидит на постели в своем одеянии, с длинными рукавами и высоким воротом, и мирно читает Библию или молится. Вместо этого сестра Мэри, по крайней мере это должна была быть сестра Мэри, сидела на постели, ласково разговаривая с двумя маленькими детьми. По одному с каждого бока.

Люк нахмурился. Он знал наверняка, что это она. Кто же еще это мог быть? Но эта женщина выглядела совершенно иначе, так что он растерянно остановился и уставился в окно. Волосы ее были распущены и рассыпались по плечам словно огненный водопад. Он и вообразить себе не мог такой красоты. Одета она была в свободные мужские штаны и рубашку, но более женственный вид трудно было себе представить. Мягкая ситцевая рубашка не облегала, но как бы намекала на скрытые ее покровом прелестные изгибы. Штаны были коротковаты и предоставляли ему возможность полюбоваться ее стройными икрами. Мягкий свет подчеркивал кремовую нежность ее кожи, и, хотя на ней по-прежнему были очки, вид у нее был юный и очень соблазнительный. Снова пробудились в нем воспоминания о том, как трепетала она в его объятиях, об их поцелуе... Ему захотелось, невыносимо захотелось поцеловать ее еще раз.

Он ее хотел. Будь все проклято! Как же он ее хотел!

Люк двинулся к двери с одной лишь мыслью в голове. И в этот момент они запели.

Веселая песенка заставила его остановиться. Он помнил эту песенку с детства. Высокие голоса детей звучали чисто и нежно, а когда припев подхватила сестра Мэри, его словно окутала волшебная дымка. Слова песни, ее мелодия закружились вокруг него, вызывая в памяти давно забытое прошлое. Он шагнул к двери, распахнул ее и замер на пороге.

Радуясь обществу детей, Коди позволила себе расслабиться и забыться. Когда дверь так внезапно отворилась, она с испугом подняла глаза, слишком поздно сообразив, что перестала быть сестрой Мэри. При виде Люка она вначале испытала облегчение, но тут же, заметив, каким взглядом он на нее смотрит, вдруг осознала, что волосы она забыла заколоть в пучок и все еще сидит в мужской одежде. Она выдавила из себя улыбку.

— Дети, поздоровайтесь с мистером Мейджорсом.

Они хором пожелали доброго вечера.

— Идите домой, — коротко приказал Люк.

Глядя, как напряженно он стоит в дверях, Коди почувствовала, что он как-то изменился. От него пахло виски. Опасность общения с пьяными была ей хорошо известна.

— Мы просто спели несколько песенок, которые я помню с детства, — заговорила она, надеясь отвлечь его, сама толком не зная от чего.

— На сегодня с пением покончено, — сказал он. Ему хотелось остаться с ней наедине. Хотелось обнимать ее, трогать, целовать, выпустить на волю женщину из плоти и крови, которую она скрывала под обликом старой девы.

Дети посмотрели на Коди, но она лишь улыбнулась, не разжимая губ.

— Думаю, вам пора. Увидимся завтра утром.

— А вы снова так оденетесь? — захихикали Чика и Рафаэль.

— Нет, я надену свое платье. — Она посмеялась вместе с ними. — А теперь спокойной ночи.

Они быстренько обняли ее и выбежали из хижины, оставив наедине с Люком.

— Вам стоило присоединиться к нам. Может быть, вам бы это понравилось, — проговорила она, нервничая больше, чем за все предыдущее время с ним. Когда она выступала в роли сестры Мэри в платье под горло и с Библией в руках, справиться с Мейджорсом ей ничего не стоило. Но как обращаться с Люком в облике обычной женщины, она не знала.

— Вообще-то в пении я не слишком преуспел.

— А в чем вы преуспели? — Она намеренно старалась перевести разговор на другую тему.

— Смотря кого вы об этом спросите. — Криво усмехаясь, он подошел к ней почти вплотную.

Коди пришлось закинуть голову, чтобы посмотреть ему в лицо. Глаза его горели незнакомым светом, и она поняла, в какой щекотливой ситуации оказалась.

— Если хотите, я постираю вашу рубашку, — поспешно предложила она.

Не сводя с нее глаз, Люк начал расстегивать пуговицы, открывая ее взору свою мощную грудь. Коди попыталась отвести взгляд, но он, казалось, занял собой все обозримое пространство.

— Спасибо. Она этого давно требует.

— А коли захотите умыться, там в тазу осталась чистая вода.

Он скинул с себя рубашку и, швырнув ее на кровать, направился к тазу.

— Я прямо сейчас и займусь стиркой, — проговорила она, решив про себя сбежать к ручью и побыть там, пока он не уснет.

— Нет, оставайтесь на месте. Постирать сможете завтра утром.

— Но что же вы тогда наденете?

— Что-нибудь. Не важно. Я не хочу, чтобы вы сейчас выходили наружу. — Где-то снаружи бродил Салли.

Однако Коди не знала этого и не на шутку разозлилась.

— Почему же. Я быстро все выстираю, и тогда к утру белье высохнет.

Люк обернулся и крепко схватил ее за руку. От этого прикосновения оба вздрогнули.

— Я велел тебе стоять, где стоишь. — И тон, и взгляд были угрожающими.

Коди инстинктивно поняла, что в нем говорит открытое жадное желание, и замерла, не зная, как быть. Люк хотел ее. Одновременно со страхом в ее женском сердце пробудилась какая-то особая гордость. Она ему нравилась! И еще этот его взгляд...

он вызвал в ней ответный голод. Коди знала, что должна отодвинуться подальше, но не могла шевельнуться. Его прикосновение обжигало ей руку, но она только смотрела ему в глаза, зачарованная его силой и красотой.

— Я... — Она попыталась заговорить, сказать что-то, что бы вернуло их к действительности... Но не находила слов, а Люк тем временем медленно притягивал ее к себе.

Он не остановился, даже когда они приблизились на расстояние вздоха. Так же, без единого слова, он поцеловал ее и ощутил, что она задрожала. Сжимая ее в объятиях, Люк чувствовал, как бешено бьется ее сердце. Поцелуй был сначала нежным и легким, но она отозвалась милым тихим постаныванием, и он не выдержал, стиснул ее в объятиях, свирепо завладел ее ртом, наслаждаясь дивной сладостью, смакуя каждый трепет, показывая, как же сильно он ее хочет.

Коди потонула в ярости его натиска. Она давно поняла, что ее очень тянет к нему, но и вообразить не могла всей неукротимой силы этого влечения. Лишившись защиты своего закрытого платья и Библии, она оказалась совершенно беспомощной перед его сокрушительной мужской силой.

Коди наслаждалась ею.

Сцепив руки у него на шее, она всем телом прильнула к нему. Ослабевшие колени подгибались, не в силах выдержать эту чувственную атаку.

Его губы скользнули вниз, обследуя ее шею, большая ладонь проникла под свободную рубашку и обхватила голую грудь. Коди напряглась. Ее словно прошило молнией. Это ощущение и возбуждало, и пугало. Никогда ни один мужчина не делал с ней такого.

— Нет! — Она попыталась вырваться, но сильные мужские руки крепко держали ее.

— Тише, милая, — бормотал Люк. Он снова нашел ее губы, его поцелуй просил и уговаривал, а рука по-прежнему лежала на груди, лаская ее нежную упругую тяжесть и острую отвердевшую вершинку.

Коди вся дрожала. Она была перепугана до смерти, и в то же время ей хотелось узнать, что будет дальше.

Его прикосновение несло блаженство. Внезапной вспышкой пришло отрезвление. Это же бандит! Один Бог знает, что за ужасы он натворил в своей жизни. Ей надо брать его на мушку, а не целоваться, совершенно потеряв голову!

Отвращение к себе затопило Коди: она забыла, зачем здесь находится. Она же Коди Джеймсон — охотница за преступниками. Она здесь, чтобы выполнить свою работу. Она готова многое отдать, лишь бы поймать добычу, но *не все*! Спать с Люком Мейджорсом в сделку не входило. От злости на собственную слабость ее буквально передернуло. Резким движением она вырвалась из его рук.

— Ты можешь силой заставить меня подчиниться, но знай: по доброй воле я к тебе не приду. — И она попятилась к постели.

Тяжело дыша, Люк смотрел на нее. Огненное облако волос, грудь, прерывисто вздымающаяся под тонкой рубашкой, восхитительные зеленые глаза, страстная речь... Она была прекрасна, и тело его ныло от желания соединиться с нею. Он шагнул вперед, протягивая к ней руки, и в этот миг увидел, почему она пятилась к постели. Рука ее уже легла на... Библию.

Он застыл на месте.

Библия! Ее Библия. Она же была сестрой Мэри. Она призывала в проповедях к добродетели, а не к греху и похоти. Она пела псалмы и духовные гимны, молилась вместе с женщинами и детьми. Она была прямой и честной. И она была девственницей.

В ту же минуту вся его страсть ушла, исчезла, как не бывало. Жар бурного порыва остыл, а вместо него нахлынуло отвращение к себе. Если бы он довел свое намерение до конца, то совершил бы именно то, в чем она его обвиняла. Это было бы насилие. Он вынудил бы ее пойти против совести и всех моральных принципов. Он подчинил бы ее своей воле, занявшись с ней любовью.

А потом, после всего, он возненавидел бы сам себя.

Молнией сверкнула отрезвляюще жестокая мысль. Он подумал: не стал ли он таким же, как и все эти бандиты?

Люк попытался успокоить себя. Нет, он не стал подонком. Просто сегодня она выглядела красавицей. Хоть бы скорее она напялила свое безобразное платье и заколола эти чертовы волосы.

Но вслух он ничего не сказал. Только смотрел, не отрываясь, и видел в ее глазах решимость и отчаяние.

— Ложись спать, — наконец бросил он и, круто развернувшись, выскочил из хижины.

Еще какое-то время после его ухода Коди не могла шевельнуться. Она очень испугалась, что он не остановится, и вместе с тем ей было страшно, что, если такое случится, она не будет ему сопротивляться. Коди не понимала, что с ней творится.

Тяжело опустившись на постель, она заметила, что рука ее продолжает покоиться на Библии. Коди открыла книгу и тронула пальцем отцовский пистолет. Он был ее последней защитой, но сейчас ей нужно было нечто иное, чтобы побороть томительное влечение к Люку. Рассуждения о том, что она должна схватить его, а не соблазнить, больше не помогли. Если она не сделает сейчас что-нибудь, она окончательно потеряет голову.

Коди притушила лампу и глубоко задумалась. Прошло немало времени, прежде чем она приняла решение. Теперь она знала, что ей делать. Оставаться здесь она больше не может. Ей надо убежать от Люка, и поскорее. Да, надо бежать, и сделает она это сегодня. Коди закрутила волосы тугим узлом и стала собираться.

Люк шел и шел, не разбирая дороги. Чувство вины жгло его, как огнем. Неужели он ничем не лучше Салли? Неужели он стал таким подонком, что готов совращать невинных? Ему и в голову не приходило, что сестра Мэри может оказаться настолько прелестной. Когда он увидел ее сегодня... она всколыхнула в нем чувства, которые он считал похороненными навсегда.

Люк с болью подумал о сложных поворотах своей судьбы. Сестра Мэри была хорошей женщиной... милой... богобоязненной. А он был наемным стрелком, таких, как он, в порядочном обществе считали хладнокровными убийцами. Они вращались в разных кругах. Она искренне пытается спасти его душу, но Люк уже не верил, что можно начать жизнь сначала. Он пытался начать новую жизнь в Дель-Фуэго. И что же вышло? Его обвинили в ограблении банка и убийстве и бросили в тюрьму. Недоуменно покачав головой, Люк присоединился к сидевшим у костра.

— Ты вернулся. — Хуана с улыбкой подсела к нему.

— Захотелось еще выпить, — объяснил он.

Хуана без лишних слов подала ему бутылку текилы. Ночь для Люка тянулась медленно. Он сидел, глядя в пламя костра, размышлял о том, что, наверное, душе его суждено гореть в адском огне, и делал глоток за глотком.

Коди выждала час, затем взбила одеяло, чтобы издали можно было подумать, будто это она спит на кровати, и выскользнула из хижины. На голову она надела сомбреро, в руках держала Библию. Сначала она подумывала вытащить пистолет, но потом решила, что не стоит. Пока что Библия оказалась лучшей защитой, чем оружие.

«О Господи, пожалуйста, дай мне уйти незаметно», — мысленно взмолилась Коди, выбираясь из дома.

Вдали она разглядела у костра группу людей и направилась в противоположную сторону, к коралю. Там не было ни души. Бог ответил на ее молитву. Пока все шло отлично.

Быстро оседлав коня, она вывела его из кораля и, держась поближе к стенам каньона, направилась к выходу. Внезапно она услышала какой-то шум. Коди замерла. Сердце у нее бешено колотилось. Больше всего она боялась, что ее обнаружат и заставят вернуться. Шли минуты, но никто так и не появился.

Коди снова двинулась вперед. Только дойдя до конца каньона, она села на лошадь и, стараясь не понукать особенно лошадь, поехала туда, где стоял дозорный. Сердце билось где-то у горла, каждый нерв был натянут как струна. Она осторожно выбиралась из убежища бандитов, каждую секунду ожидая, что ее обнаружат. Она ехала, стараясь не шуметь, отчаянно надеясь не вызвать подозрения. Сомбреро она надвинула чуть ли не на нос.

Дозорный заметил всадника. Он походил на кого-то из мужчин, но сторожа не волновали те, кто выезжал. Его заботили те, кто пытался проникнуть в каньон.

Проезжая мимо него, Коди приветственно вскинула руку. Она радовалась тому, что ночь безлунная. Тихим ровным шагом она выехала из каньона на свободу. Скрывшись с глаз дозорного, она пришпорила коня и помчалась по простору западного Техаса.

Близился рассвет, когда Люк, пошатываясь, побрел к своей хижине. Он допил текилу Хуаны и взялся за виски, мрачнея все больше и больше. Он вспоминал дом, родителей, брата и друзей. Он вспоминал войну и последующее за ней одиночество. Снова и снова вспоминая слова сестры Мэри, он думал о своей загубленной душе.

Люк задумался, что сказала бы его мать, если бы увидела его сидящим среди бандитов Эль Дьябло с льнущей к нему Хуаной. Его мать была настоящей леди, совершенным образцом воспитания и изящества. Он любил и уважал ее... так же любил он отца и брата. Но все они погибли, он остался один на свете. Более одинокий, чем когда-либо... Опустившийся на самое дно. Люк говорил себе, что поступал так потому, что хотел выжить. Что должен был убивать или быть убитым. Однако с каждым глотком виски он все сильнее сомневался в этом.

Люк ощутил, как заполняет его тьма. В душе его не было никакого просвета. А то, что он чуть не принудил сестру Мэри лечь с ним, вызывало все большее отвращение к себе.

Войдя в хижину, он увидел вытянувшуюся под одеялом фигуру и решил не будить женщину. Ему хотелось поскорее извиниться, но это дело могло и обождать. Он даст ей спокойно выспаться, все равно сейчас он не в той форме, чтобы разговаривать с женщинами. Люк улегся на свое жесткое ложе и почти сразу заснул.

Рассвет пришел слишком быстро, и яркий свет нового дня принес сокрушительную головную боль, явное свидетельство умопомрачительного успеха его ночных трудов по части выпивки. Он с трудом открыл глаза. Привстав, поглядел в сторону кровати и очень удивился тому, что сестра Мэри еще спит. Обычно она всегда вставала с зарей. С хриплым стоном он сперва сел, а затем поднялся на ноги.

— Сестра Мэри, что-то вы сегодня ленитесь, — проворчал он и замолчал, ожидая, что она вот-вот зашевелится.

Когда отклика не последовало, он подумал, что она решила не разговаривать с ним. Настроение у него испортилось совсем.

— Сестра Мэри, я хочу извиниться за вчерашнее. Я дал вам слово, когда привез сюда, что не стану посягать на вашу честь, а я — человек слова. То, что случилось прошлой ночью, больше не повторится.

Люк замолчал. Ему с большим трудом дались эти слова. Он говорил от всего сердца, не кривил душой. И теперь ждал ответа.

Когда она не отозвалась, он разозлился. Она что, не понимает, чего ему стоило уйти от нее прошлой ночью? Она что, не понимает, чего ему стоило произнести то, что он только что сказал?

— Сестра Мэри, — начал он снова, делая шаг к постели. Его качало. Все было как в тумане, каким-то расплывчатым. — Я действительно очень сожалею. Я никоим образом не хотел причинить вам вреда.

Лишь когда Люк подошел почти вплотную к постели, он понял, почему она не отвечала. Все это время он обращался к свернутому одеялу.

Глава 14

— Что за... — Люк рывком сдернул одеяло с кровати.

Сестра Мэри исчезла.

Люк мигом протрезвел. Он даже не разозлился, что целых десять минут извинялся перед кучей тряпок, так он испугался за нее. Куда она могла подеваться? Вчера он напугал ее до смерти, заставил усомниться в нем и в себе. Вдруг она решила, что все ее надежды разбиты? А может быть, ночью сюда ворвался Салли и заставил ее идти с ним?

Проклиная все на свете, он выскочил из хижины. Он еще надеялся, что она может заниматься с детьми, поэтому отправился разыскивать Рафаэля и Чику. Но через несколько минут он выяснил, что дети не видели ее со вчерашнего вечера, и начал осматривать лагерь. Он нашел Салли, Хэдли, других бандитов, но не обнаружил ни следа сестры

Мэри. В этот момент один из разбойников, Барни, закричал, что у него пропали лошадь и седельная сумка с провизией.

Эта новость подтвердила его страхи, и у Люка заныло под ложечкой. Он так страшно напугал ее, что она бежала в ночь одна, беспомощная и беззащитная. Он попытался сообразить, что надо сделать. Одно было ясно, действовать нужно быстро, пока с ней не случилось беды.

— Я знаю, где твои лошадь и сумка, — обратился Люк к Барни.

Бандит посмотрел с подозрением:

— Интересно откуда?

— Кажется, ночью сбежала проповедница. Как я понимаю, это она взяла твою лошадь. — Порывшись в карманах, Люк достал деньги и дал Барни: — Вот, возьми это за коня, пока я не съезжу за ней и не привезу обратно.

— Я думал, что сестра Мэри — твоя женщина, — удивился Барни, жадно хватая деньги. — Выходит, тебе придется дать ей хороший урок, а то и два.

— Не волнуйся. Когда я до нее доберусь, мы хорошенько разберемся в наших отношениях.

— Ладно, только приведи назад мою лошадь. Я к ней чертовски привязан.

— Приведу. Это не займет много времени. — И он направился в кораль седлать своего коня.

Барни же помчался прямиком к Салли: сообщить, что произошло. Так что когда Люк подъехал к выезду из каньона, он увидел, что там собралась приличная толпа. Вперед выступил Салли, и Люк сразу насторожился.

— Тут ходит слух, что маленькая проповедница тебя перехитрила, — с издевкой сказал он.

Люк сжал кулаки, но вынужден был ответить. Глядя с коня на ухмыляющегося бандита, он процедил:

— Ей не уйти далеко.

Вообще-то он испытал несказанное облегчение, поняв, что Салли ничего не знает о местонахождении сестры Мэри.

— Видно, не больно ты хорош как мужчина, если эта монашка от тебя сбежала, — ухмылялся Салли. — Я-то думал, она твоя женщина. Что она от тебя без ума. Что, приятель, значит, не смог ты ее осчастливить. А?

Стоявшие вокруг захохотали вместе с Салли. Люк послал коня вперед.

— Может, помочь привезти ее назад, Мейджорс? — крикнул вслед ему Салли. — Мои женщины от меня не сбегают. Они прибегают ко мне и просят еще. Так, Хуана? — Он притянул к себе знойную красотку и чмокнул в губы.

Хуана ответила страстным поцелуем, надеясь вызвать ревность у Люка. Теперь, когда противная проповедница сбежала, Салли будет принадлежать только ей. Да и Люк тоже. Очень даже неплохо. И плевать ей, что другие женщины и дети плакали из-за отъезда сестры Мэри. Она была счастлива.

Тесно прильнув к Салли, она улыбнулась про себя. Она-то точно знала, что случилось и когда. Она видела, как сестра Мэри, одетая мужчиной, совершала свой великий побег. Сначала Хуана хотела предупредить дозорных, но потом решила, что ей только на руку, если эта ведьма исчезнет. С той минуты прошло много времени, и это тоже очень радовало. Сестра Мэри опережала погоню на семь часов, и теперь Люк ее вряд ли догонит.

Насмешливый хохот бандитов провожал Люка, когда он выехал из лагеря, но его это не слишком волновало. Сейчас его заботило совсем другое. Он понимал, что ведет себя глупо, но думать мог только о том, что сестра Мэри скачет сию минуту где-то в горах одна-одинешенька. Один Бог знает, что с ней может случиться. Он должен ее разыскать. Люк подъехал к дозорному. Тот уже все знал.

— Никакая женщина здесь не проезжала, Мейджорс. Проехал, правда, за несколько часов до рассвета один всадник, но мужчина.

— Ты узнал, кто это был?

— Мне показалось, что это был Феликс, но потом я видел его здесь, так что не знаю. — Дозорный равнодушно пожал плечами. — Не мое это дело — смотреть, кто уезжает. Я должен следить за теми, кто пытается проникнуть сюда.

— Во что он был одет?

— Было темно, но, по-моему, просто в обычные штаны с рубашкой, и еще на нем было сомбреро.

— Спасибо.

Теперь Люк точно знал, кого искать. Вчера вечером на сестре Мэри был именно такой наряд. Он подумал, насколько же удачным оказался ее маскарад. Если бы она поехала в платье, дозорный наверняка обратил бы на нее внимание. Не медля больше, Люк поскакал в погоню.

Не знакомая с местностью, Коди дождалась рассвета и лишь затем пустила коня в галоп. Она хотела скорее отъехать подальше. У нее не было никаких сомнений в том, что Люк отправится за ней, а возвращаться с ним ее вовсе не прельщало... особенно после вчерашней ночи.

Коди старалась не думать о Люке и о том, что произошло между ними. Она, разумеется, не могла отрицать, что хотела его. Но как быть, если все рассказы о нем окажутся правдой? Если он такой же, как тот, что убил ее отца? Он был стрелок, то есть убийца.

Все это было как-то непонятно. Усилием воли она приказала себе не думать о Мейджорсе, а стала размышлять о банде. Странно, что Эль Дьябло никогда не приезжает в лагерь. Наоборот, Хэдли, Салли и остальные бандиты выезжали на встречи с ним. Еще она вспомнила подслушанный разговор Хэдли и Люка. Бандит объявил Люку, что теперь он один из них. Значит, во время ограбления он не был членом банды? Выходит, он только недавно к ним присоединился? А если он не был одним из них с самого начала, зачем сбежал с ними из тюрьмы? Он не походил на тех преступников, которых она ловила раньше. Те, кто убивает людей без зазрения совести, не достойны жить на этом свете. Поэтому она и взялась их ловить. Она боролась за справедливость!

Дойдя до этого пункта своих рассуждений, Коди осознала наконец, что́ ее мучает. Она не была уверена в том, что в данном случае справедливо. Люк Мейджорс резко отличался от негодяев вроде Салли и его приятелей. Благородный рыцарь, который хладнокровно убивает, не моргнув глазом? Здесь что-то не сходится. И пока она этого не узнает, она дела не бросит. Просто ее загнали в угол, и сейчас ей нужно отступить, передохнуть и с новыми силами приняться за работу.

Первым делом надо добраться до Эль-Тражара и выяснить, что случилось с Крадущимся-в-Ночи. Она не переставала тревожиться о нем с момента, когда Люк похитил ее из города. После этого можно будет сделать следующий ход в поимке Мейджорса.

Из того, что она подслушала, выходило, что готовится большое ограбление, после которого банда собиралась укрыться в Мексике. Что ж, когда они доберутся до Рио-Нуэво, они найдут там ее. Только на этот раз их встретит не проповедница, а Далила. Красотке из салуна будет куда легче управиться с Люком, чем набожной сестре Мэри. Этот образ свое отыграл, весьма успешно защищая ее в бандитском логове. Теперь же пришла пора схватить Мейджорса и доставить правосудию.

Люк ехал по следу сестры Мэри. Как он и подозревал, она направлялась в Эль-Тражар. Конечно, она же беспокоилась о судьбе своего спутника, старого индейца. Однако Люк сомневался, понимала ли она, что Салли в первую очередь будет искать ее там. Люк был очень доволен, что никто из бандитов не увязался вместе с ним в погоню. Он собирался, когда догонит, сказать ей пару ласковых слов, которые лучше было говорить без свидетелей. Да, их встреча обещала быть весьма интересной.

Примерно в середине дня Люк, поднявшись на невысокий холм, увидел где-то в миле от себя сестру Мэри. В сомбреро, штанах и рубашке, она выглядела как заправский бандит. Придержав коня, он наблюдал за ней. До этого он удивлялся, что она успела уехать так далеко, но теперь, провожая взглядом маленькую фигурку на лошади, Люк понял, как ей это удалось. Она держалась в седле уверенно и легко, словно в нем и родилась. Да, несомненно, сестра Мэри обладала многими талантами.

Люк рванулся было за ней, но тут же остановился. Сначала он собирался привезти ее обратно в каньон, но в эту минуту понял, что этого делать не стоит. Он не мог позабыть ее объятия, а значит, она становилась опасной: она отвлекла бы его от главной цели пребывания в банде. Это ему сейчас было нужно меньше всего. Его признали в банде. Теперь оставалось узнать, кто предводитель бандитов, и передать эти сведения Джеку. А путавшаяся под ногами проповедница только мешалась.

Люк понял, что он должен делать. Он следовал за ней на расстоянии почти до самого Эль-Тражара, затем повернул назад и постарался тщательно замести следы, чтобы никто другой, отправившийся за ней, не сумел ее найти.

Вполне удовлетворенный тем, что она в безопасности, хотя бы на время, Люк расположился на ночлег. Ночью под звездами на него нахлынули сладкие воспоминания. Он вновь переживал тот чудесный миг, когда держал сестру Мэри в своих объятиях, и жгучую нежность их поцелуя.

С горечью сказал он себе, что она не для него, и пожалел об этом так, как давно ни о чем не жалел.

Джек стоял у окна своего гостиничного номера и смотрел в темноту на пустынные улицы городка. Мысли его были заняты Люком. После ограбления банка банда притихла, и это беспокоило Джека. Он предпочел бы сам выслеживать бандитов, но не мог уехать из Дель-Фуэго. Если Джеймсон или какой-нибудь другой охотник за наградой привезет Люка, а его здесь не будет...

Он никого не ждал, и потому тихий стук в дверь заставил его вздрогнуть. Выхватив пистолет, он бесшумно подошел к двери, стараясь держать оружие не на виду.

— Кто там? — Он думал, это окажется Халлоуэй или один из его новых помощников, нанятых после побега грабителей из тюрьмы. Однако услышав ответ, он распахнул дверь и удивленно уставился на Элизабет Харрис: — Элизабет, вы?

— Джек, — мягко проговорила она, улыбаясь своей милой грустной улыбкой. — Могу я войти? Мне надо поговорить с вами с глазу на глаз.

Она была очень печальной и казалась чем-то встревоженной.

— Разумеется. — Джек на секунду замялся. Ей нельзя было входить к нему, она могла скомпрометировать себя, но Элизабет так умоляюще смотрела на него, что он, отступив на шаг, распахнул дверь, приглашая ее войти.

Нежный легкий аромат ее духов дохнул на него, когда она прошла мимо, и он замер, наслаждаясь очарованием этого мгновения. Несколько минут назад предстоящая ночь казалась ему очередным долгим кошмаром. А теперь посреди его комнаты стояла прекрасная женщина и смотрела на него удивительными, потрясающими черными глазами. Мужчина мог утонуть в их бездонной глубине, потерять в них душу...

— Простите, что я появилась у вас подобным образом и побеспокоила. — Она видела, что он ошарашен ее визитом, и поспешила объясниться.

— Никакого беспокойства нет. Не хотите ли присесть? — Он приглашающе махнул рукой в сторону единственного стула.

— Да, спасибо.

Она говорила очень тихо, и отчаяние звучало в ее голосе. У Джека защемило сердце. Убрав пистолет, он подвинул ей стул, а сам сел напротив на краешек постели.

Предчувствуя что-то неладное, он спросил:

— В чем дело, Элизабет? Вашему мужу снова стало плохо?

Элизабет подняла на него полные слез глаза:

— О Джек... Все так ужасно.

— Что случилось? Он что...

— Нет, Джонатан жив, но для меня жизнь превратилась в сущий ад. Он так зол, все время пребывает в такой ярости из-за своего увечья, что стал невыносимым. Боюсь, что во всем он винит меня... не знаю почему, но он меня так...

Джек увидел, как мучительно исказилось ее лицо, и готов был сделать что угодно, чтобы защитить эту хрупкую женщину.

— Он ничего вам не сделал, Элизабет?

Она прерывисто вздохнула, пытаясь взять себя в руки. Затем, словно вдруг осознав, что прийти в гостиницу к нему, в сущности незнакомцу, это безумие, поднялась со стула и бросилась к двери.

— Простите меня, ради Бога. Я не должна была приходить к вам. О, простите!

— Элизабет! — Джек схватил ее за руку.

Она выглядела такой испуганной и отчаявшейся, что он не мог позволить так ей уйти. Ей, видно, совсем не к кому обратиться за помощью, если она пришла к нему. Неужели он ей ничем не поможет? Джек почувствовал, что ненавидит этого Харриса. Женщин надо обожать и лелеять, а не издеваться над ними.

— Нет, Джек, мне надо идти.

— С вами все в порядке? — настаивал он, ласково поворачивая ее к себе. Ее плечи под его большими ладонями были такими тонкими и слабыми. Он смотрел на нее сверху вниз и вдруг заметил на ее руке синяк. — Это он сделал?

— Это всего лишь маленький ушиб, — прошептала она, отводя глаза.

— Джонатан вас ударил?

Она тут же поспешила оправдать мужа:

— Он был раздражен. Уверена, что он этого не хотел. Просто так получилось... — Она подняла на Джека глаза. Они были полны муки, и Элизабет быстро одернула рукав, чтобы он не разглядел синяки над запястьем. Там ясно отпечатались следы пальцев.

— Как он это сделал?

— Он просто разволновался и... — Она задрожала. — О, я не должна была сюда приходить! Я лучше пойду.

— Элизабет! — Он произнес ее имя очень нежно, желая успокоить, уверить, что, придя к нему, она поступила правильно. Не сознавая, что делает, он обнял ее и притянул к себе. Он хотел всего лишь утешить ее, облегчить ее боль. — Вы такая красавица. Никто и никогда не смеет коснуться вас в гневе... никогда!

Она задрожала и, не в силах сдержаться, разрыдалась. Она льнула к Джеку, чувствуя, что нашла человека, который может ей помочь. Он был таким сильным, таким хорошим... в нем было столько тепла. Только теперь она поняла, как ей был нужен кто-нибудь похожий на Джека.

— Элизабет... — повторил Джек ее имя, но на этот раз голос его звучал хрипло. Он из последних сил боролся с обуревавшими его чувствами.

Она глубоко вздохнула, сдерживая слезы. Джек ощутил, как ей стыдно, что она пришла сюда. Ему хотелось успокоить ее, уверить, что защитит от всех напастей. Бережно приподняв ее лицо, он заглянул ей в глаза.

Это должно было стать дружеским жестом, проявлением сочувствия и заботы, но она робко прошептала его имя... и он не выдержал.

— О Джек... Я так боюсь. — В глазах ее сияли непролившиеся слезы.

В эту минуту Джек не мог не поцеловать ее. Легче было бы перестать дышать. Он склонился к ней медленно, бездумно, захваченный чувственным влечением, которое уже не мог подавлять. Элизабет нуждалась в нем, в его защите, в его утешении...

Где-то в уголке сознания осторожный голос шептал, что он поступает неправильно, но он не стал его слушать. Осторожно, трепетно, стараясь не испугать ее, губы Джека нашли ее рот и нежно прикоснулись к нему.

Он был готов к тому, что она отпрянет. Она ведь была замужем. Он не должен был даже дотрагиваться до нее.

Но какая-то часть его души верила, что Джонатан, ударив ее, утратил свое право мужа. Он ее предал. На тонкой руке Элизабет остался след его звериной ярости. Джек мог сейчас думать лишь о том, как ей помочь, как облегчить ее боль. Он хотел лишь прогнать тоску из ее глаз.

Элизабет не оттолкнула его. Он почувствовал, как сначала она испугалась и слегка отодвинулась от него при робком касании его губ. Зато потом, когда он завладел ее ртом властно, но ненастойчиво, она не стала противиться, а с легчайшим вздохом отдалась его порыву. Ее восхитительная слабость взвинтила его чувства на недосягаемую высоту. Он желал ее как никакую другую женщину, как никогда в своей жизни...

Предостерегающий голос звал его остановиться, но губы Элизабет шевельнулись под его губами, и далекий голос притих. А затем, когда она прильнула к нему, когда ее грудь прижалась к его груди, тихий шепот совести смолк совсем.

В сумраке комнаты остались просто мужчина и женщина. И не было слов... И не было в этом вины. Они нуждались друг в друге, они хотели друг друга. В этот миг все остальное не имело значения.

Джек поднял ее на руки и понес на постель. Он бережно положил Элизабет на мягкое одеяло и последовал за ней. Накрыв ее тело своим, он отдал ей весь жгучий жар своего желания. Он почему-то знал заранее, что она именно такая: восхитительно нежная, маняще податливая и безупречно совершенная.

Назад пути не было. Его руки гладили ее, скользили по ее стройному телу. Когда же Элизабет потянулась к нему, он застонал от наслаждения. Она ласкала его грудь, гладила мощные мышцы спины... Потом ее пальцы двинулись ниже, потянули рубашку из брюк. Джек вздрогнул и стал помогать ей. Пока он стаскивал с себя рубашку, она начала расстегивать пуговицы на платье.

Взгляды их встретились, и Джек замер. Он осознал, что собирается сделать, знал, что должен остановиться, и открыл рот, чтобы заговорить, не допустить дальнейшего... Но она прижала тонкую ладонь к его губам, и он не проронил ни слова.

— Не говори ничего, — прошептала она. Поднявшись, она поцеловала его, пресекая возможные споры и возражения. Это было так, словно она боялась, что разговоры разрушат хрупкое очарование момента, такого особого и неповторимого.

Когда она расстегнула все пуговички, он помог ей стянуть платье с плеч. За ним последовали бретельки тонкой рубашки, и грудь ее открылась его взору.

— Ты прекрасна, — прошептал он охрипшим от страсти голосом и, притянув к себе, сжал в пламенном объятии.

Он покрыл ее страстными поцелуями, и она отзывалась на них безудержно и беззаветно. Ее жадный отклик довел его до безумия. Он ласкал жгучими поцелуями ее шею, спустился ниже к упругому атласу ее груди и почувствовал, как она задрожала. Когда же она выгнулась навстречу жаркому давлению его рта, желание охватило все его существо. Он хотел ее с первой встречи и теперь не мог остановиться. Только не теперь!

Элизабет соскользнула с постели, но лишь затем, чтобы совсем снять платье и рубашку. Затем она вернулась и протянула к нему руки в страстном приглашении. Джек рванулся в это объятие, и они соединились в бурном порыве. Чистое огненное желание полыхало в них, обещая высшее наслаждение, которое могли дать друг другу только они.

Джек был удивлен пылкостью Элизабет. Он думал, что она будет робкой и застенчивой, но она оказалась тигрицей. Она вела его за собой, побуждала усилить натиск, разжигала в нем адский огонь. Когда тело его погрузилось в ее шелковистую жаркую глубину, Джек застонал в мучительно томном наслаждении. Однако прежде чем он успел о чем-то подумать, она задвигалась под ним, и он потерялся в безумстве ее объятия. Никогда не испытывал он такой всепоглощающей страсти. Они сплелись в неистовых судорогах стремления, ведущих к вершинам экстаза.

И он настиг их. Взорвался оглушительной вспышкой. Джек был потрясен его мощным разрядом. Он крепко прижал к груди Элизабет, пережидая, пока утихнут последние раскаты огненной бури. Она нуждалась в нем и хотела его точно так же, как и он.

Осознание этого невероятно возбудило его, но по мере того как остывал жар бездумного порыва и возвращался здравый смысл, Джек все больше расстраивался. Он всегда считал себя порядочным человеком и сейчас поверить не мог, что только что овладел чужой женой.

Именно в этот момент Джек заметил, что Элизабет тихо плачет. Он отодвинулся от нее, желая этим успокоить ее, извиниться за то, что осмелился на такое, но она ему этого не позволила.

— Пожалуйста, ни слова, — со слезами в голосе проговорила она. — Я понимаю, что между нами не должно было произойти подобного. Но ты должен знать, — приподнявшись на локте, она посмотрела на него сверху вниз, — я никогда не стану жалеть, что так случилось.

Он изумленно смотрел на нее. Он ждал чего угодно, сожаления, раскаяния, но только не этого.

— Вы замечательный человек, Джек Логан. Я надеюсь, вы не станете из-за этого хуже ко мне относиться.

Джек не мог найти слов, чтобы выразить свои чувства, поэтому просто поцеловал ее в ответ.

— Элизабет, ты прекрасна. Я сделаю для тебя все, что угодно, — сказал он, когда они разомкнули объятия.

Он поцеловал ее еще раз, и она блаженно вздохнула. Потом она опустила голову ему на плечо и погладила по груди. Джеку сейчас не хотелось ни о чем думать, он просто тихо лежал рядом, радуясь каждому проведенному с ней мгновению. Он боялся, что больше такие минуты не повторятся.

Элизабет отодвинулась первой. Она с сожалением села на постели и начала одеваться.

Кровь снова закипела в его жилах, когда он наблюдал за ней. Снова охватила его грусть, что им не придется больше так встречаться. Любовное слияние с ней оказалось самым чудесным переживанием всей его жизни, и он не хотел ее отпускать. Ему была ненавистна мысль о том, что он никогда больше не сможет обнять ее, поцеловать... Нет, он не мог позволить ей так просто уйти, поэтому он вскочил, быстро натянул брюки, подошел к Элизабет и обнял ее.

— Тебе не нужно волноваться. Никто никогда не узнает о том, что произошло между нами.

Она подняла глаза:

— Я ни о чем не жалею, Джек.

Он хотел поцеловать ее напоследок, но Элизабет отступила на шаг. Она направилась к двери, но вдруг остановилась и оглянулась через плечо.

— Из-за чего я приходила... Что мне надо было узнать...

— В чем дело? — Он видел, что она чем-то глубоко встревожена.

— Джонатан в последнее время такой злобный... жестокий. Я пыталась успокоить его, поддержать, но он только мечтает о том, как Мейджорса и всю их банду повесят. Он хочет, чтобы они заплатили за то, что с ним сделали. Я просто хотела узнать, не слышно ли что-нибудь об этом. Принесли ли какую-нибудь пользу назначенные городом вознаграждения за поимку?

Джек видел, как она нуждается в ободрении, но утешить ее было нечем.

— Я знаю, что несколько охотников за вознаграждением ищут Мейджорса и тех других, но пока никаких новостей нет. Обещаю сообщить тебе в ту же минуту, как что-то услышу.

Элизабет грустно улыбнулась:

— Спасибо. Это будет иметь огромное значение для Джонатана. — Она направилась к двери, но помедлила на пороге и снова оглянулась на Джека. — И для меня... — Хрустальная слеза медленно скатилась по ее щеке. — До свидания.

Дверь за ней бесшумно закрылась.

Джек стоял посреди комнаты и смотрел на закрытую дверь, пытаясь осмыслить то, что произошло. Он не понимал, как вышло, что она оказалась у него, но был счастлив. Он знал, что должен испытывать чувство вины, но память услужливо напомнила ему о синяках на ее запястье и заглушила упреки совести. Мужчина, который бьет женщину, ее не заслуживает.

Джеку хотелось как-то помочь Элизабет. Она была ему нужна. Она совершила то, что многие годы не удавалось ни одной женщине: тронула его сердце.

Он постоял не двигаясь еще несколько минут, пытаясь успокоиться и привести мысли в порядок. Затем, не в силах больше терпеть пустоту комнаты, он оделся и отправился в салун.

Глава 15

Коди нервничала. До Эль-Тражара осталось всего несколько миль. И все это время она чувствовала, что кто-то следит за ней. Она все время понукала коня. Только оказавшись в городе, она почувствует себя в безопасности. Хотя и в этом уверенности не было. Ведь никто же не помешал Люку, когда он похищал ее. Так что сомнительно, что кто-либо придет на помощь, если банда явится за ней.

Она оглянулась, проверяя, нет ли преследователей, но вроде бы все было спокойно. Правда, она-то знала, каким обманчивым бывает подобное спокойствие, и поэтому вновь пришпорила коня.

Еще пара миль, и вдруг он возник перед ней, как призрак. Он появился из своего укрытия среди скал и кустарника, и ошеломленная Коди резко натянула поводья, так что конь встал на дыбы. Слезы застилали ей глаза, но она твердой рукой сдержала лошадь, а затем спрыгнула на землю и кинулась ему на шею.

— Крадущийся-в-Ночи! Ты жив! Слава Богу!

Крадущийся-в-Ночи стойко выдержал объятие, но затем твердо отстранил ее. Минуту он с непроницаемым видом изучал ее внешность, затем слегка кивнул, как бы подтверждая, что все в порядке. Лишь после этого он спросил:

— Где Мейджорс?

— Остался в лагере. Я после все тебе расскажу. А как ты? Что случилось? Я так боялась, что ты умер!

— Я в порядке, — ответил он, пресекая лишнюю, по его мнению, болтовню.

— Как же я рада, — от души вырвалось у нее.

— Я тоже. — С его стороны это было, пожалуй, самое бурное выражение чувств за все их знакомство. — Почему ты не взяла Мейджорса с собой?

— Не могла. Их там было слишком много. Я продолжала притворяться сестрой Мэри, сколько могла, а прошлой ночью мне представился шанс убежать, и я им воспользовалась.

— Мы вернемся туда вместе.

— Нет. Не получится. Лагерь слишком хорошо охраняется. У меня другая идея. Где наш фургон?

— Я оставил его в городе.

— Тогда поехали туда. У нас не очень много времени. Они могут отправиться за мной в погоню. Я все объясню тебе по дороге.

Вскоре они добрались до города. Коди незаметно проскользнула в фургон и первым делом снова преобразилась в сестру Мэри. Горожане были изумлены, узнав, что ей удалось сбежать из этой страшной банды.

Коди продолжала играть роль проповедницы, пока они не выехали из города и направились к границе. Только тогда она вновь надела свою собственную одежду. Ей осточертели глухие платья с длинными рукавами. Она хотела хоть какое-то время побыть собой. День-два она не станет ни в кого переодеваться, а просто отдохнет. Потом отдыхать будет некогда.

Жизнь Джонатана Харриса превратилась в кошмар, с мучительной монотонностью продолжавшийся день за днем. Он ненавидел фальшивую радость окружающих. С утра его навестил врач и сказал, что он прекрасно поправляется. Прекрасно поправляется! Он же никогда больше не сможет ходить! Что в этом прекрасного? Нет уж, пусть этот лекарь убирается к дьяволу. Долгие недели, прошедшие после налета на банк, были для него сущей пыткой, и никакой надежды, что что-то изменится.

Он сидел в ненавистном инвалидном кресле у окна гостиной и смотрел на улицу, ожидая возвращения Элизабет. Она отправилась в магазин за покупками и отсутствовала уже более часа. Ему не нравилось быть одному. Он хотел, чтобы она все время находилась рядом. Она ведь была его женой и, значит, обязана о нем заботиться. Когда она наконец показалась на улице, он уже кипел от злости. Когда она вошла в дом, он поджидал ее у порога.

— Привет, дорогой, — улыбнулась ему Элизабет.

— Где, черт возьми, ты пропадала? — резко обратился он к ней, едва она закрыла за собой дверь.

— Я же тебе говорила. Я была в магазине.

— Почти час? Почему так долго?

— Я поговорила с мистером Уэйменом. Он передал тебе привет и сказал, что надеется, ты поправишься.

— Уж конечно, надеется, — прорычал он и, схватив ее за руку, рванул к себе. — Когда я велю тебе быстрее вернуться, ты должна так и делать!

— Но, Джонатан, я и старалась вернуться быстрее, — возразила она, пытаясь вырвать руку из его цепкой хватки. — Я должна иногда выходить на улицу и видеть других людей. Не могу же я всегда сидеть взаперти!

— А почему бы и нет? Я же отныне обречен всегда быть взаперти!

— Джонатан, ты ведь знаешь, что это не так. Только нынче утром доктор сказал, что ты можешь вернуться к работе.

При этих словах взгляд его стал холодным как лед, и он еще крепче сжал ее руку.

— Ты думаешь, мне хочется возвращаться в банк, чтобы люди приходили и глазели на меня? Выслушивать их сожаления по поводу того, что я теперь полчеловека? Ну уж нет! Я не стану ярмарочным уродцем для их развлечения!

— Джонатан, отпусти меня. Ты делаешь мне больно.

— С этой минуты ты будешь делать то, что я скажу! — произнес он угрожающим тоном. — Если я велю быть дома через десять минут, изволь быть. Поняла?

— Ты не можешь говорить так всерьез. Это безумие! У меня есть своя жизнь!

— Твоя жизнь закончилась в тот день, когда в меня стреляли. А теперь приготовь мне что-нибудь поесть, да побыстрее, черт побери! — яростно закончил он и отпихнул ее от себя, словно прикосновение к ней стало ему отвратительно. Затем он неуклюже развернул инвалидное кресло и снова стал смотреть в окно.

Жгучие слезы выступили на глазах Элизабет, однако она попыталась говорить спокойно.

— Я не знаю, Джонатан, что с тобой происходит. Ты жив. Тебя не убили. Тебе надо выбираться из дома, встречаться со своими друзьями, а не прятаться ото всех.

— Прятаться? Я не прячусь. Я просто похоронил себя заранее.

— Но доктор сказал, что ты можешь вести почти нормальную жизнь.

Джонатан язвительно рассмеялся.

— Почти нормальную? Да по мне лучше быть зарытым в землю на шесть футов.

— Я не стану хоронить себя вместе с тобой.

Он обернулся к ней с угрожающим видом.

— Женщина, замолчи.

— Ты не тот человек, за которого я выходила замуж.

— Ты абсолютно права, не тот. Я останусь в этом кресле до конца своей жизни.

— Но почему ты не можешь вести себя как прежде.

— Как прежде? — Неистовая ярость исказила его лицо. — Как прежде ходить? Как прежде быть мужчиной? Ты что, не понимаешь, что этого не будет больше никогда? И все это из-за проклятого ублюдка Мейджорса! Я живу лишь для того, чтобы увидеть, как его повесят.

В его голосе было столько яда, что Элизабет выбежала прочь из комнаты. Она надеялась, что он вернется к работе и прежнему образу жизни, но, видно, этому не суждено сбыться. Она с ужасом думала, что же будет дальше.

Лишь поздно вечером Элизабет сумела ускользнуть из дома. Джонатан заснул после того, как напился до полного отупения, и она сочла, что может на некоторое время оставить его одного, не боясь, что он ее хватится.

Она направилась к дому Сары Грегори, с которой не виделась с того дня, когда Сара упрекала Джека на улице. Теперь Элизабет было необходимо повидаться с подругой.

— Добрый вечер, Элизабет. — Сара приветливо улыбнулась и открыла дверь. — Входи. Как я рада тебя видеть!

— Я пришла не поздно? Ничему не мешаю?

— Ты никогда не мешаешь. Мне сейчас так нужна подруга!

Женщины обнялись и уселись в гостиной.

— Как у тебя дела? — спросила Элизабет.

— Ужасно. В Сэме была вся моя жизнь. Без него я чувствую себя потерянной, — с болью призналась Сара.

— Мне очень жаль, что так получилось. Сэм был и моим другом. Все происшедшее — настоящий кошмар. Ты что-нибудь слышала о поиске бандитов?

— Ни словечка. Даже несмотря на предложенные огромные вознаграждения.

— Не понимаю, как эти убийцы могли просто исчезнуть. Это какая-то нелепость.

— Все случившееся — одна нелепость. Оборванные жизни... жизни, покалеченные навсегда. Ах Элизабет! — Сара взяла ее за руку. — Какая ты счастливая, что у тебя все еще есть Джонатан.

Взгляды их встретились, и Элизабет не смогла промолчать.

— Я не чувствую себя счастливой, и Джонатан тоже. — С тихим рыданием она продолжала: — О Сара, Джонатан твердит, что хотел бы умереть. Я знаю, что он никогда больше не сможет ходить или...

— Я этого не знала. Когда я услышала, что ему лучше, то думала, что он полностью поправился.

— Нет. И он никогда не будет прежним. Он так изменился. Стал таким злым, жестоким. Думает только о мести. Я стараюсь его успокаивать, но уже не знаю, что и говорить.

— Должно быть, это просто ужасно.

— Ужасно, но когда я начинаю себя жалеть, то тут же сознаю, какая я эгоистка.

— Ты не эгоистка. Ты замечательный человек, который очень старается быть хорошей женой в ужасной ситуации. Ты такая мужественная. Не знаю, смогла бы я справиться с подобным, если бы оказалась на твоем месте. — Сара покачала головой.

— А я не знаю, что бы делала, если бы потеряла Джонатана.

Женщины крепко обнялись.

— Мне лучше вернуться домой. Если он проснется, а меня не будет, он страшно рассердится.

— Я рада, что ты пришла. Мне так тебя не хватало!

— Если тебе что-то понадобится, дай мне знать.

— И ты тоже. Я никогда не оправлюсь от смерти Сэма, но буду держаться. Должна. У меня нет выбора. — Она вздохнула. — Когда-нибудь справедливость восторжествует, и убийцу Сэма повесят. А до тех пор я живу этим днем и молю Бога, чтобы дал мне силы.

Сара проводила ее до порога, и Элизабет отправилась домой. Она шла по темной улице, погруженная в свои мысли. О банде не было никаких известий... никаких...

— Элизабет?

Тихий оклик вернул ее к реальности. Подняв глаза, она увидела, что Джек переходит улицу, направляясь к ней.

— Джек? Не ожидала вас увидеть.

— Что вы здесь делаете одна так поздно?

Она торопливо рассказала ему, где была.

— Сара говорит, что о банде пока нет никаких вестей.

— Знаю. Я сожалею, но мне нечего вам сообщить. Могу я проводить вас домой? Мне не нравится, что вы ходите по улицам одна после наступления темноты.

Элизабет посмотрела на красавца рейнджера, вспоминая все, что наговорил ей сегодня Джонатан и как он вел себя с ней... и поняла, что домой ей хочется идти меньше всего.

— Джек, я не хочу домой. Я не хочу туда возвращаться.

Джек увидел в ее глазах одиночество и отчаяние.

— Элизабет... — Голос его прервался, он не мог оторвать от нее взгляда.

— Пожалуйста, Джек, не заставляй меня возвращаться к нему, не сейчас. Мне так одиноко...

Он взял ее за руку и потянул в тень, за угол дома.

— Ты понимаешь, что говоришь?

Она подняла глаза и посмотрела на него в упор. Глаза ее были полны слез. Она дрожала под его рукой.

— Да, — прошептала она, задыхаясь.

Взгляды их встретились. Казалось, прошла вечность, прежде чем Джек наконец произнес:

— Это будет нелегко и непросто.

— У нас все так.

— «У нас», — тихо повторил он, — А есть на свете «мы», Элизабет?

— Не знаю, что бы я без тебя делала. Джек, ты стал такой важной частью моей жизни.

Джек прижал ее к груди и нежно поцеловал, вложив в поцелуй всю свою любовь, показывая, что она тоже важна для него. Когда они оторвались друг от друга, дыхание обоих было неровным.

— Я не хочу ставить под удар твою репутацию, — охрипшим голосом произнес Джек. — Ты слишком много для меня значишь.

— Есть какой-нибудь другой вход в твою комнату? Чтобы я могла приходить к тебе незаметно? Чтобы никто не знал?

Джек нахмурился, соображая.

— Мимо кухни идет лестница черного хода.

— Я смогу по ней приходить к тебе.

Они обменялись взглядом, полным страстного желания, и, не говоря больше ни слова, поспешили по темным улицам к заднему входу в гостиницу. Около здания никого не было. Джек подергал дверь, она оказалась незапертой. Тусклая, низко

9 Обманщица

прикрученная лампа освещала узкие ступеньки, ведущие на второй этаж.

Элизабет крадучись поднялась наверх. Джек стоял, наблюдая за ней, и лишь убедившись, что с ней все благополучно, обошел здание и вошел в гостиницу через парадный вход.

Торопливо дойдя до своего номера, он оставил дверь приоткрытой. Спустя мгновение Элизабет оказалась в его объятиях, и они жадно поцеловались.

Много позже они лежали рядом.

— Мне нужно идти. Я должна быть дома, когда Джонатан проснется.

От упоминания о муже его передернуло. Он никогда не смирится, что это чудовище владеет таким сокровищем, как Элизабет.

— Я не хочу, чтобы ты уходила, — произнес он, проводя рукой по чувственному изгибу ее спины, когда она склонилась над ним в прощальном поцелуе.

— Я осталась бы с тобой, если б могла, — просто ответила она.

Джек огорчился, но безропотно встал вслед за ней с постели, чтобы одеться. Она была уже на пороге, когда он с надеждой потянулся к ней.

— Когда я тебя снова увижу?

— Ты собираешься долго пробыть в нашем городе?

Он кивнул:

— Я останусь здесь, пока все не разрешится.

— Тогда я буду приходить к тебе так часто, как только смогу. Правда, это будет поздно ночью... гораздо позже, чем сейчас.

— Я буду ждать.

Она коснулась напоследок его щеки и исчезла в ночи. Джек сидел в опустевшей комнате, мысленно переживая заново каждое чудесное мгновение их любви. Он едва мог дождаться следующего свидания. Он прочувствовал ее боль и теперь еще решительнее был настроен найти человека, который принес ей столько страданий.

— Как я выгляжу? — Коди повернулась лицом к Крадущемуся-в-Ночи.

Он буркнул что-то невнятное.

Она восприняла этот звук как бурную похвалу и опять посмотрелась в маленькое зеркальце. То так, то этак вертела она квадратик стекла, стараясь рассмотреть свою внешность. Это было одно из самых эффектных ее обличий, и она должна была убедиться, что в нем нет никаких огрехов. Она перекрасила волосы в черный цвет, а светлая кожа благодаря травяным настоям Крадущегося-в-Ночи теперь была смуглой, как у любой мексиканки. Растительные краски держатся довольно долго, поэтому она не сомневалась, что будет в безопасности... по крайней мере на время.

Теперь ей нужно было получить работу в одном из мексиканских кабачков Рио-Нуэво. Чтобы добиться цели, Коди оделась в пышную юбку и белую блузку с широким присобранным вырезом. Опыт, приобретенный, когда она работала Далилой, подготовил ее к возможным неожиданностям. От нее потребуется много изворотливости. Первым и, пожалуй, самым трудным будет наняться на работу и убедить хозяина салуна, что она не шлюха, а только развлекает клиентов, то есть занимается вполне законным делом. Она будет петь, танцевать, разносить напитки, но ничего другого. Ей надо освоиться там, до того как появится банда Эль Дьябло. Тогда ее ловушка сработает.

Подъехав к приграничному городу, они остановились. К радости Коди, им удалось избавиться от фургона. Люк мог узнать его.

— Смотри, важно, чтобы тебя никто не видел.

— С тобой все будет в порядке? — спросил Крадущийся-в-Ночи. Он беспокоился, хотя по лицу этого нельзя было угадать.

— Так же, как всегда. Надеюсь дело выгорит.

Она была немного встревожена из-за того, что ей приходилось въезжать в Рио-Нуэво одной. Коди понимала, что обстановка там будет малоприятная, грубая, и была к этому готова.

— Я буду неподалеку. Нож и пистолет у тебя под рукой?

— Да. — Нож был у нее на ноге за подвязкой, а пистолет в седельной сумке. — Надеюсь, банда скоро приедет. Если мы сможем по-умному это обставить, как тогда, в случае с Хэнком Эндрюсом, дальше будет несложно. Самое трудное — дожидаться, пока они появятся. А когда это произойдет, я сразу за него возьмусь.

— До тех пор будь очень осторожна, — предупредил он.

Она выдавила из себя улыбку.

— Не волнуйся. Меньше всего я хочу неприятностей сейчас, когда Мейджорс еще и не появился.

Повернув коня в сторону приграничного городка, она поехала вперед. Крадущийся-в-Ночи понаблюдал какое-то время за ней, а потом развернул коня.

В Рио-Нуэво было несколько салунов. Коди выбрала самый чистый на вид. Спешившись и привязав лошадь у входа, не обращая внимания на похотливые взгляды нескольких мужчин, стоявших поблизости, она решительно вошла в салун и устремилась к бару.

Коди мгновенно оценила этот кабачок. Здесь было чисто, разумеется, по меркам приграничного города. Посетителей было немного, впрочем, до вечера еще далеко. Мужчина за стойкой бара посмотрел на нее голодным взглядом. Отлично понимая, что он подумал, она решила сразу положить этому конец.

— Меня зовут Армита. Я хочу у вас работать, — без обиняков заявила она.

Владелец салуна лучезарно улыбнулся. Если эта куколка хочет поработать, он всегда готов.

— Ну что ж, пошли наверх. Надо убедиться, достойный ли товар ты предлагаешь.

Коди ответила ему не менее лучезарной улыбкой.

— Я певица, — с достоинством объявила она, — я буду петь. Я буду подавать напитки и еду посетителям.

При этих словах хозяин сразу поскучнел.

— Жалко. Ты бы здесь зарабатывала хорошие деньги.

— Я предпочитаю зарабатывать их пением. Остальное я делаю в свободное время и для собственного удовольствия, а не за деньги, — надменно ответила она. — Ну так что? Буду я у вас петь?

Он нахмурился:

— Мне не нужна певица.

— Неужели? — язвительно заметила она. — А клиенты вам нужны? — Она кивнула на полупустой салун.

Он раздраженно фыркнул в ответ:

— И ты воображаешь, что твое пение приманит их сюда?

— У вас есть какое-нибудь развлечение?

— Несколько девушек для удовольствия.

— Тогда пора предложить посетителям что-то еще. Когда вы меня наймете, они будут приходить слушать меня, а деньги тратить у вас.

— Пой, — приказал он, желая послушать, так ли силен ее голос, как напор и храбрость.

Коди отошла от него подальше и остановилась в дальнем конце комнаты. Она хотела показать ему, что голос ее будет доноситься до всех углов. Коди запела печальную песню, и голос ее чисто и звонко прозвучал в почти пустом зале.

Несколько находившихся там мужчин, не обращавших до поры внимания на ее разговор с хозяином, вскинули головы. Они обернулись послушать, выражение их лиц сначала стало удивленным, потом завороженным. У нее был красивый голос, а льющаяся грустная мелодия давала возможность показать его диапазон, хотя не подходила для салуна. Хозяину понравился голос, но не песня.

— Это все, что ты умеешь петь? Такой песней никого сюда не заманишь. Похожа на какой-то церковный гимн, — сказал он презрительно.

Коди вскинула голову, так что волосы взметнулись черным облаком, и разразилась бойкими куплетами, слова которых заставили бы запылать ушки старых дев в ее родном Сан-Антонио. Она выучила их и еще много других подобных, когда была Далилой в аризонском салуне. Едва она замолчала, как все посетители бурно захлопали. Хозяин наконец неохотно улыбнулся:

— Ладно, Армита. Вижу, что этот твой невинный вид только уловка. Ты знаешь, что делаешь. Нанимаю.

— Спасибо. — Коди еле могла сдержать возбуждение. Она была почти у цели. Она получила работу.

— Не надо меня благодарить. Ты именно тот перчик, который нужен, чтоб оживить этот салун. Когда можешь начать?

Она не колебалась.

— Сегодня вечером. У вас найдется для меня комната?

— Бери наверху любую незанятую другими девушками. — Он назвал ей сумму жалованья и добавил с многозначительной ухмылкой: — А как заработать больше, ты и сама знаешь...

Коди гордо вскинула голову. Глаза ее сверкали боевым огнем.

— Я буду только петь для вас.

Хозяин пожал плечами:

— Как хочешь. Давай поселяйся в комнату. Парни обычно заходят после заката, хотя сегодня, наверное, будет тихо: будний день.

Бросив ему задорную улыбку, она направилась к лестнице.

— Придется мне немного оживить это местечко. Как по-вашему?

Глава 16

— Вот и снова Эль Дьябло привел нас к успеху, — удовлетворенно произнес Хэдли, прихлебывая виски. Они пили за столиком салуна «Дель-Соль» в Рио-Нуэво.

Эль Дьябло долго с ними не связывался, и он начал было тревожиться. Но затем пришло сообщение со всеми подробностями перевозки партии оружия. Теперь они успешно провернули это дело и отдыхали в пограничном городке. Ограбление было кровавым. Вся охрана была убита, а они потеряли двух своих. Однако доход от продажи ружей обещал с лихвой оправдать все потери. Босс будет ими доволен... очень доволен, особенно после неудачи в Дель-Фуэго.

— Ружья мы добыли. Утром их продадим, а потом... потом заляжем на дно, — широко улыбнулся Салли. Он был весьма доволен собой, потому что лично убил по меньшей мере троих из сопровождавших груз солдат.

— Эль Дьябло не промах, — заметил Джонс. — Никогда не ошибается. Не знаю, как это боссу удается?

— Представляешь, как нас будут бояться, когда вести об этом разойдутся повсюду? — ухмыльнулся Салли.

Люк стоял у стойки бара и, еле сдерживая ярость, слушал их болтовню. Он сделал большой глоток виски, стремясь заглушить память о солдатах, зверски убитых при ограблении. Он не мог помешать бойне и сейчас был полон беспомощной злости и отчаяния.

В душе он проклинал сложившуюся ситуацию. Как получилось, что он оказался среди этих людей? Они были абсолютно аморальны, не понимали и не пытались понять разницу между добром и злом. Для них убийство — лишь средство достижения цели, легкий и удобный способ получить то, что хочется.

Верно, ему и самому приходилось убивать, но лишь тогда, когда на карту была поставлена его жизнь. Что бы там ни говорили, он не был убийцей. Он не хотел грабить и убивать ни в чем не повинных людей. Он всего-навсего хотел найти Эль Дьябло, захватить его и убраться отсюда к чертовой матери.

— Так когда же мы встретимся с Эль Дьябло, чтобы сообщить ему хорошую новость? — поинтересовался Люк, допивая стакан, и повернулся к столику, где сидели остальные. Он устал ждать. Чем скорее все это кончится, тем лучше. Он уедет и забудет все, как кошмарный сон.

Хэдли пожал плечами.

— Думаю, теперь не скоро. Нам сейчас надо затаиться и не привлекать к себе внимания. Уверен, что теперь за нами гоняются и рейнджеры, и армия. Мы отправимся назад, только когда все утихнет. А пока наслаждайся жизнью. — И он широким жестом обвел салун. Вокруг них крепкие напитки лились рекой, и трудившиеся здесь красотки усердно завлекали бандитов на второй этаж, чтобы познакомиться с ними накоротке. За хорошую цену, разумеется.

Люк стиснул зубы от злости. Его снова отшили. Что бы там Хэдли ни говорил, ему не доверяют. Да и своим тоже не считают. А охота за таинственным Эль Дьябло напоминала охоту за черной кошкой в темной комнате. Но все же кое-что ему удалось выяснить. У Эль Дьябло был доступ к секретной информации. Босс прислал какого-то неприметного человечка с детальными сведениями не только о том, какое количество ружей в партии, но и сколько солдат будет их сопровождать. Для того чтобы разузнать такие подробности, надо было быть своим человеком в форту или у властей городка.

Но эта информация немного ему дала. Только то, что Эль Дьябло живет в Дель-Фуэго или где-то поблизости. Но кто он? Единственная ниточка — между бандитами и их главарем существует постоянная связь, а значит, он постарается ее обнаружить и пройти по ней к истоку. Однако, судя по тому, сколько ему понадобилось, чтобы выяснить только это, получалось, что на выяснение личности неуловимого предводителя у него уйдет не менее полугода. Проклятие! Он просто жаждал отсюда выбраться.

Пианист ударил по клавишам, бравурным аккордом призывая толпу посетителей обратить внимание на маленькую сцену.

— Мы рады представить нашим гостям прелестную Армиту! — выкрикнул он.

Взгляды всех присутствующих обратились на возвышение, где внезапно перед ними возникла молодая женщина. Она была великолепна, и ковбои заорали и заулюлюкали, восхищаясь ее аппетитными формами, которые алое платье скорее подчеркивало, чем скрывало.

Люк снова отвернулся к бару. Сегодня у него вовсе не было никакого желания веселиться. Он хотел тишины и покоя... и побольше виски.

***

Коди улыбнулась посетителям, а пианист заиграл лихой мотивчик. Начиналась третья неделя ее работы здесь, и слава о ней уже разнеслась по окрестностям. С каждым вечером в салун приходило все больше посетителей. Она была довольна, но в общем-то ее это не слишком заботило. Все, что ей было нужно, — найти и поймать Мейджорса.

Тряхнув головой, она запела свои лихие куплеты, уже ставшие здесь знаменитыми. Взметая юбки, она танцевала на сцене, завораживая мужчин мельканием стройных ног, а также исходящей от нее чувственностью. Когда куплеты кончились, пьяные ковбои заревели от восторга, топая ногами. Она перешла к следующей, еще более непристойной мексиканской песенке, вызвавшей у толпы взрыв хохота.

Окидывая взглядом зал, Коди чуть не запнулась на полуслове, заметив у дальней стены за столиком Хэдли, Салли и нескольких других бандитов. Она постаралась, не привлекая внимания, рассмотреть, нет ли с ними Люка. Но его не было в их компании.

Коди тут же встревожилась и чуть не сбилась с ритма. Она помнила, что они собирались на ограбление, и теперь забеспокоилась, не случилось ли с Люком какой беды. Его могли ранить, убить или... поймать.

Все эти мысли развеялись в один миг, когда, скользнув глазами дальше, к бару, она увидела высокую фигуру, стоявшую к ней спиной. Сердце радостно забилось. Он жив! Коди тут же одернула себя. Она радуется вовсе не этому (ей это все равно, понятно), а просто потому, что получит за него кучу денег. И ничего больше.

Окрыленная своим успехом, Коди лихорадочно придумывала, как ей действовать дальше. Ей надо будет как-то заманить Люка наверх, в свою комнату. Вот хозяин салуна удивится, когда она поведет его к себе! За время своего пребывания здесь она подавала напитки, играла в карты, шутила и выпивала с посетителями, но ни разу ни с кем не спала. Сегодня все будет иначе. Коди сделает все возможное, чтобы залучить Люка Мейджорса в свою комнату, и если для этого ей придется разыграть обольщение... что ж, она притворится соблазнительницей. Люк Мейджорс от нее не уйдет! Она его захватит. На этот раз она своего добьется!

Люк не обратил внимания на певичку и на восторженный рев окружающих мужчин. У него не было настроения развлекаться. Допив виски, он направился к дверям. Наверняка в этом паршивом городишке найдутся салуны потише. Однако именно в эту минуту Армита после забористой песенки запела грустную балладу.

Удивленному Люку голос Армиты напомнил пение сестры Мэри в тот последний раз, с детьми. Он остановился на пороге и не ушел. Чистые нежные звуки тронули его до глубины души. Он почувствовал, что должен обернуться и посмотреть на нее.

Певица с волосами цвета воронова крыла оказалась одной из самых прелестных женщин, которых он когда-либо видел. Если ранее он не понял, что там лопочет хозяин салуна о вечернем представлении, то теперь все стало ясно. Сейчас он и сам был околдован смуглой красавицей певицей.

Не сводя глаз со сцены, Люк шагнул обратно. Армита отличалась от обычных салунных девиц. Ее наряд был обольстителен, но не откровенен. Алое платье облегало изящные изгибы ее тела, но не обнажало их. Пышные нижние юбки, разноцветные, с многочисленными оборками, соблазнительно взлетали... не выше икр. И еще в ней ощущалась какая-то целомудренность, чего Люк понять не мог, но чем был очарован.

— Чертовски хороша, а, приятель? — кивнул в сторону сцены хозяин салуна, когда Люк подошел к нему.

— Очень, — отвечал Люк, не сводя глаз с Армиты. Он был горько разочарован, когда по окончании баллады она ушла со сцены.

— Не волнуйся. Она вернется. Спустя час она опять будет петь, а иногда она выходит сюда и кокетничает с парнями.

Не успел он договорить, как Армита вышла из-за занавески и стала обходить столики, приветствуя ковбоев, пришедших ее послушать. Все они обращались с ней очень уважительно, совсем не так, как с другими девушками. Тех им ничего не стоило облапить, когда они проходили между столиками, но к Армите парни испытывали какое-то смущенное почтение.

Коди медленно пробиралась сквозь толпу, направляясь к своей добыче. Наконец-то он оказался там, где ей было нужно. Она была наготове. В своем маскарадном обличье Коди чувствовала себя хозяйкой положения. Она заманит его наверх и подаст сигнал Крадущемуся-в-Ночи. А затем его надо будет всего-навсего увезти так, чтоб никто не заметил. Коди не сомневалась, что им это удастся, лишь бы час был достаточно поздний да ковбои хорошенько напились.

Подойдя к бару, она облокотилась на стойку и улыбнулась Хэлу.

— Хорошо поешь, — похвалил ее Хэл.

— Спасибо. Люблю заставлять этих парней смеяться... особенно когда их так много.

— Их столько приходит из-за тебя, Армита.

Коди мягко рассмеялась, поглядывая на Люка.

— Я же говорила тебе, что привлеку сюда мужчин, — произнося эти слова, она постаралась, чтобы испанский акцент был очевидным, но не резким. Всего лишь достаточным, чтобы подчеркнуть мексиканское происхождение. Она выросла в Сан-Антонио и владела этим говором в совершенстве.

Коди улыбнулась глядевшему на нее Люку.

— Вы чудесно поете, Армита, — сказал он. — Услышать вас в подобном городке — нежданное удовольствие.

— Неужели? Благодарю вас, — промурлыкала она на своем смягченном английском.

В его взгляде читалось явное мужское восхищение, и сердце ее забилось сильнее. Коди вновь напомнила себе, кто она и что здесь делает. Нельзя позволить ему прикоснуться к ней, а тем более поцеловать. Слишком живы были воспоминания о том, что чувствовала она в его объятиях, и не хотела, чтобы такое повторилось. Пока все шло хорошо, он ею заинтересовался, так что она была на полпути к успеху. Теперь оставалось заманить его в свою комнату. Остальное — пустяк.

— Вы живете поблизости?

— Нет, я только сегодня приехал.

— Вы с этими остальными? — уточнила она, кивнув на столик с Хэдли и Салли.

— Можно сказать и так. Могу я предложить вам выпить со мной? — произнес Люк.

— Я стараюсь не пить во время работы, но сегодня... с вами... — Она приумолкла и посмотрела ему в глаза. — Да, мне было бы очень приятно выпить с вами.

Мило улыбаясь, она приняла стакан из рук хозяина салуна. Виски успокоило нервы, и сердце уже не так бешено прыгало в груди. Скоро Люк Мейджорс будет принадлежать ей.

— Хотите посидеть за столиком? — спросил он.

— Разумеется, сеньор... Как мне вас называть?

— Зовите просто Люком.

— Ладно, Люк. — Ее грудной голос звучал зазывно и мягко. — Давайте поищем столик, где сможем посидеть одни.

Предложив ей руку, он повел ее к пустому столику подальше от остальной банды.

— Расскажите мне о себе, — усевшись напротив него в тихом углу комнаты, Коди завлекающе улыбнулась ему.

— Рассказывать особенно нечего.

— Зачем вы приехали в Рио-Нуэво?

— Послушать ваше пение. — Он не сводил с нее глаз.

— Значит, новости о том, что я здесь пою, так широко разошлись по Техасу, что привлекли даже знаменитую банду Эль Дьябло? — Она шаловливо усмехнулась и сделала невинные глазки.

— Вы так прекрасно поете, что когда-нибудь прославитесь на весь мир.

Она кивнула.

— Да, я хотела бы стать лучшей в том, что делаю, — отвечала она, прихлебывая из стаканчика. — Так почему же вы здесь на самом деле, Люк?

— Дела. А как насчет вас? Как вы оказались в подобной дыре?

— Иногда жизнь забрасывает нас в такие странные места, в каких нам и в голову бы не пришло оказаться. — Она пожала плечами и огляделась по сторонам, старательно скрывая отвращение к этому заведению.

— Знаю, — согласился Люк.

Сделав хороший глоток, он поднял на нее глаза, и взгляды их встретились.

Коди погрузилась в бездонную синеву его глаз и почувствовала, что растворяется в их глубине. Чтобы набраться смелости, она еще разок отхлебнула виски. Ей надо очень осторожно с ним держаться: она ведь знала, что случится, если позволит ему себя поцеловать. Надо быть очень-очень осторожной. Вспомнив их последнее объятие, она нервно осушила стакан.

— Мне надо идти готовиться петь снова, — сказала она, теряясь от того, как перехватывает у нее горло. — Вы будете здесь, когда я закончу?

— Я никуда не ухожу, — с улыбкой ответил он. — Приходите после выступления, я закажу вам еще виски.

— Приду. — Она поднялась и коснулась пальцем его щеки. — Это мое последнее выступление за вечер. Возможно, после того как мы выпьем...

И она упорхнула.

Следующее ее выступление прошло с таким же успехом, но она едва дотерпела до конца. Сойдя со сцены, она направилась прямо к столику Люка, чтобы, как обещано, вместе выпить. Не успела она присесть, как из-за спины раздался голос Салли. Дрожь отвращения прокатилась по ее телу, когда бандит прикоснулся к ней. Он приподнял с ее плеча черный локон и накрутил его на палец.

— Ну и ну, Мейджорс, кажется, ты уже нашел, кем тебе заменить проповедницу. — Салли был пьян, и его язык заплетался. — Эта хоть симпатичная.

Коди попыталась вести себя непринужденно, но от его присутствия у нее по коже побежали мурашки.

Быстро схватив заказанный для нее Люком стакан, она сделала большой глоток. Салли был ей омерзителен, и Коди не могла дождаться часа, когда с этим заданием будет покончено, и ей больше не придется его видеть. Если бы Логан нанял ее доставить не Люка, а Салли, она с огромным трудом удержалась бы от того, чтобы доставить этого подонка не живым, а мертвым. Взяв себя в руки, Коди обернулась и посмотрела на бандита. Лицо ее выразило вежливый интерес.

— Вы и Люк... вы друзья, не так ли?

— Просто водой не разольешь, — с издевкой отозвался Салли. — Если тебе станет с ним скучно, приходи ко мне. Я покажу тебе, что значит хорошо провести время.

— Я не забуду ваше предложение, сеньор.

Когда он наконец отошел, она облегченно вздохнула. И чуть не захихикала. Она находилась лицом к лицу с Люком, и он ее не узнал... и Салли тоже. Она обдурила обоих! Теперь осталось завлечь Люка наверх...

— Здесь слишком много народа. Не хотите ли уйти отсюда? Моя комната как раз над нами.

Люк улыбнулся, но не двинулся с места.

— Почему вы улыбаетесь? Смеетесь надо мной?

Она ожидала, что он тут же вскочит из-за столика и поспешит к лестнице. Если он откажется пойти к ней в комнату, придется придумывать какой-то другой способ встретиться с ним наедине.

— Я улыбаюсь, потому что очень рад твоему приглашению. Хозяин сказал мне, чтобы я не засматривался на тебя, так как ты мужчин наверх не водишь.

Она ослепительно улыбнулась:

— Так и было... до тебя. Ты мужчина, с которым я хочу провести эту ночь. — Коди отхлебнула еще глоточек виски.

Он поднял стакан и выпил его до дна.

— Пойдем. — Взяв со столика свою бутылку спиртного, Люк поднялся на ноги и пошел вслед за ней.

Коди повела его между столиками, на ходу перекидываясь приветствиями и шутками с ковбоями. У лестницы она помедлила, поджидая, пока Люк догонит ее, чтобы вместе подняться по ступенькам.

Большинство из толпившихся внизу, в салуне, наблюдали за ними, и каждый желал быть на месте спутника Армиты. Постоянные посетители, приходившие сюда вечер за вечером, никогда не видели, чтобы она приглашала в свою комнату мужчину. Так что теперь они с завистью размышляли, что же такое есть в этом парне, чего нет в них.

Коди распахнула дверь в свою комнату, подождала, пока Люк войдет, затем закрыла и заперла ее за собой.

— Ты меня не хочешь выпустить отсюда или других не впустить сюда?

— Я хочу, чтобы ты был только мой, — чуть охрипшим голосом проговорила она.

— Я уже и так твой, — откликнулся он, отставляя бутылку и чуть улыбаясь. Это была улыбка хищника.

Коди понимала, что должна каким-то образом уклониться от его ухаживаний, но как это сделать, не возбуждая подозрений? Она заманила его сюда, и теперь следовало продолжать игру. Насколько легче было проделать это с Эндрюсом. Тот был ей противен, в то время как Люк...

Не говоря ни слова, он заключил ее в объятия и поцеловал.

Едва его губы коснулись ее губ, как силы покинули девушку. До этого она еще надеялась, что останется равнодушной к его чувственной атаке, но теперь поняла, что погибла. Виски сделало свое дело, притупило осторожность, выпустило наружу чувства, которые Коди так долго держала под контролем. Она прижалась к Люку и обвила его шею руками. В голове пронеслось, что это ненадолго, что через минуту она позовет Крадущегося-в-Ночи и они схватят Люка, но пока ей хотелось только целовать и целовать его.

Он крепче сжал ее своими сильными руками, и женщина в кольце его объятий торжествующе улыбнулась. Люк ее хотел!

Темнота сомкнулась вокруг них, комната закружилась в бешеном водовороте. Его страсть была бурной и необузданной, в ней не было той трепетности, с какой он относился к сестре Мэри. С ней был мужчина, который ее желал и сдерживаться не собирался.

Его губы ласкали и уговаривали, молили углубить поцелуй, и она шла навстречу их страстному натиску.

Когда наконец они разомкнули объятия, задыхающаяся Коди могла лишь растерянно смотреть на него, совершенно не соображая, что делать дальше. Заметив на столике принесенную Люком бутылку виски, она судорожно схватила ее и поспешно отхлебнула. Жаркая волна пошла по жилам, и ей сразу стало легче. Пожалуй, виски не такая уж бесполезная штука.

— Что имел в виду тот мужчина, говоря насчет тебя и какой-то проповедницы? — спросила Коди, чтобы выиграть хоть немного времени и прийти в себя.

— Он просто болтал, ему нравится слушать свой голос, — попытался отговориться Люк. Ему не хотелось сейчас вспоминать сестру Мэри. На краткий миг поцелуя с Армитой он выбросил из головы все мысли о сестре Мэри, и это было прекрасно. Не хватало еще, целуя красотку певицу, думать о спасительнице душ.

— Нет, я же вижу, что она для тебя что-то значит. Расскажи мне о ней.

Люк взял бутылку и тоже отпил добрый глоток. Он хотел было снова поставить ее на столик, но Коди перехватила и отпила еще. В комнате не было стульев, так что для разговора им пришлось усесться на край постели.

— Что ты хочешь узнать? — спросил Люк.

Он смотрел на Армиту и, сознавая всю нелепость своих мыслей, думал, что она напоминает ему сестру Мэри. Хотя по сути они ничем не были похожи, кроме, пожалуй, того, что глаза у обеих были зелеными. За исключением этого, они отличались как день и ночь. Сестра Мэри была чистой и наивной. Армита знала, как обращаться с мужчинами. Сестра Мэри была доброй, целомудренной и скромной. Армита была лукавой чертовкой. Чтобы здесь работать, только такой и следовало быть. Он наблюдал за ее работой в салуне, переполненном полупьяными ковбоями. Сестра Мэри была светленькой. Армита — смуглянкой. Сестра Мэри одевалась как служительница Бога, которую не волнуют мирские соображения. Одежда Армиты была выбрана, чтобы подчеркнуть ее красоту и привлечь восхищенные взгляды мужчин.

— Кто она такая? — Армита настойчиво заглядывала ему в лицо. — Где вы с ней повстречались?

— В маленьком городке Эль-Тражар. Она была странствующей проповедницей, и ее единственной целью было спасение людских душ.

— Ну и как? Удалось ей спасти твою?

Люк угрюмо хмыкнул.

— Меня уже не спасти, Армита. Моя душа чернее дегтя. Особенно теперь. — Он вспомнил о солдатах, убитых при ограблении, и снова хлебнул огненного зелья, затем передал бутылку ей. — Сестра Мэри была честной, чистой и милой женщиной. Поистине добрая душа. В ней сочетались все качества, которыми должна обладать настоящая леди. Я не заслуживал ее и рад, что ей удалось благополучно сбежать от меня. Мне еще надо выполнить одну работу.

Слушая его похвалы сестре Мэри, Коди была вынуждена сделать еще один глоток виски, чтобы успокоиться. В голове у нее мелькнуло, что она уже потеряла счет этим глоткам «от нервов», но сказала себе, что полностью владеет собой. Кое-что из его слов ее озадачило.

— Одна работа. Ты называешь участие в набегах Эль Дьябло работой?

Лицо Люка потемнело, и он резко произнес:

— По правде говоря, это сущий ад.

Она увидела боль в его глазах и удивилась. Если Люк и вправду такой закоренелый преступник, как о нем говорят, почему он так сказал? Совершил ли он на самом деле те страшные преступления, в которых его обвиняют?

Она совершенно растерялась и, видя его страдание, вдруг нестерпимо захотела как-то облегчить эту глубокую душевную муку. Все мысли о Крадущемся-в-Ночи, терпеливо дожидающемся ее сигнала, растаяли как дым. Важным было только утешать Люка, обнимать и целовать его. И она снова прильнула к нему. Когда же, оторвавшись от него, она попыталась отодвинуться, чтобы что-то сказать, он ее прервал:

— Хватит, Армита. Мы достаточно наговорились.

— Знаю, но ты сказал, что твоя жизнь — ад. — Взгляды их встретились, и она не дала ему отвести глаза. — Позволь же сегодня показать тебе, что такое рай.

И ее слова были истинной правдой.

Глава 17

Коди взяла в ладони лицо Люка и нежно поцеловала его в губы. Его руки обхватили ее железным обручем. В эту минуту трезвый рассудок и здравый смысл, которыми она так гордилась, исчезли, как утренний туман под палящими лучами восходящего солнца. Она этого хотела. Она хотела его.

Они сошлись, и пламя их любовного порыва разгоралось все жарче с каждой новой лаской, с каждым поцелуем. Желание, острое, жгучее, непрерывно нарастало, по мере того как они избавлялись от разделяющей их одежды.

Когда Люк скинул с себя рубашку, Коди жадно потянулась к нему. Она так и не смогла забыть его обнаженную грудь той ночью в лагере бандитов. Но до нынешнего момента она не сознавала, как же хочет дотронуться до него, пройтись ладонями по литым мускулам его спины и плеч. Он был воплощением мужской красоты: сильный, поджарый, крепкий. Коди погладила это великолепное тело, и от прикосновения ее рук Люк содрогнулся. Сознание того, что она может вызвать в нем такую страсть, пронзило ее каким-то радостным и тревожным возбуждением.

Она не сопротивлялась, когда Люк бережно стянул с ее плеч алую ткань платья и открыл для ласк трепещущую грудь.

— Ты прекрасна, — прошептал он, покрывая жаркими поцелуями нежную упругую плоть.

Почувствовав его губы на своей коже, Коди выгнулась ему навстречу. В сердце, в самой его глубине, проснулись чувства, доселе ей неведомые. Под натиском его умелых ласк она утратила всякую способность думать, и, когда он стал помогать ей освободиться от остальной одежды, она радостно откликнулась, одновременно и покорная, и пылкая. Вскоре она лежала на постели полностью обнаженная, ожидая, пока кончит раздеваться он. Люк быстро присоединился к ней, и Коди испытала непривычное наслаждение от прикосновения его жаркого тела. Он накрыл ее собой, согревая своим желанием, и она расцвела ему навстречу, как цветок под лучами утреннего солнца.

Ее подхватил бурный поток нарастающего восторга. Его руки скользили огненными языками по ее податливому телу, жаждущему этой сладостной муки. До сих пор она не знала мужчины, была наивной и несведущей, но непонятная ей самой потребность вынуждала ее двигаться под ним, требуя того, что лишь он один мог ей дать. Когда же наконец Люк навис над нею, готовый овладеть, она замерла, ошеломленная интимностью мужского касания.

Люк не понял, что она была нетронутой, и поэтому не стал особенно церемониться. Только когда он уже брал дар ее любви и сильным нажатием прорвал преграду ее невинности, он осознал, какое сокровище ему досталось. Ее лоно плотно облегло его. Он замер, потрясенный своим открытием, и, приподнявшись на локтях, взглянул в ее лицо. Глаза ее были крепко зажмурены, крупные прозрачные слезы дрожали на кончиках ресниц.

— Армита? — мягко произнес Люк. Из-за этих слез он почувствовал себя ужасно. Он причинил ей боль, а ведь он совсем не хотел такого. Он хотел доставить ей удовольствие.

— Все хорошо. — Она открыла глаза и, трепетно улыбнувшись, подняла руки, чтобы притянуть к себе его голову для поцелуя. — Все хорошо.

— Но...

— Я хочу тебя, Люк.

Тогда он нашел ее губы и властно завладел ими, страстно подчиняя себе нежданную пленницу. Неудержимое взаимное стремление захватило их с мощью степного пожара. Он не знал, как могло случиться, что певичка из приграничного салуна оказалась девственницей, но в эту минуту ему было все равно. Она хотела его с той же силой, что и он ее. Важно было только это.

Сначала Люк старался умерить темп и мощь своего напора, двигаться медленнее, показать ей всю полноту любовной ласки, но вскоре его страсть захватила обоих и закружила в стремительном водовороте ощущений. Захваченные безумным влечением, они слились в упоительном единении. Звездный взрыв достигнутого экстаза вознес их ввысь, и они поплыли в бескрайнем небесном просторе... А потом остались только шелковые переливы тел, сплетенных в послелюбовном объятии, и радость восхитительной ночи.

— Прости, что причинил тебе боль. Я ведь не знал, — шептал Люк, нежно прижимая ее к себе.

Коди улыбнулась ему ласково и чуть печально и коснулась его рта легким поцелуем. Она сама этого хотела... желала всей душой... стать с ним единым целым. Это оказалось именно так чудесно, как она и думала. Еле слышный вздох слетел с ее губ:

— Люк...

Она закрыла глаза и приникла к нему, уже засыпая. Виски затуманило ей голову и притупило чувства, а его ласки притушили лихорадку, кипевшую в ее крови.

Люк смотрел на нее, наслаждаясь моментом тихой близости. Так давно не встречался он с невинностью... ни с какой. Пожалуй, лишь знакомство с сестрой Мэри убедило его, что на свете все еще бывают хорошие и добрые люди. А вот теперь он получил в дар, неизвестно почему, любовь Армиты. Люк лежал не шевелясь и впитывал в себя счастье и покой этих мгновений.

Чуть позже он выскользнул из постели. Армита даже не шелохнулась. Ему не хотелось *так* уходить. Но банда на заре выезжала на встречу с мексиканцами, которые хотели купить краденое оружие.

Он оделся быстро и тихо, затем повернулся и какое-то мгновение любовался спящей девушкой. Люк собрался было оставить ей записку, но передумал. Он вернется, как только произойдет обмен ружей на деньги. Тихонько поцеловав ее на прощание, он вышел из комнаты.

Коди разбудил струившийся в окно солнечный свет. Она открыла глаза, но тут же зажмурилась от ослепительно яркого утра и тихо лежала, не понимая, отчего у нее так чудовищно болит голова. Двигаясь очень медленно, она слегка потянулась и мгновенно сообразила, что на ней ничего не надето. Полустертые вчерашним виски воспоминания вмиг неудержимо нахлынули на нее.

— Люк!

Господи! Как же так получилось? Коди резко села в постели и сразу пожалела об этом. Судорожно прижимая к груди одеяло, чтобы прикрыть наготу, она старалась успокоить гул и стук в висках. Где же он? Куда подевался? Ей надо его найти!

Поднявшись, она осмотрела всю комнату, но, кроме нее, здесь никого не было. Он исчез, растаял в воздухе, а ей теперь расхлебывать все то, что она натворила.

Уставившись на почти пустую бутылку виски на комоде, Коди поморщилась и подумала, что теперь прикоснется к спиртному разве что в аду, и то если там погаснет огонь под сковородками. С отвращением оглядывая комнату, она мысленно проклинала себя за сумасбродство. Ведь знала, знала, что опасно ей оставаться с Люком наедине. Знала, что может последовать за их поцелуем, и все-таки не удержалась... поцеловала. А потом уже позабыла обо всем, за исключением того, что хочет его до безумия.

Она бросила взгляд на постель и при виде простыней со следами утраченной невинности чуть не заплакала. Она села на край постели и тяжело вздохнула. В голове неотвязно крутились картины прошлой ночи: Люк, его ласки, поцелуи, прикосновения... его сила и нежность.

А теперь он куда-то исчез.

Она упустила его из-за собственной слабости. И Коди, не сходя с места, поклялась, что больше такого не повторится. Сегодня же вечером она отыщет его, снова зазовет в свою комнату и увезет в Дель-Фуэго. И тут же — непрошеные воспоминания: упоительное блаженство его поцелуя, огненная печать его страсти. Да, нелегко ей будет устоять перед ним, когда они снова окажутся одни. Но она справится... обязана справиться. В конце концов это же ее работа.

День для Коди тянулся медленно. Время от времени она начинала метаться по комнате, не в силах дождаться вечера. Наконец стемнело, и пришло время ее выступления. Она была полна решимости. Она найдет этого чертова Люка и заманит его наверх. Затем она подаст знак Крадущемуся-в-Ночи, и вдвоем они этой же ночью вывезут Мейджорса из города. Все, хватит тянуть. И так прошло слишком много времени.

Коди невольно вспоминала свой разговор с Логаном. Теперь она понимала, почему он сомневался в вине Мейджорса. У нее самой были те же мысли.

Тем не менее она твердо приказала себе пока о них забыть. Когда время придет, она в этом разберется.

Заиграла музыка, и она выплыла на сцену, готовая на все, лишь бы снова завлечь проклятого красавца стрелка. Однако, к ее потрясению, в салуне не было никаких признаков ни Люка, ни остальных бандитов.

Коди не позволила себе расстроиться, и пение ее звучало так же звонко и задорно. В перерыве она даже прогулялась между столиками, ожидая, что Люк придет хотя бы ко второму отделению, и вернулась на сцену, когда пианист уже заиграл вступление. Но Люк не пришел.

Он вообще не пришел.

Судьба предоставила ей шанс его схватить, а она этот шанс упустила.

Пропев последнюю песенку, она вновь прошлась по салуну, болтая с ковбоями, а затем завернула к бару и попросила у Хэла попить.

— Виски? — осведомился он.

— Воды! — выразительно сказала она.

Хэл рассмеялся.

— Они действительно ребята что надо. Не так ли?

— О ком ты?

— О банде Эль Дьябло. Каждый раз, когда они здесь появляются, у меня душа уходит в пятки.

— Их что-то не видно сегодня, — как бы невзначай заметила она.

— Я тут случайно услышал, что они уехали из города на два дня, чтобы с кем-то встретиться. Не знаю, когда они вернутся и вернутся ли вообще.

И Коди уныло побрела в свою комнату. Радоваться было нечему.

Джек находился в конторе шерифа, когда услышал громкие крики на улице.

— Поймали одного из них! По-моему, это Мейджорс! — кричал какой-то мужчина.

Джек и Фред бросились к окну и увидели подъезжающего охотника за вознаграждением. Он вел на поводу второго коня, через седло которого был переброшен человек. Горожане выбегали из домов. Толпа в мгновение ока окружила всадников и, казалось, готова была на них накинуться.

— Повесить ублюдка сию минуту! — проревел кто-то. — К черту все суды!

— Да! Мы знаем, что он виновен! Вздернем его сами!

— Если заставим этого поплатиться, остальные дважды подумают, стоит ли грабить наш банк опять!

Рев заглушил все другие крики. Толпа напирала. Охотник за преступниками остановил лошадей перед дверью шерифа и спешился. Это был высокий темноволосый человек, бородатый и запыленный. Подойдя ко второй лошади, он рывком сдернул своего пленника на землю.

Фред постарался разглядеть связанного.

— Кто это, приятель? — спросил он.

— Это Люк Мейджорс, и я хочу объявленные пятьсот долларов, — буркнул охотник, толкая пленника ближе к Джеку и Фреду.

— Это Мейджорс! — завопил кто-то.

Раздался дружный яростный рев. Люди толкались, напирали вперед, желая увидеть известного хладнокровного убийцу.

Джек понял, что сейчас произойдет. Он вытащил пистолет и подошел к арестованному, чтобы его прикрыть. Оказавшись с ним лицом к лицу, он увидел, что это не Люк.

— Это же не Мейджорс, парни! — прокричал он, но толпа была слишком разъярена, чтобы его слушать. Он обернулся к Фреду: — Веди их внутрь. Я разберусь с ними.

Он встал перед толпой с пистолетом в руке, и люди остановились. Хоть они и были в ярости, но знали, что техасские рейнджеры просто так оружие не достают.

— Я применю этот пистолет, если сделаете еще шаг. Так что прекратите орать и отправляйтесь по домам.

— Кого ты прикрываешь, Логан, это же убийца!

— Я только что посмотрел на человека, которого доставил этот охотник. Это не Люк Мейджорс.

— Лжешь! — крикнул кто-то.

Джек перевел ледяной взгляд на кричавшего. Сказал тихо и яростно:

— Нет в городе человека, который хотел бы видеть здесь Мейджорса больше меня. Но это не он. А теперь убирайтесь отсюда, если не хотите, чтобы завтра хоронили кого-то из вас.

Он поднял пистолет. Толпа попятилась и, ворча, отправилась восвояси.

Убедившись, что все разошлись, Джек поспешил в дом выяснить, кого привез охотник за преступниками.

— Это не тот бандит, — говорил ему Фред.

— А я вам говорю, что это Люк Мейджорс! — настаивал Гэри Рид. — Посмотрите на него: он в точности подходит под описание!

— Я хорошо знаю Мейджорса. Это не он, — подтвердил Джек слова шерифа.

— Но он выглядит, как тот! И он пытался сбежать из салуна в Сан-Анджело, когда я его схватил! — Гэри Рид кипел от злости при мысли, что зря потратил время.

— Я несколько дней пытаюсь ему втолковать, что я не Мейджорс, но он ничего не слушает! — закричал пленник. — Меня зовут Уолт Кинсел.

— Ладно, Уолт Кинсел, а тебя за что разыскивают? — спросил Джек. А этого типа явно тоже разыскивали, раз он пытался удрать от Рида.

Кинсел опустил глаза:

— Это не связано с нарушением закона.

— Какого черта ты хочешь этим сказать? — свирепо рявкнул Рид.

— Я решил, что вы меня разыскиваете из-за девушки в Остине, которую я наградил ребенком. Ее папаша обещал меня достать. Вот я и подумал, что вас послал он.

Фред скривился.

— Может, мне стоит послать ему телеграмму с сообщением, кто у меня здесь. И подержать под замком до его приезда с девушкой и пастором.

— Вы не имеете права так поступать со мной!

— Это верно, — неохотно согласился Джек. — Отпусти его. Мистер Рид, я сожалею, но вы доставили нам не того человека.

— Я это дело не брошу. Я еще вернусь. — Рид выскочил на улицу, вскочил на коня и ускакал.

Кинсел испарился, как только они его развязали.

— Пронесло, а были на волосок, — устало произнес Фред, вспоминая, как быстро собралась толпа и как враждебно была настроена.

— Даже ближе, — кивнул Джек. — Не нравится мне все это. Мейджорс невиновен, пока не доказано обратное. Никто не видел, как он застрелил Сэма Грегори или его помощника.

— Это да, но у нас есть свидетели, которые утверждают, что именно он стрелял в Харриса.

— Свидетели могут ошибаться.

— Почему ты так убежден в том, что он этого не делал? Весь город считает его виновным, и, честно говоря, я тоже.

Джек внимательно посмотрел на него:

— Ты ошибаешься, Фред.

— Почему ты так уверен? — Фред нахмурился и подозрительно посмотрел на Джека. — Подожди-ка минутку... Ты сказал Риду, что хорошо знаешь Мейджорса. Насколько хорошо?

Джек уже много дней думал, не довериться ли ему Халлоуэю. Теперь он понял, что должен рассказать ему всю правду. Весь город бурлил. Если какой-то охотник за вознаграждением доставит Люка сюда, а Джека в этот момент рядом не окажется, горожане, не задумываясь, тут же вздернут его. Поэтому ему нужен был союзник, чтобы уберечь Люка от беды, если что-то пойдет не так.

— Мне надо рассказать тебе кое-что, о чем никто не знает. Но сначала ты должен дать мне честное слово, что не проронишь об этом ни слова. Никому! От этого зависит много жизней.

Фред озадаченно уставился на него:

— Даю слово. В чем дело?

Джек быстро объяснил ему, что случилось перед побегом из тюрьмы.

— Но он же стрелял в Харриса! — недоверчиво возразил Фред.

— Нет. Когда грабитель вытащил пистолет, Люк выхватил свой. Люк целился в него. Это бандит выстрелил в Харриса, а не Люк.

Фред покачал головой в полной растерянности.

— И все это время ты дожидаешься от него вестей?

— Если он сумеет выяснить личность Эль Дьябло, он постарается сообщить это мне. Тогда мы сможем навсегда покончить с бандой. Но для этого я должен защитить его.

Фред долго молчал.

— Сэм тоже не сразу мне поверил.

— Ты так веришь Мейджорсу?

— Я доверю ему свою жизнь, а в эту минуту он доверяет мне свою.

— Я сохраню ваш секрет и, если Мейджорса доставят в твое отсутствие, приложу все силы, чтобы сберечь его в целости и сохранности, пока ты не вернешься.

— Я пошлю сообщение об этом еще и своему капитану, чтобы он знал, что тут происходит. Я не хочу, чтобы с Люком случилась непоправимая ошибка. Он работает на нас, а не против.

Шериф кивнул, и они пожали друг другу руки.

Этой же ночью Элизабет лежала в объятиях Джека, наслаждаясь его близостью. Он был изумительный любовник, и она ни разу не пожалела, что легла с ним в постель. Он, казалось, уснул. Она положила ладонь ему на грудь, а затем медленно повела ее вниз.

— Ты спишь? — спросила она грудным голосом, решительно взбираясь на него верхом.

— Нет, я просто отдыхаю. Ты вымотала меня, женщина, — откликнулся он с улыбкой, когда она поудобнее устроилась на нем.

— Что ж, если ты совсем ослабел...

Она притворилась, что собирается слезть, но он крепко ухватил ее за руки.

— Я никогда не говорил, что ослаб. — Он весело ухмыльнулся. — Для тебя я никогда не буду усталым.

Он начал перекатываться вместе с ней, чтобы она оказалась внизу, она сопротивлялась. Наклонившись вперед, Элизабет дотронулась сосками до его лица, и Джек замер. Она контролировала их соитие. Она задавала темп. Снова и снова она доводила его до края и останавливалась ровно на то время, чтобы возбуждение спало, приводя его в ярость от неудовлетворенного желания. Она хотела поработить его своей страстью. Только тогда даст он ей то, что нужно... то, чего она хочет. Они вместе достигли пика, и Элизабет поникла в его объятиях. Они лежали сытые и обессиленные.

Спустя какое-то время она заговорила о том, что ее тревожило:

— Есть у тебя какие-нибудь новости об этой банде?

— Была тут днем заварушка у тюрьмы. Приехал один охотник за преступниками и объявил, что привез Мейджорса.

Она быстро подняла на него глаза.

— И?..

— И ничего. Не привез. Вернее, привез не того человека, а у нас тут чуть ли не мятеж поднялся, когда разнесся слух об этом.

— Так что ты не можешь мне сказать ничего нового?

— Нет, но я очень серьезно размышлял насчет Эль Дьябло и его банды. У меня складывается впечатление, что у него вроде бы есть информатор с хорошими связями в форту либо здесь, в городе. Откуда иначе они могли узнать точную дату отправки партии ружей?

— Может быть, они и не знали, — протянула она. — Может быть, они этот транспорт просто выследили, и им повезло.

— Может, и так, но вряд ли. Уж очень все гладко прошло. Нет, этот бандит слишком хитер, чтобы рассчитывать только на удачу.

— Как же ты собираешься их поймать? Город ждет, чтобы справедливость восторжествовала. Поэтому все так злятся.

Он лишь крепче сжал ее в объятиях.

— Знаю и очень сожалею, что нельзя ускорить ход событий. Я делаю все, что могу. Надо потерпеть. У меня есть кое-какие козыри в запасе.

— Какие? — Она с надеждой посмотрела на него.

Джек задумался на мгновение, но потом решил, что можно ей, пожалуй, кое-что рассказать, чтобы хоть немного поднять настроение. Без подробностей, конечно.

— Причина, по которой я так долго торчу в этом городе, состоит в том, что я заслал к ним человека. Как только он выяснит, кто такой Эль Дьябло, он свяжется со мной, и мы сможем покончить со всей бандой. Пока я не получу от него весточки, я должен сидеть и ждать.

Она посмотрела на него с возросшим уважением.

— Это ты ловко устроил! Умно, ничего не скажешь. Как же, наверное, тяжело тебе ждать.

— Нелегко, и неизвестно, когда это кончится. Я лишь надеюсь, что все удачно сложится, и я сумею схватить банду Эль Дьябло и помочь тебе. Мне хочется остановить этих негодяев, пока они не причинили вреда еще кому-нибудь.

— Если кто и сможет это сделать, то лишь ты, Джек. — Она наклонилась к нему и поцеловала в губы.

Большего приглашения ему и не требовалось. Они любили друг друга далеко за полночь, пока наконец вынужденная скрывать их отношения Элизабет не покинула украдкой гостиницу, чтобы вернуться в свой нелюбимый дом.

Банда с Хэдли во главе прискакала прямо в убежище мексиканцев. Люк ехал в первых рядах, так как хотел вызнать все, что можно, относительно их имен, мест пребывания и предстоящих переговоров.

— Привет, Карлос! — воскликнул Хэдли, останавливая коня перед группой до зубов вооруженных бандитов. У этих людей была заслуженная репутация таких же головорезов, как и у парней Эль Дьябло, и Хэдли обращался с ними весьма почтительно. — Давненько мы не виделись, друг мой.

— Это так, амиго, — отвечал мексиканец, обводя взглядом всадников, сопровождавших Хэдли. — Но сердце мое разрывается от тоски. Почему нет с тобой твоей дьявольски прекрасной сестрицы? Я так надеялся увидеть ее вновь. Или знаменитая Эль Дьябло больше не ездит со своей бандой? Второй раз ты приезжаешь ко мне без нее.

Хэдли криво улыбнулся. Он был недоволен, что Карлос так разоткровенничался в присутствии Люка.

— Эль Дьябло некогда. Она занята подготовкой нашего следующего дела.

— А-а, Хэдли, неужели ты наконец-то признал, что она мозг вашей банды?

— Наконец-то? — Хэдли холодно рассмеялся. — Разве мы когда-нибудь это отрицали? Почему бы еще мы называем себя бандой Эль Дьябло? Пойдем-ка выпьем и вспомним старые времена, а уж потом перейдем к делу.

Хэдли хлопнул Карлоса по спине, и они направились в хижину, где могли поговорить без помех.

***

Люк спешился и последовал за Карсоном и Джонсом. Голова его шла кругом. Оказывается, Эль Дьябло — женщина! Но как ее имя? Осталось только выяснить это, и можно прыгать в седло и мчаться с новостями к Джеку.

Женщина! Уму непостижимо! Трудно поверить, но сама идея просто блестящая. Кто лучше женщины мог подслушать все разговоры и передать Хэдли важную информацию? Нет, это было просто идеально! Никто бы никогда ее не заподозрил. Люку трудно было представить себе женщину в роли хладнокровного убийцы. Почему она выбрала такой путь? По нему даже не всякий мужчина рискнет пойти. Впрочем, сейчас это не важно. Главное — удрать из банды и побыстрее добраться до Джека.

Люк старался не привлекать к себе внимания. Он мало говорил, лишь внимательно наблюдал за происходящим, с нетерпением ожидая окончания сделки. Несколько раз в течение полутора дней, которые они там находились, образ прелестной Армиты завладевал его мыслями, и ему стоило большого труда изгнать его оттуда. Ее невинность удивила его и обрадовала. Он переживал, что пришлось покинуть ее посреди ночи, но ему надо было выезжать на рассвете вместе с Хэдли и прочими бандитами. Как же он будет рад вновь увидеть Армиту! Она была единственным светлым лучиком во тьме и грязи этой истории.

В уединенном месте на окраине городка Коди встретилась с Крадущимся-в-Ночи. Днем никто не обращал внимания, куда она ходит, и, поскольку банда уехала из города, она не слишком тревожилась, что их увидят вместе.

— Никаких известий о них?

— Нет, и Хэл даже не знает, вернутся ли они сюда вообще. А мне не слишком удобно расспрашивать его в открытую. Он сказал мимоходом, что счастлив, что они уехали, но девушки нетерпеливо ждут их возвращения, потому что они просто бросаются деньгами.

— А ты? — спросил он, интуитивно чувствуя, что на этот раз есть что-то необычное в ее охоте за этим преступником.

Коди не стала рассказывать Крадущемуся-в-Ночи, что случилось прошлым вечером. Она лишь объяснила, что не сумела охмурить его так, чтобы можно было скрутить. Старый индеец взглянул на нее с некоторым удивлением, но расспрашивать подробности не стал.

— Что ты хочешь этим сказать?

— Этот человек важен для тебя.

— Нет, я...

— Это видно по глазам, — произнес он. Крадущийся-в-Ночи слишком давно знал Коди, ему она врать так и не научилась.

Она с досадой вздохнула.

— Когда Логан нанял меня, то сказал, что хочет, чтобы я доставила Люка живым, потому что сомневается в его вине. — Она обеспокоенно посмотрела на верного друга и помощника. — Я тоже в этом сомневаюсь. Что-то есть в нем такое, что никак не вяжется с остальными бандитами. Посмотри, как он вел себя с тех пор, как мы его отыскали. Он спас меня в Эль-Тражаре от Салли. А мог ведь решить, что это не его дело. И если бы он так решил, нас обоих уже не было бы в живых. Потом еще был один разговор ночью, когда он сказал, что находится в банде, потому что должен выполнить какую-то работу. А когда я спросила его, неужто он считает пребывание в банде работой, он ответил, что это сущий ад. — Коди отвела глаза в сторону. — Он отличается от этих людей. Хоть мы и знаем, что он был стрелком, в глубине души я уверена, что он не хладнокровный убийца.

— И все же ты собираешься его схватить?

Именно этот вопрос мучил ее уже много дней. Если она схватит его, то навсегда потеряет. Он, конечно же, ее возненавидит. Но его может найти какой-нибудь другой охотник за вознаграждением. И он не будет церемониться, просто пристрелит Люка, и все. Ради него самого ей придется выполнить договор.

— У меня нет выбора. Я дала Логану слово и доставлю ему Люка Мейджорса.

Глава 18

Коди уже заканчивала свое выступление, когда в салуне появились Люк и другие члены банды Эль Дьябло. Волнение, предвкушение, она сама не знала что еще, пронзили ее насквозь, когда он перешагнул порог. Он был усталый и грязный, но, увидев ее, так ослепительно улыбнулся, что сердце у Коди чуть не выпрыгнуло из груди. Закончив петь под восторженный рев собравшихся мужчин, она сразу направилась к Люку.

— Я скучала по тебе, — просто сказала она.

— У нас было одно неотложное дело, но теперь мы вернулись.

— Хочешь подняться наверх?

— Очень.

— Я могу устроить тебе горячую ванну.

— Мне нужна не только ванна, — пророкотал ей на ухо низкий тихий голос.

Улыбнувшись, Коди положила ему руку на грудь и медленно повела ее вниз. Ей вспомнилось, что так поступала с ковбоями Кэнди, девушка из салуна в Аризоне, где она работала под именем Далилы. Коди не забыла, как это дразнящее движение действовало на мужчин. Сработало оно и сейчас.

— Забирай свою бутылку. Мы отпразднуем твой приезд в моей комнате.

Люк схватил бутылку и пошел за ней. Все просто отлично. Армита ждала его, она не обиделась, что тогда он ушел, не простившись. Да, она действительно любит его. И он докажет ей, что тоже любит ее. Как же он по ней соскучился!

Коди было ненавистно то, что предстояло сделать, но другого пути не было. У нее в комнате был пузырек со снотворным, которым они с Крадущимся-в-Ночи пользовались, чтобы успокоить некоторых своих пленников. Когда она будет помогать Люку с купанием, то улучит момент и подольет хорошую дозу этого зелья в виски. Спустя несколько минут он вырубится, а тогда с помощью Крадущегося-в-Ночи вытащит его из салуна.

Им потребовалось совсем немного времени, чтобы затащить к ней в комнату круглую ванну и наполнить ее водой. Правда, она оказалась чуть тепленькой, но в данную минуту это значения не имело. Ему хотелось лишь поскорее смыть с себя грязь и завалиться в постель с Армитой.

Однако у Армиты, казалось, были иные планы. Люк заметил, что она наблюдала за тем, как он раздевается, и улыбнулся, глядя, как она прикрутила фитиль лампы, чтобы та давала лишь мягкое сияние. Он погрузился в ванну и приготовился намыливаться, но она его остановила.

— Люк, откинься. Расслабься, — проворковала Коди, подтаскивая поближе маленький столик и ставя на него стакан с виски так, чтобы он мог легко дотянуться.

С довольным вздохом Люк откинулся на край ванны. В ту прошлую ночь она открыла ему рай, сегодня он получит еще один глоток блаженства. Приятная мысль! Армита была женщиной страстной, умевшей угодить мужчине. Кольнула неприятная мысль, что ему опять придется ее покинуть, но он быстро заглушил ее. Это будет потом, еще не скоро. А пока у него целая ночь впереди.

— Потереть тебе спину? — мягко спросила она, становясь сзади.

— Можешь мыть и тереть, что хочешь, — откликнулся он, с озорной ухмылкой оглядываясь на нее через плечо.

— Давай-ка я этим займусь, а ты отдыхай. Выпей виски, — предложила она, кивая на стакан с подмешанным в него снотворным.

— Потом, — сказал он и наклонился вперед, чтобы ей было удобнее тереть ему спину. — Сейчас я хочу лишь наслаждаться водой и теплом. — Ему сегодня никоим образом нельзя было напиваться. Он должен сохранять ясную голову. Риск слишком велик.

На какой-то миг Коди запаниковала, однако отступать от намеченного плана не собиралась. По крайней мере ей уже удалось заманить его одного туда, где ей никто не помешает. Теперь все, что от него требуется, это выпить свое проклятое виски.

Раздраженная, она что было сил начала скрести ему спину. Мощные мышцы плеч и спины играли под ее руками при каждом его движении. Это было изумительное зрелище, от которого она не могла оторвать глаз, и Коди на миг позабыла обо всем.

— Отлично, — сказал Люк. — Только не останавливайся, три дальше.

— Что ты имеешь в виду?

Его рука вынырнула из-под воды и обвилась вокруг нее, притягивая поближе.

— У меня еще много мест, нуждающихся в твоем внимании.

Коди рассмеялась грудным смехом и, опустившись на колени, сполоснула мочалку в воде. Стараясь не заглядываться на более интимные части его тела, она сосредоточилась на том, чтобы посильнее взбить пену. Затем, не отрывая глаз от его груди, она дразнящими движениями стала мыть его, старательно избегая опускаться ниже уровня воды.

— Право же, тебе стоит немного выпить. Это поможет снять напряжение, которое я в тебе чувствую, — заметила она.

— Снять мое напряжение сможет только одно.

Она подняла глаза на Люка и замерла, пригвожденная к месту жарким взглядом. Полыхавшее желание заворожило ее, как удав кролика. Память о его поцелуях, его прикосновении, об упоительном блаженстве его ласк вспыхнула с необычайной силой и остротой.

Люк наклонился к ней и притянул гибкое девичье тело к себе. Его губы нашли ее рот и страстно завладели им, ясно показывая, что ванна больше его не интересует. Он поднялся из воды, поднимая ее вместе с собой, а затем подхватил на руки. Шагнув из ванны на пол, он направился прямиком к постели и опустил на мягкое ложе свою драгоценную ношу.

Хэдли с остальными бандитами сидел за столом в салуне. Он читал записку, которую ему только что доставил посланец, и с каждой строчкой все больше мрачнел. Когда наконец он поднял глаза, в них горела смертельная ярость.

— Можешь идти, — бросил он посыльному.

Человек исчез в мгновение ока. Он понял, что доставил очень плохие новости, и не хотел задерживаться здесь ни секундой дольше, чем это необходимо.

— В чем дело, Хэдли? — спросил Джонс.

— Кажется, у нас возникла одна неприятность, о которой надо немедленно позаботиться, — ответил тот, бросая записку на стол, чтобы все могли ее прочитать.

Салли схватил ее первым и пробежал глазами. Когда после этого он поднял голову и посмотрел на Хэдли, на губах его играла хищная ухмылка.

— Этот ублюдок мой.

— Кто твой? О чем речь? — Джонс выхватил у Салли записку, а тот вскочил на ноги и пинком отбросил стул.

— Я долго ждал этого дня и теперь собираюсь им насладиться.

— Я с тобой! — крикнул Джонс.

— Нет! — оборвал его Салли. — Я сам убью Мейджорса. Он давно на это напрашивался, и вот его час настал.

— Не хочешь ли взять кого-нибудь с собой, просто на всякий случай? — спросил Джонс.

Салли бросил на него такой зверский взгляд, что видавший виды бандит вздрогнул.

— Мне не нужна помощь... ни от тебя, ни от кого бы то ни было еще. Вы останетесь здесь, внизу, и позаботитесь, чтобы никто не пошел вслед за мной наверх. Возможно, это займет у меня некоторое время. Думаю, дельце будет интересным.

— Ладно, — поспешил согласиться Джонс. Ему вовсе не хотелось ссориться с Салли по этому поводу. Если тот рвался лично убить Мейджорса — на здоровье!

— Мейджорс мой! — с этими словами Салли поглядел на Хэла, стоявшего за стойкой бара. — Какая комната певицы?

— В дальнем конце коридора, — поторопился ответить Хэл, зная, что, если он хочет дожить до завтра, лучше не врать и не колебаться.

Салли бросился к лестнице.

— Салли! — окликнул его Хэдли.

— Что? — оглянулся тот, приостановившись на мгновение.

— Смотри, чтобы все было сделано как надо. Мне он нужен мертвым. Чтобы на этот раз никаких оплошек. — Хэдли слишком хорошо помнил откровения Карлоса. Теперь Мейджорс знал, что Эль Дьябло — женщина. Нельзя было допустить, чтобы он смог кому-нибудь это рассказать.

Салли кивнул и продолжал подниматься вверх по ступенькам.

Было уже поздно, и коридор второго этажа был совершенно безлюдным. Он, крадучись, дошел до конца и остановился, вытащив пистолет. Это будет для них сюрпризом... большим сюрпризом.

Коди понимала, что нельзя поддаваться Люку. Каждый поцелуй, каждая его ласка приближали бездумное забвение, и внутренний голос кричал, что она не должна допустить повторения прошлого свидания. Но даже твердо это зная, она ничего не могла с собой поделать, не могла отказать ему. Да, следовало как-то его отвлечь, заставить его пить или разговаривать, но с каждым захватывающим дух поцелуем она теряла самообладание все больше и больше. В ней разгорался жгучий голод, пожар в крови, погасить который мог только он. Она алчно жаждала его ласк... хотела, чтобы он продолжал и продолжал, не останавливаясь.

Люк перекатился на спину, не выпуская ее из рук, так что она оказалась на нем сверху. Коди получила наконец возможность хоть на миг вырваться из его объятий и не преминула этим воспользоваться. Она приникла к его губам страстным поцелуем и выскользнула из кольца его рук.

— Куда ты? — недовольно спросил он.

— Я решила, что, пока буду для тебя раздеваться, ты захочешь выпить, — проговорила она знойным голосом и направилась к столику за давно приготовленным стаканом виски.

Люк приподнялся на постели:

— Единственное, чего я хочу сейчас...

В эту минуту все и случилось. Запертая дверь распахнулась, косяк треснул от силы удара Салли, и бандит ворвался в комнату с пистолетом в руке.

— Наконец ты мой, сукин сын! — проревел Салли, целясь в Люка.

Люк отреагировал мгновенно, нырнув за постель. Он проклинал то, что оказался совершенно голым, а пистолет в другом конце комнаты.

Не растерялась Коди. Она действовала четко и хладнокровно. Выхватив из ящика комода спрятанный пистолет отца, она выстрелила и пуля попала Салли прямо в грудь. Его отбросило назад, и он рухнул около двери.

— Армита? — Люк был потрясен быстротой ее реакции и точностью стрельбы. — С тобой все в порядке?

— Все хорошо, — выдавила Коди сквозь стиснутые зубы. Она терпеть не могла убивать, но знала, что иногда это вопрос жизни и смерти. Не зря отец так старательно муштровал ее, чтобы она не терялась ни при каких обстоятельствах, а действовала быстро и решительно.

— Что с Салли?

— Мертв.

— Мне надо отсюда убираться, — сказал Люк, поднимаясь и торопливо набрасывая на себя одежду. — Они скоро придут вслед за ним.

— Я еду с тобой.

Люк на миг перестал натягивать сапоги и посмотрел на нее. Он не собирался брать ее с собой, но тут же сообразил, что именно она спустила курок, и бандиты, выяснив это, прикончат ее на месте.

— Ты можешь ехать верхом в этом платье?

— Узнаем, когда попробую, — нервно ответила она, стараясь взять себя в руки. — Помоги-ка мне.

Люк подошел к ней, и они вместе оттащили тело Салли от двери, затем подперли выбитую дверь полной воды ванной, чтобы задержать на какое-то время тех, кто придет проверять, выполнена ли работа.

— Теперь давай выбираться отсюда.

Люк надел и застегнул пояс с пистолетом, накинул рубашку и схватил шляпу. Он хотел покинуть банду, но не думал, что это произойдет вот так. Подойдя к окну, он открыл его настежь и вылез на крышу заднего крыльца, затем подал руку Армите.

Коди ненадолго задержалась, для того чтобы снять с себя многочисленные нижние юбки и надеть блузку. Схватив небольшую сумочку, она затолкала в нее отцовский пистолет, после чего, опершись на руку Люка, неуклюже выбралась в окно. Юбка ужасно сковывала ее движения. Когда она благополучно оказалась снаружи, они осторожно закрыли за собой окно и как можно тише перебрались на темную сторону здания. Там Люк спрыгнул вниз, легко приземлившись на ноги, а затем поймал ее.

— У тебя есть лошадь?

— В конюшне, — прошептала она.

Он кивнул:

— Не знаю, сколько у нас есть времени. Нам надо поторапливаться. Иди в конюшню. Я заберу своего коня и встречу тебя там.

Коди заспешила прочь. Стараясь держаться поближе к стенам домов, она почти бежала по улицам, искренне надеясь, что Крадущийся-в-Ночи наблюдал за ней и видел все, что произошло. Времени разыскивать его или оставлять ему какое-то сообщение у нее не было.

К тому моменту, когда Люк добрался до темной безлюдной конюшни, она уже успела вывести свою лошадь и седлала ее. Едва она вскочила верхом, они помчались прочь из города.

***

Остаток ночи для Коди и Люка прошел как в тумане. Они скакали, не щадя ни лошадей, ни себя. Ясная ночь позволяла им хорошо видеть дорогу и не сдерживать коней. Они останавливались только для того, чтобы дать передохнуть коням, а затем снова гнали их вперед, понимая, что, если хотят остаться в живых, должны до восхода солнца отъехать как можно дальше.

Почти перед рассветом Коди наконец спросила о том, куда они едут. Люк указал на восток. Юбка очень мешала ей ехать, надо было бы сменить ее на более практичную одежду.

— Если тебя разыскивают рейнджеры, не лучше ли пробираться вглубь Мексики, а не на восток? Куда мы едем?

— В Дель-Фуэго. Это для нас единственное безопасное место. У меня там друг.

Коди поверить не могла своей удаче. Лучше трудно было и придумать. Люк шел, вернее ехал, прямо ей в руки. Ей останется лишь схватить его, когда они почти доберутся до города.

— А твой друг сможет спасти тебя не только от банды, но и от закона?

Люк ничего не ответил, лицо его было мрачным. Он продолжал гнать коня. Ему было необходимо поскорее добраться до Джека.

***

Обнаружив, что Салли убит, а Люк и певица исчезли, Хэдли и остальные члены банды были потрясены.

— В погоню! — заорал Джонс, мечтая разделаться с Мейджорсом за предательство.

— Быстрее! — Хэдли был в ярости не только оттого, что Мейджорс сумел сбежать, но и потому, что Салли дал себя так глупо убить, несмотря на предупреждение Эль Дьябло, что Мейджорс очень опасен.

Хэдли с бандой помчались за беглецами, но темнота задержала их. Днем они могли бы по следам понять, куда направились Мейджорс с певичкой, но во мраке сделать это было невозможно. Так что через несколько часов пришлось бросить преследование. Дела обстояли так, что нельзя было банде сейчас себя обнаруживать. Их разыскивали рейнджеры и армия, и чем глубже заберутся они на территорию Техаса, тем больше вероятности, что их поймают.

Натянув поводья, Хэдли собрал людей вокруг себя. Он был рад тому, что Мейджорса раскрыли до того, как тот успел узнать их дальнейшие планы, но все равно хотел видеть этого ублюдка мертвым.

— Почему мы остановились? — спросил Джонс, готовый продолжать поиски.

— Я хочу, чтобы вы с Карсоном отправились в каньон. Расскажите там всем, что случилось, и велите следить как следует. Остальные езжайте в Рио-Нуэво и ждите.

— А куда ты собрался?

— Я должен сообщить Эль Дьябло о том, что произошло. Оставайтесь в Рио-Нуэво, пока не получите от меня известий.

Джек сидел в кабинете генерала Ларсона — командира форта, откуда была отправлена та самая партия ружей. При ограблении погибли люди Ларсона, и теперь он требовал, чтобы сделавшие это бандиты были пойманы.

— Мне кажется, что тут не все так просто, — выслушав требование, сказал Джек. — Я убежден, что у Эль Дьябло есть среди нас какой-то информатор, которому известно все, что здесь происходит, или он сам близко знаком с кем-то.

— Да, их нападение было идеально спланировано, — мрачно согласился Ларсон, — наши люди были застигнуты врасплох.

— Поэтому мне нужны имена всех, кто знал заранее о готовящейся отправке оружия.

Генерал быстро перечислил имена служащих форта, знавших дату отправки.

— А в городе? Вы с кем-нибудь говорили об этом?

Генерал замолчал, пытаясь припомнить все свои разговоры с гражданскими лицами.

— Я упоминал об этом нескольким ближайшим моим городским друзьям, но это было за много дней до отправки.

— Кому именно? — Джек приготовился записывать их имена.

Лицо Ларсона помрачнело.

— Я рассказал об этом Сэму Грегори и Джонатану Харрису, когда обедал с ними. И возможно, упомянул о том же Фреду Халлоуэю.

Джек кивнул и записал всех перечисленных.

— Спасибо. Может, вы припомните еще кого-то, кто мог подслушать ваши разговоры или имел доступ к сведениям об оружии?

Ларсон покачал головой:

— Кроме моей жены, никто.

Джек встал, пожал генералу руку и поблагодарил за помощь.

Покидая форт, он был погружен в тревожные размышления. Джек не сомневался, что Эль Дьябло имеет доступ к секретной информации. Беседа с Ларсоном оказалась очень полезной. По крайней мере теперь он узнал, кому было заранее известно об отправке партии ружей. Пока ему было неясно, есть ли какая-то связь между ограблением и названными ему именами, но это только начало. Бандиты всегда знали, когда нападать и где устраивать засаду. Предположение Элизабет, что им просто везет, его не убеждало. Надо также проверить и остальные ограбления, проследить всех, кто имел доступ к сведениям. Он был уверен, что это выведет его на прямую связь с бандой, а может, даже на самого Эль Дьябло.

Глава 19

Почти стемнело. Коди чуть не падала от усталости. Нечасто признавалась она себе, что силы ее на исходе, но сейчас дошла до предела. Скачка оказалась бы тяжелой, даже если б она была одета в удобную одежду, но в кокетливом платье Армиты стала сущей пыткой. Она слезла с лошади и со стоном опустилась на землю.

Люк услышал этот жалобный звук и обернулся. Они расположились в уединенном местечке, чтобы прийти в себя и дать отдохнуть лошадям.

— Как ты? — сочувственно спросил он.

Армита оказалась необыкновенной женщиной. Немногие мужчины смогли бы выдержать темп их скачки на протяжении последних двадцати четырех часов, не говоря уже о женщине.

— Ужасно, — устало отозвалась Коди. Испанский акцент принадлежал Армите, но чувства были ее собственными. За прошедшие сутки столько всего случилось и так быстро. Она надеялась, что Крадущийся-в-Ночи видел, как они убегали, но проверить, следует ли он за ними, не могла.

Люк оставил своего коня и, подойдя к ней, опустился рядом на колени. Не в силах сдержаться, он нежно дотронулся до ее щеки:

— Армита, ты просто чудо. Ты спасла мне жизнь.

Коди попыталась улыбнуться, но губы не желали складываться в улыбку.

— Что-то не так?

Она прерывисто вздохнула. Губы задрожали, и Люк понял, что она сейчас заплачет.

— Мне никогда раньше не приходилось убивать.

Люк прочел в ее глазах страдание и обнял ее, пытаясь защитить от того ужаса и боли, что свалились на нее.

— Да, это ужасно — убить человека. К этому никогда не привыкнуть, даже если пришлось убить ради спасения собственной жизни. Это навсегда меняет тебя.

— Ты говоришь по собственному опыту? — спросила она, почувствовав боль в его голосе.

— Я убивал людей, но это всегда было связано с выживанием: либо я, либо они. И я не испытывал при этом ни гордости, ни радости. Мне очень жаль, что ты оказалась замешанной в мою ссору с Салли. Не знаю, из-за чего он взъелся сейчас, но о его смерти не жалею. Если бы я не увлекся изумительной женщиной, с которой собирался заняться любовью, он не застал бы меня врасплох.

— Значит, такой и будет всегда твоя жизнь? — спросила она, поднимая на него сверкающие глаза. — Неужели ты вечно будешь жить в страхе, не зная, кто может в любую минуту явиться за тобой?

— Так длится уже более десяти лет.

— Как ты это выдерживаешь? Неужели у тебя никогда не возникало желания зажить тихой, спокойной жизнью?

Он поглядел на нее:

— Опасно мечтать о том, что никогда не сможешь получить.

— Ты мог бы уйти из банды и осесть где-нибудь, — с надеждой проговорила она, понимая, сколько же в нем хорошего. И почему только он связался с этой бандой?!

— Но тогда я не встретился бы с тобой, — ответил он, стремясь обратить это в шутку. Ему не хотелось сейчас думать о «Троице». Только не сейчас. — Если бы не ты, я бы уже был мертв. — Он немного отклонил ее от себя и приподнял ей подбородок, чтобы заглянуть в глаза. — Спасибо.

Она подставила ему трепещущие губы и прошептала, согрев теплым дыханием его рот:

— Я счастлива, что спасла тебя.

Люк прижал ее к себе и не отпустил, когда поцелуй закончился. Некоторое время они сидели, прильнув друг к другу, но затем поднялись и стали разбивать лагерь. Сегодня ночью им придется обойтись без огня, и стрелять тоже нельзя, так что придется обойтись без еды. Они не знали, насколько им удалось оторваться от погони и вообще гонятся ли бандиты за ними. Но Люк не хотел рисковать и давать им шанс обнаружить их.

Умывшись из маленького родника, они разделили сухари, оставшиеся в его седельной сумке после поездки в Мексику. Затем расстелили одеяла. С первыми лучами следовало продолжить путь, так что надо было хорошенько выспаться.

Коди наблюдала, как Люк раскатывает свое походное одеяло. Почувствовав на себе ее взгляд, он поднял голову и посмотрел на нее.

— Ты ложишься? Я уже засыпаю, — сказал он. — Но одеяло только одно, так что нам придется разделить его.

У нее не возникло и мысли отказаться. Она подошла к нему и опустилась в его объятия.

— В моей жизни бывали моменты, когда я готов был отдать все на свете, чтобы оказаться где-нибудь в глуши под звездами наедине с красивой женщиной... И вот это сбылось, — произнес он и, приподнявшись на локте, посмотрел ей в глаза. — Наверное, в каждой ситуации, какой бы плохой она ни оказалась, есть свои хорошие стороны.

Он привлек ее к себе и поцеловал. Сначала нежно и бережно, а когда она откликнулась, с нарастающим пылом. Он углубил поцелуй и теснее прижал к себе, чтобы она ощутила, как он ее хочет.

Коди гибко и податливо льнула к нему. Все мысли об усталости и необходимости отдыха растаяли как дым под его упоительным натиском. Самозабвенно отвечая поцелуем на поцелуй, она обвила его шею руками и крепко прижалась к его груди, внезапно осознав, как близок к смерти был он накануне. Сознание этого подлило масла в огонь ее страсти. Она ведь чуть его не потеряла!..

Если бы Коди была сейчас в состоянии рассуждать, она подивилась бы ужасу, охватившему ее при этой мысли. Но когда Люк начал ее ласкать, всякая способность рассуждать улетучилась из ее головы неизвестно куда. Остались только Люк и жаркая техасская ночь.

Они были нужны друг другу, они хотели друг друга и потому сошлись здесь и сейчас. Этой ночью между ними не было места лжи. В пламени страсти сплелись просто мужчина и женщина, стремившиеся дать друг другу высшее наслаждение любви.

Когда наконец Люк овладел ею, глубоко погрузившись в жар ее тела, они были едины в этом порыве. Они двигались вместе, делили блаженство своего слияния, отдавались и брали в извечном ритме любви. Упоительная красота их любовного соития взорвалась ослепительным фейерверком, и они, крепко обнявшись, вкушали это мгновение радостного покоя среди терзаний их повседневной жизни.

Коди долго не могла заснуть. В мыслях был полный сумбур. Она сама по доброй воле отдалась Люку. Ей хотелось заниматься с ним любовью. На этот раз никакая выпивка этому не способствовала, и она не пыталась соблазнить его, чтобы усыпить и связать. Она его хотела.

Стыд заполонил все ее существо. Люк Мейджорс был разыскиваемый преступник. Как она может?!

Но сейчас даже больше, чем раньше, она была уверена, что Люк не делал того, в чем его обвиняют. Он признался ей, что убивал, но лишь в порядке самозащиты. Он не был убийцей.

Коди в сотый раз напомнила себе, что она должна это сделать. Она не предает, а спасает Люка. Если она сейчас отступится, его найдет кто-нибудь другой. И спокойно убьет. Нет, ей надо самой благополучно доставить его к рейнджеру Логану и проследить, чтобы его невиновность была доказана.

Решив это, Коди закрыла глаза и воззвала к Богу в безмолвной молитве, умоляя о небесной помощи. Она очень боялась, что безоглядно влюбилась в Люка Мейджорса.

Они поднялись перед рассветом, и первые лучи солнца застали их уже в пути. Необходимость поскорее добраться до Дель-Фуэго заглушала муки голода и помогала забыть об усталости.

— У нас на пути маленький городок, в котором мы сможем остановиться. Если мы будем и дальше ехать с той же скоростью, то доберемся туда к завтрашнему утру.

— Отлично. Может, я смогу раздобыть там другую одежду.

Люк улыбнулся ей:

— А чем тебе не нравится та, что на тебе сейчас?

— Она хороша для танцев, но вряд ли предназначалась для поездки верхом через весь Техас, — фыркнула Коди. — Хорошо мужчинам: у них брюки. Я была бы самой счастливой на свете, если б могла сейчас одеться в мужскую одежду.

Лицо Люка на миг смягчилось при воспоминании о сестре Мэри. Он не забыл тот вечер в хижине, когда на ней были мальчишеские штаны и свободная рубашка.

— Я знал еще одну женщину, которой нравилось носить брюки.

— Она, наверное, была очень храброй, если осмелилась на такое.

— Она была, — он помолчал, — очень храброй.

Они продолжали свой путь. Дорога была долгой и утомительной. Сегодня Люк чувствовал некоторое облегчение, так как не видел никаких признаков того, что их кто-то преследует, но он не снижал бдительности. Они ехали быстрой рысью, останавливаясь только, чтобы дать передышку коням. С приближением вечера они нашли для ночлега укромное местечко около небольшого озерка. Снова, как и в прошлую ночь, они не разожгли огня и не стали охотиться, чтобы раздобыть еду. Горячую пищу они получат завтра, когда приедут в город.

Коди помогала Люку заботиться о лошадях и засмотрелась на воду. Коди была потная, грязная, и при виде озерка ей страшно захотелось искупаться.

— Хочешь умыться? — спросил Люк.

— Вообще-то я бы хотела выкупаться. Как ты думаешь?

— Давай, — с улыбкой кивнул он, представляя себе, сколько удовольствия получит от этого зрелища, но тут же сообразил, что ему придется стоять на страже. — Купайся, а я покараулю.

Коди не смогла сдержаться и от полноты чувств бросилась к нему и поцеловала в щеку.

— Грациас! Спасибо!

— Только не слишком долго.

— Нет, нет. Обещаю.

Люк сел так, чтобы видеть и тех, кто появится на дороге. Хоть с момента отъезда из Рио-Нуэво им не встретилось ни души, это не означало, что в округе нет людей. Нельзя было полагаться, что здесь никто не появится. Люк взглянул на девушку и сразу отвернулся. Ему лучше смотреть на дорогу...

Коди присела на камень и стала раздеваться. Бросив быстрый взгляд на Люка, она обнаружила, что голова его повернута в другую сторону, и улыбнулась. Все-таки Люк — истинный джентльмен.

Стянув с ног сапожки, она отшвырнула их прочь и содрала с себя чулки. Затем оперлась рукой о камень, собираясь подняться, чтобы снять платье, и в ту же минуту услышала жуткий звук... трещотку гремучей змеи. Коди замерла. Если гремучка ее укусит, то все... Осторожно взглянув в направлении звука, она увидела огромную змею, готовую к нападению.

— Люк... — прошептала Коди, стараясь не шевелиться.

Он повернул голову, хмурясь, не понимая, почему голос ее звучит так странно, и увидел змею. Кровь отхлынула у него от лица, мысли понеслись в бешеном хороводе. Что делать? Укус гадины такого размера убьет Армиту.

— Не двигайся! Совсем!

Она не ответила, но полные ужаса глаза глядели на Люка все время, пока он, выхватив пистолет, осторожно шел к ней, направив оружие на змею. Ему нужно было попасть в змею с первого выстрела и не задеть Армиту. Он не хотел рисковать.

— Только не двигайся.

Люк тщательно прицелился и выстрелил. Один раз. Коди с криком отпрянула, когда осколки камня полетели в нее. Но даже в этом крике слышалось огромное облегчение. Гремучая змея была мертва. Метким выстрелом Люк отстрелил ей голову.

— О Люк, спасибо! — Она подбежала и кинулась ему на шею.

— С тобой все в порядке? — Он крепко обнял ее и поцеловал. Он так испугался за нее! И теперь был счастлив, что его искусство стрелка спасло жизнь, а не отняло навсегда.

— Со мной все хорошо. — Ее трясло, потому что лишь сейчас до Коди по-настоящему дошло, как могло повернуться дело, если бы не Люк. — Ты был великолепен.

Он смотрел на нее сверху вниз и ласково улыбался.

— Я никогда не дам тебя в обиду.

Они поцеловались нежно, трепетно... Потом она выскользнула из его рук и отправилась купаться, а Люк вернулся на свое сторожевое место. Звук выстрела далеко разносится по окрестностям, он мог привлечь к ним нежелательное внимание. Люк приготовился бдительно наблюдать.

Злой как черт Гэри Рид прочесывал местность к югу от Дель-Фуэго. Он нечасто совершал ошибки и никак не мог успокоиться после оплошности, допущенной с Кинселом.

Уехав из Дель-Фуэго, он начал систематически проверять все городки, лежащие к югу и к западу от него. Мейджорс должен быть где-то здесь: если расчет Рида верен, и этот проклятый стрелок, и эта паршивая банда должны держаться неподалеку от границы, чтобы обезопасить себя на случай неудачи. Он задержался в маленьком городишке Мэйсон-Уэллс и поспрашивал жителей, но они никаких бандитов не видели и были этому очень рады.

Отдохнув ночь в городе, Рид снова пустился в дорогу. Настойчивости и цепкости у него хватало. Ему нужна была объявленная награда. Он собирался найти Люка Мейджорса, и ему уже было совершенно наплевать, притащит он его к шерифу живым или мертвым.

Он направился сначала на юг, затем широким кругом повернул на север, действуя терпеливо и методично, однако без всякого успеха. Теперь Рид снова поехал к югу, шестое чувство подсказывало ему, что здесь его ждет удача.

Внезапно до него донесся звук выстрела. Он придержал коня, выжидая, не последует ли за ним второй, но больше выстрелов не было. Стояла мертвая тишина. Дернув поводья, он послал свою лошадь в сторону выстрела. Там впереди что-то происходило. Однако приближались сумерки, и ему надо было найти стрелявшего до заката. Иначе, если только не разведут костер, ему придется ждать до рассвета.

Коди сбросила с себя всю одежду и бросилась в воду. Конечно, это была не самая чистая ванна в ее жизни, но она смыла грязь и дала прохладу. Погрузившись в озеро до подбородка, она стала, что называется, отмокать. Она знала, что в холодной воде выдержит не более нескольких минут, но так приятно было наконец остыть и помыться, что она согласна была и потерпеть.

Люк ничего не мог с собой поделать. Он старался быть джентльменом, но, услышав легкий плеск, когда она бросилась в воду, не мог не обернуться. До того как она успела нырнуть, он успел мельком увидеть соблазнительные крутые изгибы ее фигуры и длинные стройные ноги и улыбнулся, вспоминая, с каким наслаждением ласкал это шелковистое упругое тело. Сегодня ночью ему придется обойтись без нее. Слишком многое было поставлено на карту.

Гэри Рид гордился своей способностью выслеживать людей. Он осторожно продвигался вперед в направлении выстрела, понимая, что кто-то находится близко... очень близко. Тихое ржание донеслось до него откуда-то рядом. Спешившись, он взял ружье на изготовку и, оставив коня, стал пробираться дальше пешком.

Он услышал плеск воды и попытался сообразить, что происходит на озерке, обычно служившем водопоем. Ползком перебираясь от камня к камню, он пригибался, стараясь слиться с тенями надвигающихся сумерек. Так он подобрался к дальнему берегу водоема и сразу заметил прекрасную купальщицу. Рид лег на землю и стал внимательно оглядывать местность в поисках ее спутников, которые, он не сомневался, находились неподалеку.

Если бы он был человеком менее целеустремленным, то забыл бы о своей задаче при виде этой прелестной картины. Но у него в голове гвоздем сидело лишь одно — награда за Мейджорса. Он хотел получить свои пятьсот долларов вознаграждения. И только! Когда у него будут деньги, он купит себе всех женщин, каких ему вздумается. Теперь же ему нужен Мейджорс, и только Мейджорс!

Он подвинулся еще ближе, стараясь рассмотреть, кто с ней. Впрочем, женщина избавила его от этих хлопот, крикнув:

— Люк, не кинешь ли мне платье?

Люк, быстро оглядев напоследок окрестности, спустился вниз и направился к брошенному ею на берегу запыленному платью. Он нагнулся, чтобы подобрать его...

— Замри на месте, Мейджорс! — прогремел голос Рида, вспоров тихий покой вечера. Он чуть не завопил от радости, услышав, что девушка назвала своего спутника Люком. На этот раз он поймал настоящего преступника!

Коди вскрикнула, Люк круто обернулся на голос. В одной руке у него был пистолет, в другой — платье.

— Даже не думай об этом, стрелок, — сказал Рид. — Мое ружье нацелено на тебя. Если двинешься, ты — покойник. В объявлении о награде говорится: «доставить живым или мертвым», — так что мне не составит труда прикончить тебя на месте и отвезти шерифу твой труп.

— Люк?! — Коди была в ярости: она сидела голая в воде, а пистолет ее был черт знает где! Теперь она по-настоящему прочувствовала, какой ужас должен был испытать Люк, когда Салли ворвался к ним в комнату. Однако нынешняя ситуация была гораздо опаснее.

— Кто вы такой?

— Я — человек, который только что сгреб тебя за задницу, — ухмыльнулся Рид. — А теперь тихонько отбрось свой пистолетик в сторону. И без фокусов. Не то я за себя не отвечаю.

— Что вы собираетесь с ним делать? — завопила Коди, разыгрывая дурочку.

— Этот человек — разыскиваемый преступник, сеньорита. Я беру его под арест за убийство.

— Но он не делал ничего подобного!

— Мне все равно. За него обещана награда, и я ее заработаю. А теперь заткнитесь. Оставайтесь там, где находитесь, и не двигайтесь. Если будете делать все, как я вам говорю, с вами ничего не случится.

Люк попробовал бы выстрелить в охотника за наградой, но это было невозможно. Он оказался в ловушке, к тому же Армита находилась между ними. Риск был слишком велик. Он осторожно нагнулся и положил пистолет на землю.

— Рад видеть, что ты не дурак, Мейджорс. Теперь оттолкни его ногой подальше от себя и от женщины.

Люк сделал, как было велено, мысленно проклиная себя за беспечность. Их, конечно, выдал тот выстрел в змею. Но ведь ничего другого ему не оставалось. Не мог же он дать Армите умереть.

— А теперь повернись кругом и подними руки вверх.

Люк сделал так, как ему приказывали, и Рид наконец вышел из укрытия. Быстро приблизившись к стрелку, он ловко завел его руки за спину и сковал наручниками.

— Что ты собираешься делать с женщиной? — спросил Люк.

— Эй, сеньорита, — крикнул Рид Коди, все еще сидевшей по горло в воде. — Не вылезайте оттуда. Я оставлю вам что-нибудь, чтобы прикрыться, а остальную одежду брошу дальше на дороге, где-нибудь через милю. И вашего коня тоже. Подберете их потом. Вы мне не нужны. Только Мейджорс.

— Вы собираетесь бросить меня прямо вот так?

Она рассвирепела. Как же ей помочь Люку? Она оказалась совершенно бесполезной и проклинала себя за дурацкое желание так не вовремя выкупаться. В бессильной ярости Коди наблюдала, как охотник за преступниками собрал в охапку большую часть ее одежды и подтолкнул Люка к лошадям.

Люк не собирался вот так легко сдаваться. Охотник считает, что уже схватил его, и теперь, наверное, расслабился. Может, что и получится. Он знал, что Армита прекрасно владеет оружием, и, если бы ему удалось каким-то образом отвлечь внимание охотника, чтобы дать ей шанс добраться либо до ее, либо до его пистолета... Возможно, тогда им удалось бы от него избавиться. На пути к месту, где были привязаны лошади, был один каменистый участок. Когда они до него доберутся, Люк решил что-нибудь предпринять. По крайней мере там, на неровной земле, можно попробовать дать ему подножку, и возможно, падая, тот выпустит из рук пистолет. А уж тогда...

Рид дураком не был. Он видел, что Мейджорс подчинился слишком уж легко. Так что, когда Люк атаковал, был наготове. Мейджорс резко пнул его в ногу, и Рид, чтобы не упасть, отпрыгнул назад.

Люк решил, что он падает, пригнулся пониже и рванулся вперед. Рид рассвирепел. Не тратя времени на крик, он выстрелил дважды в своего пленника и с удовлетворением увидел, что Мейджорс упал и остался недвижим.

При виде падающего Люка Коди отчаянно закричала.

— Заткнитесь, сеньорита, или будете следующей.

Коди с ужасом смотрела, как охотник за преступниками потащил тело Люка к лошадям. В наступившей к тому времени темноте она не могла толком разглядеть, куда его ранили и вообще жив он или мертв. У нее разрывалось сердце, по щекам катились слезы, но она не двинулась с места. Если Люк еще жив, а она попытается кинуться к нему, этот охотник просто ее пристрелит. Раньше она не совсем поверила его угрозам, но теперь уже не сомневалась.

Люк не издал ни звука, когда Рид взнуздал его коня, а затем, бесцеремонно взвалив его поперек, крепко привязал к седлу.

— Мы уезжаем, сеньорита, — проговорил Рид. — Утром вы сможете найти ваши вещи. До тех пор оставайтесь здесь. Неизвестно, что может случиться с одинокой раздетой женщиной в такой глуши.

Коди хотела было заметить «и с мужчиной тоже», но придержала язык. Придет время, она еще встретится с этим охотником, и тогда он нескоро забудет имя Коди Джеймсон.

В тишине ночи Коди долго прислушивалась к отдаляющемуся топоту копыт. Если он думает, что она будет сидеть во мраке и ждать утра, он жестоко ошибается. Она не какая-то там глупенькая певичка из салуна. Она — Коди Джеймсон.

Чтобы вернуть Люка Мейджорса, она пойдет по следу этого человека в самое пекло и обратно. Люк принадлежит ей... и никто не смеет его отнять!

Глава 20

С яростной целеустремленностью, одетая только в корсет, чулки и сапожки на высоком каблуке, Коди отправилась в ту сторону, куда охотник за вознаграждением повез Люка. Ей было необходимо добраться до них поскорее, убедиться, что Люк еще жив.

Ее раздирали гнев, страх и чувство вины. Коди понимала, что, если бы он не выстрелил в змею, их бы не нашли. Однако теперь некогда предаваться раскаянию. Она должна рассуждать четко и ясно. Если она собирается спасти Люка от другого охотника, надо что-то делать, и быстро. Беда в том, что пока она полуодетая, без лошади, ни о какой быстроте не может быть и речи.

Она шагала и шагала, сосредоточившись лишь на том, что ей надо вернуть одежду и коня. Тонкий серпик луны почти не освещал дорогу, но она шла и шла. Ничто ее не остановит! Она должна нагнать их.

Позади раздался топот копыт, и Коди запаниковала. Отчаянно оглядываясь по сторонам, она пыталась найти хоть что-нибудь, за что можно спрятаться. Всадник остановил лошадь.

— Коди!

— Крадущийся-в-Ночи! Я здесь!

Возникнув у нее за спиной из ночного мрака, он казался воплощением свирепого индейца-воина. С суровым видом он смотрел на нее с высоты своего коня.

— Я слышал ружейные выстрелы.

— Явился другой охотник за вознаграждением. Он стрелял в Люка!

— Убил?

— Не знаю. Мне надо поскорее их найти!

Крадущийся-в-Ночи протянул руку себе за спину и, высвободив привязанный там сверток, бросил ей.

— Оденься, потом поедем за ними.

Она подхватила привезенную одежду и быстро оделась. Это заняло всего лишь несколько минут. С наслаждением Коди облачилась снова в привычную юбку для верховой езды с разрезом, удобную блузку и сапожки.

— Вот твоя шляпа, — произнес Крадущийся-в-Ночи, протягивая ей головной убор.

Затем он наклонился и, дав ей ухватиться за свою руку, одним движением поднял и усадил на лошадь позади себя.

— Этот человек сказал, что оставит остальную мою одежду и коня где-то в миле отсюда.

Индеец молча кивнул в ответ.

— К северу отсюда находится Мэйсон-Уэллс. Это на пути в Дель-Фуэго. Если Люк еще жив, охотник, вероятнее всего, направится с ним туда, — продолжала Коди.

— Проверим.

Крадущийся-в-Ночи ехал шагом, прислушиваясь к ночным звукам. Меньше чем через полчаса они наткнулись на ее одежду. Коди спрыгнула с лошади и, подбежав к ней, быстро проверила все. Заглянув в сумку, она огорченно ахнула:

— О нет!

— Что такое?

— Он забрал отцовский пистолет.

— Едем в тот городок. Они наверняка там.

Медленно продвигаясь в темноте, они осторожно подъехали к оказавшемуся у них на пути заброшенному ранчо. Предположив, что охотник за преступниками мог расположиться в нем на ночлег, они спешились и, тихо подобравшись, проверили его. Крадущийся-в-Ночи держал на всякий случай наготове ружье, но никаких следов недавнего присутствия кого бы то ни было там не обнаружилось. Их встретили безмолвные развалины и поломанный фургон. Они снова пустились в путь.

Примерно через час добрались они до окраины Мэйсон-Уэллса. Ночной город был тих и безлюден. Даже салун уже закрылся. Медленно объезжая улицы в поисках хоть каких-то следов Люка, Коди вдруг с волнением и облегчением заметила около маленького домика в конце квартала привязанных к коновязи лошадей Люка и охотника. Небольшая вывеска над дверью гласила: «Зубной врач»; в передней комнате горел свет.

— Он жив! Должен быть жив, иначе охотник не поехал бы к врачу! — выдохнула Коди, обращаясь к Крадущемуся-в-Ночи. Тот пристально всматривался в освещенное окно. — Я подкрадусь и попытаюсь послушать у окна.

— Нет. Ты останешься здесь. Пойду я. — С этими словами он спешился и, передав ей поводья, скрылся в темноте.

— Будь осторожен.

Коди отъехала подальше и стала ждать возвращения индейца. Каждая минута длилась бесконечно, ей казалось, что она уже много часов сидит и ждет во мраке ночи хоть каких-то известий. Что с Люком? Он умирает? Серьезно ранен? Воображение рисовало ей картины одна страшнее другой, но она отгоняла эти мысли, пытаясь придумать какой-то план спасения.

Из своего укрытия она разглядывала Мэйсон-Уэллс. Городок выглядел не слишком процветающим. В нем был всего один салун, один универсальный магазин и маленькая гостиница. Почти все здания были одноэтажными.

Наконец Коди решила, что не все уж так и плохо. Она нашла охотника, а он об этом даже и не догадывается. Наверняка он совершенно не рассчитывает снова встретиться с ней. Что ж, когда она узнает, что с Люком, его ждет большой сюрприз. Стараясь по возможности оставаться спокойной, она продолжала ждать.

Рид стоял посреди комнаты и напряженно наблюдал за человеком, занимавшимся Мейджорсом. Пусть он не был настоящим врачом, но никого более близкого к этому роду занятий он в Мэйсон-Уэллсе найти не смог.

— Сколько это займет времени? — нетерпеливо спросил он.

— Не знаю, — ответил Абнер Фокс, продолжая осматривать плечо Люка в поисках пули. — Я никак не могу ее ухватить.

Люк вполголоса выругался: рука у Абнера была тяжелая, и действовал он крайне неуклюже.

— Эй, мистер, полегче. Сиди тихо и не дергайся. Если бы ты не убегал от закона, не попал бы в такую передрягу. — У Абнера люди вроде Мейджорса жалости не вызывали. Он стал ковырять глубже, даже не стараясь быть аккуратнее.

Люк стиснул зубы, но больше не проронил ни звука. Он не даст этому садисту повода для удовольствия, показав, какую зверскую боль тот ему причиняет.

— Вот она! Достал! — с величайшей гордостью Фокс извлек пулю и уронил в миску, стоявшую на столике. — А теперь давайте-ка я осмотрю его голову.

Он склонился над Люком, разглядывая кровавую царапину на виске. Прикосновение его было грубым.

— Ты, парень, везучий. Если б Рид умел стрелять получше, ты бы уже был покойником.

Абнеру казалось, что он необычайно остроумен, и он закудахтал было над своей шуткой, но вдруг случайно встретился взглядом с Люком. От ледяной злости, сверкавшей в синих глазах, его пробрал озноб, и он чуть не попятился, лишь бы оказаться подальше от раненого. Теперь он понял, почему этого человека разыскивает закон. Никогда раньше не видел он такого безжалостного взгляда.

— Голова у него будет в порядке, это просто царапина. Плечо я ему перевяжу, и утром вы сможете отправляться в путь.

— А сегодня он ехать не может? — Риду хотелось поскорее уехать отсюда.

Абнер пожал плечами:

— Можете попытаться, но он потерял много крови и, если потеряет сознание во время пути, задержит вас еще больше.

Настроение у Рида совсем испортилось. Лучше бы ему было совсем пристрелить Мейджорса. Тогда бы этот преступник не доставил ему таких хлопот.

— Ладно.

— Я подержу его здесь, а вы можете взять себе номер гостинице.

— Нет уж, я его не оставлю ни на минуту. Слишком много сил положил я на его поимку. Теперь я с него глаз не спущу.

— Как хотите. — Пожав плечами, Фокс закончил обрабатывать плечо Люка и туго его перевязал. — Утром я еще разок посмотрю рану.

— Хорошо.

— Плата — десять долларов. — Он вытер руки и выжидательно поглядел на Рида.

Рид сразу расплатился.

— Спокойной ночи, мистер Рид.

Рид порадовался, что он наконец убрался.

— Ну, Мейджорс, тебе лучше сегодня отдохнуть как следует, потому что завтра мы помчимся в Дель-Фуэго как ветер. — С этими словами охотник за вознаграждением, не выпуская из рук пистолета, устроился в кресле перед дверью. — Не пытайся что-нибудь выкинуть. Мне не хочется тебя убивать, особенно теперь, когда я истратил на тебя десять долларов, но сделаю это, не задумываясь, если опять попытаешься сбежать. Понял?

Люк взглянул на охотника за вознаграждением:

— Да.

Закрыв глаза, Люк попытался собраться с мыслями. Голова гудела. Он понимал, что ему действительно повезло. Еще на четверть дюйма в сторону — и он валялся бы мертвым. Но это как-то не утешало. Он подумывал о побеге, но едва шевельнул плечом, как мучительная боль пронзила его насквозь. Больших доказательств бессилия ему не потребовалось. Он так ослабел, что не сумел бы с кровати встать.

Да и Рид был умелым ловцом преступников, он следил за Люком, как ястреб. Что ж, до Дель-Фуэго еще три дня пути. Надо будет выждать удобный момент, может, возможность побега еще представится. Теперь же ему надо отдыхать и набираться сил. Он очень надеялся, что Джек все еще ждет его в Дель-Фуэго.

***

Коди чуть не сошла с ума от ожидания. Наконец Крадущийся-в-Ночи возник рядом с ней.

— Как он? — кинулась она к индейцу, безуспешно пытаясь прочесть что-нибудь по его лицу.

— Твой мужчина жив.

Она громко вздохнула и на мгновение закрыла глаза.

— Давай немножко отъедем от города и поговорим. Мне надо многое тебе рассказать.

— Но разве нам не надо их сторожить?

— Нет. Они не двинутся до утра.

Снова сев на лошадей, они потихоньку выехали из города и, найдя пустынное местечко, где их нельзя было подслушать, остановились обсудить ситуацию.

— Что там происходило? Что ты подслушал?

— У Мейджорса две раны. Одна — в правом плече, другая — царапина: задело голову. — Крадущийся-в-Ночи показал на висок. — Человек в доме вынул пулю.

— Значит, с Люком все будет в порядке?

— Так сказал тот человек. Охотник за наградой Гэри Рид.

Глаза у Коди блеснули.

— Я слышала о нем. Говорят, он парень суровый и сноровистый.

— Сейчас он сторожит Мейджорса. Они выедут на рассвете.

— Итак, у нас есть лишь несколько часов, чтобы придумать, что делать. — Коди стала ходить взад и вперед. — Мне позарез надо вернуть его, Крадущийся-в-Ночи.

Он молчал, как всегда, когда она размышляла.

— Нам надо придумать такое обличье, чтобы подействовало на Рида. — Она перестала метаться и поглядела на старого индейца. — Тут кругом пустыня. Я могу переодеться мальчиком, и мы можем устроить засаду, но это слишком опасно. Я больше не хочу убивать. В последние дни этого и так хватало.

— Что может вынудить Рида остановиться?

— Если вновь переодеться Далилой или Армитой, это не подействует. Я сидела совершенно голая посреди пруда, а он и ухом не повел. — Она снова забегала туда-сюда и вдруг встала как вкопанная и посмотрела на него: — Как ты думаешь, сможешь ты заставить двигаться эту телегу, которую мы видели на заброшенном ранчо?

Он кивнул.

— Тогда я, кажется, придумала. Но нам придется приехать в город еще раз. Мне надо будет купить кое-что в магазине.

Крадущийся-в-Ночи сел на коня и подождал, пока она сделала то же самое. Они потихоньку вернулись в Мэйсон-Уэллс, стараясь держаться окраины и не привлекать к себе внимания.

С помощью Крадущегося-в-Ночи Коди взломала заднюю дверь магазина и прокралась внутрь. Она взяла то, что ей было нужно, сначала удивив спутника своим выбором, а затем заслужив его одобрительную улыбку. На прилавке около кассы она оставила записку и достаточно денег, чтобы оплатить взятые вещи плюс стоимость ремонта двери. Затем они молча скрылись во мраке техасской ночи.

Добравшись до брошенного ранчо, они торопливо принялись за дело. Коди развела огонь в очаге и занялась своим преображением, а Крадущийся-в-Ночи стал чинить повозку. Обоих тревожило, что их лошади могут не потянуть ее вес, но надеялись, что все обойдется. Так или иначе, они должны опередить Рида и устроить ему ловушку.

Закончив маскарад, Коди подозвала индейца. Работать при слабом свете очага было трудно, да и в маленькое зеркальце, которое она захватила из магазина, было мало что видно, так что Коди накрасилась и причесалась практически вслепую. Теперь Крадущийся-в-Ночи должен был оценить ее усилия и сказать, убедителен ли ее новый вид.

— Ну что? — спросила Коди, как только он вошел в полуразрушенный дом.

Он остановился в дверях и долго, не говоря ни слова, глядел на нее.

— Надень шляпку, — наконец произнес он.

Коди послушно нахлобучила на себя шляпку и завязала ленты бантом под подбородком.

Он кивнул.

— Через несколько минут можем выезжать. Чтобы править твоим конем, нужна твердая рука: ему не нравится ходить в упряжке.

— Будем молиться, чтобы он благополучно провез нас через город. А как только мы разыграем поломку, мне будет все равно. Пусть хоть всю жизнь больше не приближается к повозкам.

Крадущийся-в-Ночи пошел запрягать. Вскоре они уже были в пути.

Люк так и не поспал. Боль в плече и раскалывающаяся голова не дали ему заснуть, и он промучился всю ночь. Единственным утешением была мысль о том, что в Дель-Фуэго его должен ждать Джек. Рид сковал ему руки впереди и, подталкивая сзади ружьем, повел к лошадям. Он с муками взгромоздился на своего коня и приготовился ехать. Рид вел его коня, а Люк отдался мыслям об Армите. Он надеялся, что она в безопасности, что при свете дня без труда нашла свою одежду и лошадь.

Они отъехали от города миль пять, и солнце уже высоко поднялось в небе, когда впереди на дороге они увидели сломанную повозку и старуху, хлопотавшую над телегой.

— Слава небесам, что я вас встретила, — пылко заговорила старая женщина, — молодой человек, вы поистине посланы Богом в ответ на мои молитвы. Не могли бы вы мне помочь?

— Конечно, мэм, — отвечал Рид, слегка приподнимая шляпу из уважения к почтенной седой даме. Шляпка с широкими полями затеняла ее лицо от палящего солнца, простое коленкоровое платье и сумочка-кисет на тесемках напомнили ему о собственной бабушке из Миссури. — У вас случилась какая-то беда?

— Я поехала в город из дома. Я живу там, за холмом. Но меня подвело колесо. — Она махнула рукой в сторону соскочившего колеса и развалившейся повозки.

— Разрешите я посмотрю, что смогу для вас сделать. — Он не собирался возиться с повозкой весь день, но если сумеет наладить колесо так, чтобы оно продержалось пару миль до города, то, разумеется, поможет ей.

— У вас, я вижу, пленник какой-то? — простодушно поинтересовалась она, глядя на скованные руки Люка.

— Его требуют к ответу в Дель-Фуэго.

— А что он натворил?

— Убил человека, мэм. Вот везу его туда. — Он привязал Люка к боковой стенке повозки так, чтобы не упускать его из вида.

— Законопослушным гражданам повезло, что в округе есть такие хорошие помощники правосудия, как вы.

— Спасибо, мэм. — Рид нагнулся, чтобы хорошенько осмотреть колесо и ось.

Когда он присел, милая старушка осторожно зашла ему за спину и, одним движением выхватив пистолет, направила его Риду в затылок.

— Не двигайтесь, мистер Рид.

— Какого черта?! — Он замер, не шевелясь. Голос ее вдруг перестал звучать по-старчески жалко. Быстро глянув через плечо, он увидел, что она целится в него из пистолета. — Леди, у меня с собой почти нет денег, так что грабить меня нет никакого смысла. Эй... Подождите минутку. Откуда вы знаете мое имя?

— Я знаю не только ваше имя, и вовсе я вас не граблю. Это вы меня ограбили.

— Я?! — Он был поражен.

Люк тоже. Они оба уставились на старушку. Когда же она сорвала с себя шляпку и, тряхнув головой, распустила волосы, Люк не поверил своим глазам.

— Армита?

Он узнал ее, несмотря на муку, которой она припудрила волосы, и толстый слой краски на лице.

— Как ты сюда попала? С тобой все в порядке? Что ты здесь делаешь?

— Не сейчас, Люк. — Она мельком поглядела в его сторону и снова переключила внимание на охотника за вознаграждением. Коди знала, что тот — противник более чем достойный, опасный и хитроумный, и не собиралась проигрывать из-за глупой радости и болтовни. — Мистер Рид, позвольте мне вам представиться. Меня зовут Коди Джеймсон, и вы совершили большую ошибку, когда вчера вечером украли у меня мою добычу.

— Вы Коди Джеймсон? — потрясенно проговорил Рид. — Но...

— Коди Джеймсон? — растерянно повторил Люк.

Глава 21

Люк потрясенно смотрел на женщину, которая преобразилась у него на глазах. Перед ним была Армита, и вместе с тем в ней мерещилось еще что-то очень знакомое...

В этот момент на вершине ближайшего холма появился Крадущийся-в-Ночи.

— Какого чер... Вы сестра Мэри? — Люк перевел взгляд со старого индейца на старушку и внезапно уловил связь. Старуха была Армитой... она же была сестрой Мэри. Какой же он дурак! Она была Коди Джеймсон!

Он понял, что его предали. Он был в ярости.

— Ничего, если я встану, мисс Джеймсон? — спросил Рид.

— Только двигайся медленно-медленно, — отвечала Коди. — Мне не хочется применять силу, но, если понадобится, я сделаю это, не задумываясь.

— Я слышал, что Джеймсон — один из лучших охотников за вознаграждением в этих краях, — произнес Рид, медленно поднимаясь и поворачиваясь к ней лицом. — Теперь я знаю почему.

— Не надо комплиментов, просто расстегните осторожненько свой пояс с кобурой и аккуратно опустите на землю.

Он сделал, как ему было велено.

— Значит, Мейджорс и не знал, что его уже поймали?

— Нет. Ни тогда, ни до сих пор, если бы вы не вмешались.

— Сожалею, что испортил вам игру, — протянул Рид.

Даже злясь на то, что потерял награду за Мейджорса, он не мог не улыбнуться. Эта Джеймсон была чертовски ловкая баба. Она обдурила даже его.

Коди пожала плечами.

— Были в этом деле кое-какие скользкие моменты, но теперь все устроилось. — Она кивнула в сторону пояса с пистолетом. — Отбросьте его ногой подальше.

Он послушно выполнил и этот приказ.

— А теперь я хочу, чтобы вы пошли на холм, к моему другу. Только никаких внезапных движений.

Рид направился к холму, пытаясь понять, что она задумала.

— Крадущийся-в-Ночи, спускайся вниз и посторожи Люка, пока я позабочусь о мистере Риде.

Тот кивнул и перешел поближе к Люку, а Рид и Коди скрылись за холмом.

Они отошли от дороги на добрых полмили.

— Теперь можете остановиться.

— Ладно, мэм. Что теперь?

— Раздевайтесь. — Она мечтала об этом со вчерашней ночи, с того момента у озерка, и сейчас собиралась насладиться каждой минутой его смущения.

— Что?

— Вы что, оглохли, мистер Рид? Вчера вы оставили меня одну, неизвестно где, в чем мать родила, сегодня я преподнесу вам такой же подарок.

— Очень смешно.

— Рада слышать, что вы так считаете. — Она ехидно ухмыльнулась. — Так что давайте. Снимайте одежду. У меня мало времени.

Рид еще улыбался, пока снимал шляпу, куртку и рубашку. Но когда он положил руку на пуговицу брюк, улыбка уже исчезла.

— Вы уверены, что хотите, чтобы я продолжал?

— Безусловно.

— И будете наблюдать?

— Глаз не спущу. — Она махнула пистолетом, приказывая не медлить.

— Чтобы снять штаны, мне придется сначала сесть и снять сапоги.

— Давайте.

Он плюхнулся наземь и стал стаскивать сапоги. Когда с этим было покончено, он поднялся на ноги и скинул брюки. Теперь Рид стоял перед Коди только в кальсонах.

— Ну? — поторопила она, наслаждаясь его смущением.

— Черт, вы и вправду хотите, чтобы я снял их тоже? Я ведь оставил вам туфли и белье.

— Верно, мистер Рид. И я оценила вашу доброту. Беда лишь в том, что я совсем не такая добрая, как вы.

Взгляд Рида стал жестким и холодным. Он представил себе худшее: как он голый идет пешком в Мэйсон-Уэллс. Это будет очень неприятно и вовсе не смешно. Он не привык и не любил просить, но тут выбора не было.

— Вы же понимаете, что, когда я нашел ночью ваш лагерь, я не знал, что вы — Джеймсон и тем более, что вы захватили Мейджорса и везете его сдавать.

Она кивнула:

— Верно, я работаю иначе. Я стараюсь перехитрить мужчин, за которыми охочусь, а не перестрелять их.

— Да, я понял.

— Я собираюсь оставить ваши сапоги и остальную одежду в миле отсюда по дороге на Дель-Фуэго.

— А мою лошадь?

Коди пристально вглядывалась в него, стараясь определить, что он за человек. Пусть он мужчина грубый и суровый, но он отвез Люка в Мэйсон-Уэллс, чтобы позаботиться о его ранах, хотя мог заставить его мучиться всю дорогу до Дель-Фуэго.

— Я хочу предложить вам сделку.

— Какого рода? — спросил он настороженно.

— Вы забудете о Мейджорсе. Он мой, и я представлю его закону. Мне не хотелось бы новых неприятностей с вами.

— И?

— И я расскажу вам, где сейчас находится банда Эль Дьябло, а также где расположено их убежище. Его точное местоположение. Вы можете отправиться туда хоть сейчас и схватить двух других. Награда за каждого — двести долларов. Ну как? Идет?

— А если я скажу нет?

— Тогда я заберу и ваши кальсоны. — Она намеренно пристально оглядела его ниже пояса. — Вместе с вашей лошадью и всеми деньгами, какие найду в ваших вещах, я оставлю их для вас у шерифа в Дель-Фуэго. Но если вы согласитесь на сделку, я оставлю вам ваши кальсоны, сапоги положу в повозку, а лошадь будет там, где и одежда. — Она замолчала, ожидая его решения.

Риду не надо было раздумывать долго и мучительно. Он стоял в кальсонах, босой посреди глухомани и без гроша.

— Ладно, договорились.

— Желаю тебе удачи, Рид. — И она быстро и четко рассказала ему о салуне в Рио-Нуэво и о каньоне со всеми его ловушками. — А теперь отойди назад на приличное расстояние и сядь на землю. Я хочу, чтобы ты выждал не меньше получаса, прежде чем надумаешь вставать.

— Ты чертовски хорошая охотница за вознаграждением, Джеймсон.

— От тебя я принимаю это как комплимент. — Она шагнула вперед, подбирая его одежду и сапоги, затем улыбнулась ему: — До встречи, Рид.

Поднявшись на холм, она увидела, что Крадущийся-в-Ночи уже оседлал для нее коня. Люк с каменным лицом глядел прямо перед собой.

— Нашел мой пистолет? — спросила Коди у индейца.

Тот, не говоря ни слова, подал ей оружие и пояс с кобурой, который привез с собой. Она вернула ему одолженный ранее револьвер, застегнула на себе пояс и вложила в кобуру отцовский пистолет. Как и обещала, она оставила сапоги Рида в повозке и привязала остальную одежду к седлу его лошади.

— Сейчас я переоденусь и тронемся в путь.

Крадущийся-в-Ночи только кивнул, но Люк больше молчать не мог.

— В кого же теперь вы превратитесь, сестра Мэри? — осведомился он напряженным голосом.

— Мне больше не надо ни в кого превращаться, — ответила она, глядя ему в глаза, и содрогнулась, видя в них лишь ледяное презрение.

— Разумеется, ведь это уже ни к чему. Не так ли? Вы отловили «своего человека». Правда? — В голосе его была одна ненависть.

Коди достала свой костюм для верховой езды и, не отвечая, пошла прочь. В эту минуту ей нечего было сказать.

Она страшилась этого момента, но не думала, что он настанет так скоро. Коди собиралась раскрыть свои карты, когда до Дель-Фуэго оставался бы лишь день пути. Ей хотелось провести еще два дня с ним в облике Армиты, но появление Рида все изменило. Теперь, когда правда раскрылась так быстро, Коди приходилось разыгрывать партию с теми картами, что сдала ей судьба.

Она надеялась, что Люк не возненавидит ее, что он поймет ее. Но теперь понимала, что этого не произошло бы. Как только он узнал, кто она такая на самом деле, все теплые чувства к ней, которые могли быть в его душе, мигом рассеялись.

Закончив переодеваться, Коди села на лошадь и обратилась к Крадущемуся-в-Ночи:

— Я готова ехать. Коня Рида поведу я, а ты веди лошадь Люка. Поедешь первым, я — за тобой.

Люк больше с ней не разговаривал. Крадущий-ся-в-Ночи выполнил ее указания, и они отправились в Дель-Фуэго.

В дороге у Люка было достаточно времени, чтобы подумать. Больше всего его угнетали воспоминания о сестре Мэри. Господи Боже! Он ведь защищал ее, а она все это время пыталась его схватить ради денег! Он издевался над собой: как же ловко она его провела. Разглагольствовала о Божественном, о радости познания Бога, о спасении его души, а сама была просто-напросто лживой лицемеркой. Она приехала в Эль-Тражар, чтобы поймать его, Люка Мейджорса, а получилось, что разворошила осиное гнездо и из-за Салли оказалась гораздо глубже втянута в историю с бандой Эль Дьябло, чем могла себе вообразить заранее.

Люк вспомнил, что считал сестру Мэри воплощением всех лучших качеств женщины: честной, прямодушной, мягкой и отзывчивой. Он считал себя недостойным ее. Он думал, что она наивна и непорочна. Как же он ошибался! Чтобы его поймать, она применила все возможные на свете трюки... А в роли Армиты не погнушалась использовать даже свое тело!

Дойдя в своих размышлениях до этого места, он остановился. Без сомнений, она была нетронутой. Единственное, в чем он мог быть совершенно уверен насчет этой сестры Мэри — Армиты — Коди Джеймсон, что распутной она не была.

Воспоминания об их любовных ласках вихрем пронеслись в его мозгу, заставляя снова и снова удивляться, что же за человек эта Коди Джеймсон. Святая или грешная? Лживая стерва или умная охотница за преступниками?

А ее ласки, ее жаркий любовный пыл? Это тоже было притворство?.. Нет, не может быть! Это должно быть правдой! Иначе... иначе все кончено.

Боже, что он несет! И так все кончено. Она — Коди Джеймсон, охотница за преступниками. Он для нее ничего не значит. Он был для нее всего лишь очередной работой. Не больше.

Ну что ж, все его надежды разбиты. Опять. Единственное, что хоть немного утешает, это что он не зря провел столько времени в банде. Он узнал, что Эль Дьябло — женщина. По крайней мере это поможет Джеку.

Крадущийся-в-Ночи возглавлял их маленький отряд, так что Коди ехала замыкающей и была очень этому рада. День был долгим и мучительным. Она совсем обессилела, но заставляла себя держаться прямо. Только благополучно сдав Люка рейнджеру Логану, позволит она себе расслабиться и отдохнуть. Не раньше! Если Риду удалось их разыскать, значит, это могут сделать и другие охотники за наградой. Им надо ехать быстро, налегке, без лишнего шума. Отъехав от повозки примерно на милю, они ненадолго остановились, чтобы оставить для Рида коня с одеждой, затем продолжили свой путь. Как и тогда, когда она с Люком удирала из Рио-Нуэво, они останавливались лишь для того, чтобы дать передышку лошадям.

Коди все время поглядывала на Люка. Она знала, что у него должны очень болеть раны, но он не жаловался. Когда в сумерках они остановились на ночлег около небольшой речушки, Люк спешился с трудом, и Коди не могла не заметить, как мучительно напряжены все его мускулы. Она рванулась было ему помочь, но он смерил ее таким яростным взглядом, что девушка застыла на месте.

— С тобой все в порядке? Как твое плечо? — тихо спросила она.

— Не все ли тебе равно? Я ведь одинаково стою, что живой, что мертвый. Ты свои деньги получишь в любом случае.

— Я беспокоюсь не из-за денег, — начала было она, но Люк уже повернулся к ней спиной.

Сердце у Коди заныло. Ей хотелось бы как-то изменить ход событий, но ничего нельзя было поделать. В конце концов, она ведь с самого начала знала, чем все закончится. Это была ее работа, и она дала слово Логану.

К тому же вчерашняя встреча с Ридом показала, что по Техасу бродит много охотников за вознаграждением, которым проще выстрелить, чем возиться с пленником. До Люка еще не дошло, что в сущности она спасает ему жизнь.

Она позаботилась о лошадях, а потом они достали из седельных сумок еду и все так же молча поели. Люк прилег, а Крадущийся-в-Ночи встал на страже. Коди еще не хотела спать, так что, вытащив мыло, захваченное ночью в магазине, она направилась к воде. Больше невозможно было терпеть муку и краску на волосах.

Старательно намыливая свою густую гриву, она терла пышные локоны, стараясь смыть и старушечью седину, и темную краску, делавшую ее мексиканкой Армитой. Так как делать было нечего, она не торопилась. Когда она закончила, уже совсем стемнело, и оценить, насколько удалось ей вернуть волосам первоначальный цвет, было невозможно. По крайней мере после воды и мыла она чувствовала себя чище и, так сказать, более самой собой. Она заплела тяжелую массу влажных волос в одну косу и улеглась спать.

Устремив взгляд в ночное звездное небо, Коди вспоминала любовь Люка и понимала, что никогда его не забудет. Он был с ней ласков и заботлив, когда она была сестрой Мэри. Он был страстен с Армитой.

Мучительная правда приходила к ней медленно, но наконец она посмотрела ей в лицо. Она влюбилась в Люка, но он никогда ее не любил. Он даже не знал ее. Он симпатизировал сестре Мэри, занимался любовью с Армитой, но не был знаком с Коди Джеймсон. Вслед за этим пришла тоска и слепящая боль, потому что в Коди Джеймсон была и частица сестры Мэри, и частица страстной Армиты... Но Люк никогда этого не поймет.

Она заснула поздно, и щеки ее были мокрыми от слез.

***

Капитан техасских рейнджеров Стив Лафлин сидел напротив Джека за уединенным столиком в глубине салуна, и лицо его было очень серьезным.

— Ладно, рассказывай мне, что здесь происходит. Твоя телеграмма была какой-то невнятной.

— Знаю. Это было сделано специально.

— Значит, здесь кто-то связан с Эль Дьябло?

Джек огляделся, убедился, что никто не обращает на них внимания:

— Давайте я расскажу вам, что сделал со своего приезда сюда.

Капитан внимательно слушал, а Джек рассказывал о Люке Мейджорсе и о том, как попросил его проникнуть в банду.

— От него были какие-нибудь известия с тех пор?

— Пока ничего, но, когда была объявлена награда за его голову, и такая большая, я встревожился, что какой-нибудь торопыга сначала пристрелит Люка, а вопросы будет задавать потом. Поэтому я сам нанял одного охотника за вознаграждением и отправил за ним.

— Что ты сделал?

— Вы ведь слышали имя Коди Джеймсон?

Стив задумался, затем кивнул:

— Не тот ли Коди Джеймсон, который прославился тем, что предпочитает доставлять объявленных вне закона живыми?

— Да, поэтому я и послал телеграмму, и, когда Джеймсон явилась в город, я ее нанял.

— Ее? — переспросил Стив.

— Джеймсон — женщина.

— Ты это серьезно? — В голосе капитана звучало нескрываемое недоверие.

— Вполне. И она чертовски хорошо делает свое дело. Я не стал раскрывать ей, что Люк работает на нас. Чем меньше людей об этом знают, тем лучше. Она действует вслепую. Я нанял ее, как нанял бы любого охотника за преступниками: выследить и доставить ко мне. Она отправилась за Люком несколько недель назад, и с тех пор я ничего не слышал ни о нем, ни о ней.

— Как же идет расследование?

— Вот об этом я и хотел вам рассказать. Из того, что я выяснил относительно лиц, заранее знавших об отправке партии ружей, получается, что есть двое, которых нельзя полностью исключить из числа подозреваемых. Фреда Халлоуэя, нового шерифа Дель-Фуэго, и банкира Джонатана Харриса, раненного при ограблении банка.

Стив нахмурился:

— Если Харрис — Эль Дьябло, то какого черта он подставился под выстрел?

— Меня это тоже смущает. Я не знаю, может быть, есть кто-то близкий Харрису, с кем он мог поделиться сведениями, приведшими к ограблению его собственного банка. Но никаких других имен не всплыло.

— Я попробую еще проверить Халлоуэя. А ты сосредоточься на банкире. Возможно, мы разберемся со всем этим здесь, в городе, и заодно поможем твоему другу Мейджорсу.

— Должна быть какая-то связь между всем этим, и чем скорее мы ее обнаружим, тем скорее покончим с Эль Дьябло. Тогда эта часть штата вздохнет наконец спокойно.

— Кто еще знает о Мэйджорсе, кроме нас двоих?

— Мне очень не хотелось, но я рассказал о Люке Халлоуэю.

Стив удивленно поглядел на Джека.

— Тут у нас был случай около недели назад, перепутали человека. Один охотник за вознаграждением приволок мужчину, утверждая, что это Люк. А горожане чуть не взбесились, так хотели его вздернуть. После этого я и доверился Фреду. Я не хочу, чтобы жизнь Люка оказалась под угрозой, когда он в конце концов сюда явится.

— Я тебя не виню, особенно если представить себе, через что ему пришлось пройти.

Джек подумывал о том, чтобы сказать Стиву насчет того, что он поделился кое-какими сведениями с Элизабет, но все-таки не стал об этом упоминать. Его отношения с Элизабет были делом глубоко личным, и ему не хотелось втягивать ее в неприятную историю. Она и так достаточно настрадалась.

— Что-нибудь еще?

— Нет, пока это все, что я знаю.

— Что ж, давай-ка сходим к шерифу. Ты представишь меня Халлоуэю, и я попытаюсь в нем разобраться. Этот Эль Дьябло — хладнокровный негодяй, и я хочу его схватить.

— Я тоже, — кивнул Джек.

Глава 22

Той же ночью, гораздо позже, одиноко сидя в своем номере, Джек пытался сообразить, каким образом Джонатан может быть связан со всем этим делом. И разумеется, он не мог думать о банкире, чтобы тут же не вспомнить об Элизабет.

Джек не знал, придет ли она к нему сегодня ночью. Они уже несколько дней не встречались, и он тосковал по ней. Сегодня он видел ее мельком в магазине, но поговорить им не удалось. Джек жаждал снова сжать ее в объятиях. Она была страстной и волнующей... Больше всего на свете ему хотелось, чтобы все сложилось по-другому, чтобы они смогли навсегда соединить свои судьбы. Но этому не суждено было сбыться, потому что Элизабет, Джек не сомневался, никогда не оставит Джонатана, пока нужна ему.

Он заставил себя отбросить эмоции и рассуждать логически. Джек устало ходил взад и вперед по комнате. Джонатану было в деталях известно все, что касалось банка, и он также знал об отправке ружей.

Стук в дверь оторвал его от тяжких размышлений. Распахнув ее, он увидел в полумраке коридора Элизабет. Она быстро проскользнула в комнату и, едва захлопнув дверь, бросилась в его объятия и поцеловала.

— Я скучала по тебе, — прошептала она, не отрываясь от его губ. — Не увидев в окне света, я испугалась, что тебя нет дома.

— Я почти потерял надежду, что сегодня ты придешь ко мне, — проговорил он, жадно целуя ее дорогие нежные, любимые губы.

Его возбуждал даже ее запах. В нем уже разгоралось пылкое желание. Он еще крепче прижал ее к себе, давая понять, чего именно он от нее хочет... В чем нуждается.

Элизабет была к этому более чем готова. Она весь день думала о нем и считала минуты, пока сможет ускользнуть и побыть с ним. Ее руки храбро блуждали по его телу.

Они вместе упали на кровать, торопливо срывая одежду в горячечном стремлении прильнуть друг к другу. Когда наконец они оказались совсем раздетыми, Джек надвинулся на нее и глубоко вонзился в податливую плоть. Она обвила ногами его талию и выгнулась навстречу в лихорадочном первобытном порыве. Она царапала его спину. Его ответом было ускорение темпа. Он мощно входил в нее, властвуя над нею так же, как она властвовала над ним, давая ей именно то, что она хотела. Элизабет достигла своего пика и содрогнулась. Волна экстаза пробежала по ее телу. Джек ощутил ее отклик, и в тот же миг его настигло собственное освобождение, и он в изнеможении распластался на ней. Никогда не было у него такой необузданно неистовой любовницы. Она была абсолютно непредсказуемой: одно мгновение милой и нежной, и тут же жадной, царапающейся и хищной. Ему подумалось, что эта ее черта возбуждает его сильнее всего. Он никогда не знал, чего от нее ждать. Он был зачарован ею.

— Ты великолепен, — мягко проговорила она, когда Джек скатился с нее, и они лежали рядом, все еще не разнимая сплетенных рук и ног.

Он поцеловал ее, продолжая ласкать, будучи не в силах находиться рядом и не касаться ее.

— Я слишком долго был без тебя.

Он гладил ее прекрасные крепкие груди, затем рука его передвинулась ниже, обегая все ее роскошное упругое тело. Она лежала неподвижно, лишь легкая дрожь пробегала по ее телу. И эта дрожь возбуждала его безумно. Когда затем ее вновь охватило пламя страсти, она взяла инициативу в свои руки и потянулась к нему, соблазняя, доводя до неистовства, чтобы потом глубоко взять его в свое тело. Его сотрясла дрожь, когда, возбуждая его каждым толчком бедер, она задала свой ритм и алчно выпила его страсть до дна.

Элизабет владела положением. Это она обожала. Властвовать над таким мужчиной, как Джек, возбуждало ее сильнее любой фантазии. Он был сильным, мощным, а она могла управлять им с помощью своего тела, как ей вздумается. Она улыбнулась ему и прекратила двигаться. Он сразу откликнулся, побуждая ее продолжать, но она отказалась.

— Хочешь меня, Джек? Хочешь меня на самом деле?

— Ты же знаешь, что хочу, — почти простонал он, притягивая ее к себе для поцелуя.

— Откуда мне знать, так это или нет?

— Разве ты этого не чувствуешь?

— Нет, Джек, я хочу от тебя большего. Гораздо большего...

Он перекатился, не выпуская ее из рук, пригвождая ее к постели своим телом, вдавливаясь бедрами в ее бедра, пока она не ощутила восторг блаженства, который жаждала и искала. Джек достиг его вместе с ней.

Спустя много времени, глядя в потолок, он нахмурился, подумав о возможной связи Джонатана с бандой Эль Дьябло и о том, как может это отразиться на Элизабет. Он не хотел, чтобы она оказалась втянутой в эту историю.

— Что такое? — спросила она, посмотрев на него из-под полуопущенных тяжелых ресниц. Она старалась угадать его настроение, прочесть его мысли. — У тебя невеселый вид... Пожалуй, даже встревоженный.

Он перевел взгляд на нее и безрадостно улыбнулся.

— Я не встревожен. Просто тут кое-что происходит, и я боюсь, что ты при этом пострадаешь. — Он погладил ее по щеке.

— О чем ты говоришь?

Джек тяжело вздохнул. Он думал, можно ли ей все рассказать, и вдруг понял, что не только можно, но и нужно. За последние месяцы она наверняка слышала что-нибудь, что может оказаться ему полезным... Либо для того, чтобы обвинить ее мужа, либо чтобы доказать его невиновность.

— Твой муж...

— Что мой муж? — Она представить себе не могла, что он имеет к ним какое-то отношение. Он сидел в инвалидном кресле, ныл и стенал, превращая ее жизнь в мучение, и был ей совершенно бесполезен. Как, впрочем, было всегда, за исключением разве...

Джек приподнялся на локте и посмотрел на нее сверху вниз:

— Я разбирался в том, откуда банда узнает нужные сведения, и теперь убежден, что у Эль Дьябло есть контакты здесь, в городе. Хорошенько все обдумав, я сузил круг подозреваемых до двух.

— Кто они? Ты получил какое-нибудь известие от своего агента?

— Нет еще. Это я рассудил сам.

Элизабет с озадаченным видом смотрела на него:

— И что же ты выяснил?

— В Дель-Фуэго только двое знали о предстоящей отправке ружей. Фред Халлоуэй и...

— Это не может быть Фред, — запротестовала она, бросаясь на защиту шерифа.

— А также... — он помедлил, ненавидя себя за то, что сейчас ей скажет, — твой муж.

— Джонатан? — Она потрясенно уставилась на него широко открытыми глазами, побледнев от этого предположения. — Ты считаешь, что мой Джонатан как-то связан с Эль Дьябло?

— Если только он сам не Эль Дьябло, — решительно заявил Джек. — Мне очень жаль, но они с Фредом самые вероятные подозреваемые.

— Но ведь Джонатан парализован! Он не может иметь ничего общего с этими ограблениями. Господи Боже, почему же тогда он позволил стрелять в себя в банке? Если он Эль Дьябло?

Джек пожал плечами:

— Может быть что-то пошло не по плану. Возможно, Джонатан рассчитывал, что его только легко ранят, а пуля попала не туда. Не знаю. А насчет того, что он парализован... Это ведь не помешает ему отправлять сообщения нужным людям, если он их агент. По словам генерала, в форту...

— Ты имеешь в виду генерала...

— Ты знакома с генералом Ларсоном?

— Да, они с женой наши близкие друзья.

— Так вот, по его словам, Джонатан — один из тех немногих, кому были известны подробности отправки оружия. А тот, кто сообщал сведения Эль Дьябло, знал все детали.

— Это никак не может быть Джонатан, — защищала она своего мужа.

— Ты уверена?

— Совершенно. Джонатан, может, и грубоват иногда, но он не бандит.

— Тогда, может, ты знаешь, кому он мог случайно проговориться, без всякой задней мысли, о партии оружия или о деньгах в банке? Кому-то, кто тут же сообщил об этом Эль Дьябло и тем самым навел банду на новую добычу.

— Со времени ранения у него было столько посетителей... — Она растерянно пыталась припомнить всех, кто к ним приходил. — Право, боюсь, что не смогу выбрать того, кто может быть тем, кого ты ищешь. Все они наши друзья.

— Подумай хорошенько. Не было ли кого-то, желавшего поговорить с ним наедине и без помех? Кого-то слишком настойчивого или любопытного?

— Нет. Я почти все время нахожусь с ним. Это не может быть Джонатан. Никак не может быть. И неужели ты думаешь, что я, будучи его женой, не знала бы, что он — Эль Дьябло? Неужели ты думаешь, что я бы не заметила странных приходов и уходов кого-то, или загадочных посланий, или чего-то в этом роде? Но ничего подобного не было и в помине. Ничего и никогда.

Джек замолчал, перебирая в памяти все связанное с новым шерифом, мысленно примеряя его к роли наводчика бандитов и размышляя, удалось ли Стиву выяснить что-то новое.

— Ты ведь мне веришь? Правда? — обеспокоенно настаивала она.

— Ну конечно, — успокоил ее Джек и, притянув ближе, поцеловал, а потом прижал к себе покрепче.

Элизабет вздохнула свободнее. Сейчас Джонатану только не хватало узнать, что его подозревают в пособничестве Эль Дьябло.

— Мне просто очень хочется найти недостающее звено этой цепочки.

— Возможно, в этом замешан не один человек, — предположила Элизабет.

— Может быть, но я сомневаюсь. Если замешано несколько человек, обязательно пойдут разговоры, а банда Эль Дьябло прославилась тем, что о них никто ничего не знает.

— Хватит разговоров об Эль Дьябло, — промурлыкала она.

— Ты права.

И больше они о банде не вспоминали.

Часом позже она оделась и стала собираться домой. Джек обнял ее, целуя напоследок.

— Я не хочу, чтобы ты уходила... никогда.

— Я тоже хотела бы остаться, но это невозможно. То, что я прихожу сюда, и так опасно.

— Знаю и очень сожалею, что поставил тебя в такое положение.

— Никуда ты меня не ставил. Я прихожу к тебе, потому что ты мне нужен, Джек. Тебе никогда не понять, как много значат для меня наши встречи.

Он задержал ее в своих объятиях еще на миг, затем отпустил. Она, как тень, выскользнула из комнаты.

— Что ты здесь делаешь? — раздался резкий вопрос Эль Дьябло. Они с Хэдли столкнулись нос к носу. Тот стоял в тени неподалеку от парадного крыльца.

— Где ты пропадаешь? — требовательно произнес Хэдли. — Я жду тебя уже несколько часов.

— Это тебя не касается. Моя жизнь — это мое личное дело.

— Уже нет. — Хэдли еле сдерживался.

— О чем ты?

— Мейджорс убил Салли и скрылся.

— Мне давно было ясно, что Салли идиот!

— Теперь он мертвый идиот, но это ничего не меняет. Тебе надо выбираться отсюда. Когда сюда явится Мейджорс и расскажет Логану, что он узнал, они сразу догадаются, кто ты.

— Сколько у меня времени?

— Кто знает. Я удивлен, что обогнал его и приехал сюда раньше. Наверное, его задержало то, что с ним певичка из салуна.

— Я знаю, что задержит его еще дольше. — Слова Эль Дьябло прозвучали задумчиво. — Насколько мне известно, в городе больше никто не знает, что Мейджорс работает на Логана. Если Логана не будет поблизости, когда он сюда вернется, его ничто не спасет. Тогда Люк Мейджорс может считать себя покойником.

— Как это?

— Пару недель назад у нас тут чуть не вспыхнуло восстание, когда какой-то охотник за наградой привез человека, как он думал, Мейджорса. Ты не поверишь, что творилось в городе. Логану и Халлоуэю пришлось с оружием разгонять народ. Если Логан умрет до того, как Мейджорс явится в город, Мейджорса тут же повесят. Можешь не сомневаться.

— Мне нравится ход твоих мыслей.

— Тебе он всегда нравился. — Быстрая улыбка озарила лицо Эль Дьябло.

— Мне позаботиться о Логане?

— Нет. Оставайся здесь, чтобы никто не видел.

— А как насчет Джонатана?

— О нем не тревожься. Он сейчас в постели и не сможет двинуться с места, если я его не передвину.

— Несчастный ублюдок, — заметил Хэдли.

— Насчет ублюдка сказано очень точно. Мы едем сразу, как только я покончу с Логаном. Чем дальше от этого города и его жителей мы заберемся, тем лучше. Мне здесь до смерти надоело. У тебя есть деньги?

— Я взял наши с тобой доли от продажи ружей.

— Отлично. Это позволит нам уехать быстро и далеко.

Дверь дома бесшумно распахнулась, пропуская Эль Дьябло внутрь. Через десять минут одетая в черное фигура главаря банды возникла на пороге.

Хэдли одобрительно кивнул:

— Если будешь держаться в тени, тебя никто и не заметит.

— Я этого и добиваюсь. Именно так мне удалось той ночью пробраться в тюрьму и обезвредить шерифа Грегори.

— Не рискуй. Я жду тебя.

— Я скоро.

И ночной мрак поглотил Эль Дьябло.

Джек заснул не сразу. Какое-то время он обдумывал все события с момента приезда в Дель-Фуэго, размышлял о том, что с Люком. В конце концов он задремал, но сон его был беспокойным. Он лежал на животе в тяжелом забытьи, когда его разбудил какой-то звук. Он открыл глаза и улыбнулся.

— Ты вернулась, — нежно произнес он.

— Я должна была вернуться, — услышал он в ответ.

А затем Элизабет шагнула к постели и ударила Джека ножом в спину.

Он вскрикнул, дернулся, лицо исказилось от боли. Она отскочила и метнулась к окну, через которое только что влезла.

— Ты? — выдохнул он, пытаясь встать, но боль накрыла его. Застонав, он упал на пол. — Это ты?

Элизабет с ледяной улыбкой смотрела вниз на него.

— Да, дорогой Джек, это была я. Все это время.

Не оглядываясь больше, она исчезла за окном.

Брат ждал ее возвращения у дома Харрисов.

— Он мертв? — спросил Хэдли.

Она взглянула на него, сжала губы.

— Я заколола его ударом в спину, когда он спал. В путь.

— У тебя есть все, что нужно? Ты ничего не хочешь взять с собой отсюда?

Элизабет посмотрела на дом, где прожила последние три года с Джонатаном. Если бы она была женщиной сентиментальной, то, возможно, испытала бы сожаление... хоть на миг. В конце концов она и вышла-то за банкира именно для того, чтобы вести такую жизнь. Ей до смерти надоело скрываться и убегать. Брак с богатым банкиром был идеальным способом осесть на одном месте и вместе с тем получать информацию, нужную для банды. Джонатан никогда ее ни в чем не подозревал. Когда она отправлялась на встречи с бандой, он принимал на веру ее рассказы о том, что она ездит повидаться с братом. Он никогда не задавал вопросов по этому поводу и не предлагал сопровождать ее на эти свидания. Если бы ему когда-нибудь это пришло в голову, они сумели бы устроить такую тоскливую и слезливую встречу, что ему расхотелось бы повторять нечто подобное. Но муж ее приключений не жаждал вовсе, так что никаких проблем не возникало.

Теперь с прошлым покончено. Элизабет намеревалась уйти без оглядки. Джонатан ничего не значил для нее, когда она выходила за него замуж, а теперь и того меньше. Он был всего лишь средством достижения цели. Пока ей было выгодно, она его использовала, но свою жизнь ценила высоко, слишком высоко, чтобы болтаться поблизости, когда надвигалась опасность.

— Нет, — помолчав, наконец отозвалась Элизабет. — Мне там ничего не нужно. Мы можем ехать.

Вместе с Хэдли они направились к привязанным лошадям. Один конь был для него, другой — для нее. Затем Эль Дьябло и Хэдли бесшумно поехали в ночь.

— Куда ты хочешь отправиться? — спросил Хэдли.

— Подальше отсюда, — отвечала она.

Выехав за городскую черту, они пришпорили коней и, не оглядываясь, поскакали прочь.

Джонатан лежал в постели и немигающим взглядом смотрел в потолок. Элизабет и Хэдли оказались членами банды Эль Дьябло. Его охватил ужас.

Было очевидно, что они не подозревают о том, что он их слышит. Но он слышал все, каждое их слово. Их разговор снова и снова звучал у него в голове. Остановить их он был бессилен. Если бы он закричал или позвал на помощь, никто, кроме них, его бы не услышал. А они просто прикончили бы его, как этого техасского рейнджера.

Джонатана пробрал озноб. Возможно, Элизабет и Хэдли еще где-то здесь, так что надо лежать тихо. Когда рассветет, он найдет способ, как сообщить шерифу обо всем, что знает.

Образ Элизабет преследовал его всю ночь. Элизабет — прелестная невеста, любящая жена. Все это было чудовищной ложью. Она никогда не любила его. Она лишь использовала его в своих целях. Это она послала бандитов ограбить его собственный банк! Возможно, это она приказала выстрелить в него.

Ненависть переполняла его, нарастала мощной волной. Возможно, после своего ранения он был несколько суров с ней, но, если когда-нибудь им доведется встретиться снова, она узнает, что такое настоящая жестокость.

Глава 23

— Сегодня мы приедем в Дель-Фуэго, — объявила Коди на второе утро, седлая коня.

Крадущийся-в-Ночи кивнул:

— Мы будем в городе вскоре после полудня.

Люк ничего не ответил. Он сидел и ждал, пока они соберутся в дорогу. Он теперь в основном молчал, отвечая только на прямые вопросы. Что толку в разговорах? Когда он встретится с Джеком, то расскажет другу все, что узнал, а до тех пор он будет идти у них на поводу и молиться, чтобы поскорее добраться до города.

Сообщив Джеку сведения, он получит обещанное вознаграждение и отправится в «Троицу». Люк собирался сидеть там с Джессом, пока не кончатся припасы. Меньше всего ему хотелось общаться с людьми. Всей этой «цивилизации» он нахлебался по горло. Хватит до конца жизни. Он мечтал о мире и покое.

Закончив седлать коня, Коди поглядела на Люка. Через несколько часов она передаст его в руки Логану и, наверное, больше никогда в жизни не увидит. Почему-то ей хотелось, чтобы он знал, что все происшедшее между ними не было притворством. Ей хотелось, чтобы он знал, как ценила она его доброту и защиту, будучи сестрой Мэри. А еще Коди хотела бы сказать, как рада она тому, что спасла его от Салли. Но она была уверена: он решит, что она радуется из-за обещанного вознаграждения.

Когда Крадущийся-в-Ночи отошел куда-то в сторонку, Коди получила возможность поговорить с Люком наедине.

— Есть кое-что, о чем мне надо тебе рассказать до того, как мы прибудем в Дель-Фуэго.

Он поднял на нее глаза. В них было равнодушие и презрение.

Коди передернуло как от озноба. Ей захотелось повернуться и отойти, ничего не говоря, но она заставила себя говорить.

— Во-первых, я хочу тебя поблагодарить.

Он насмешливо улыбнулся:

— Поблагодарить? За что?

— За то, как обращался ты со мной, когда считал сестрой Мэри. Ты был добр ко мне, защищал от...

— Я думаю, ты прекрасно справилась бы и без меня. Я был дураком.

— Нет, джентльменом. Это такая редкость в...

— Договаривай, Джеймсон, ты ведь хотела сказать: «Это такая редкость в наемном убийце». Так вот, я не нуждаюсь в твоей благодарности и не хочу ее. Будь по-моему, мы никогда бы не встретились.

— Я все равно нашла бы тебя.

— Потому что это твоя работа, — резко закончил он за нее.

— Я привожу тебя живым. Это больше, чем сделали бы другие охотники за преступниками, — возразила она.

— Для того, чтобы толпа вздернула меня на веревку, — без обиняков уточнил он.

— Не будет там никакого линчевания. Об этом позаботятся представители закона. Конечно, когда я была в Дель-Фуэго, все были очень взвинчены из-за убийства шерифа Грегори.

— Убийства? — на мгновение Люк испугался, что ударил шерифа слишком сильно.

— Его заперли в камере и хладнокровно застрелили. — Коди всматривалась в Люка, пытаясь разгадать его мысли. — Можно сказать, что его казнили. И еще в ту же ночь был убит один из его помощников, карауливший на улице. Большинство склонялось к мысли, что шерифа убил ты.

— Когда я покидал тюрьму, Грегори был жив! Я в этом удостоверился! Я выходил последним!

— Не знаю. Он был убит той ночью.

— Эль Дьябло!.. Это дело рук Эль Дьябло, — тихо произнес Люк. Свирепая сестрица Хэдли. Значит, главарь бандитов находится в Дель-Фуэго?

— Кто он, этот Эль Дьябло? — спросила Коди.

— Я никогда с ним не встречался, — честно ответил он.

— Ты был в банде и никогда его не видел?

— Он ни разу не приезжал в лагерь, пока я там был.

— Почему ты сбежал после смерти Салли? Если ты один из бандитов, они бы не стали тебя винить за то, что ты защищался.

— Я не хотел рисковать, — он замолк, побоявшись, что и так сказал слишком много. Свои сведения о личности Эль Дьябло он приберегал для Джека.

Стив Лафлин проработал с Фредом всю ночь. В одном из салунов была потасовка, и они провели много времени, урезонивая пьяных ковбоев. На следующее утро, усталые и сонные, они ждали Джека, который должен был их сменить.

— Который час, Фред? — спросил Стив, недоумевая, что могло задержать Логана. Обычно он не опаздывал.

— Уже больше девяти. Думаете, Джеку сегодня надо было заняться чем-то другим?

— Меня он ни о чем таком не предупреждал. Пожалуй, я зайду к нему и проверю. Пойдете со мной или будете ждать здесь, вдруг он объявится?

— Подожду здесь. А вы сходите узнайте.

Стив пошел в гостиницу и поднялся к Джеку. Он постучал, но ответа не получил.

— Джек... ты здесь? — громко крикнул он и постучал снова.

Именно тогда из комнаты до него донесся какой-то звук, что-то вроде еле слышного стона.

— Джек? — Стив приложил ухо к двери. Тишина.

Бегом спустившись вниз, он потребовал у дежурного клерка:

— Мне нужно войти в номер рейнджера Логана.

— Боюсь, что не могу сделать это без его разрешения.

— Послушайте, я его начальник, и, по-моему, там что-то неладно. Я услышал изнутри какой-то странный звук, похожий на стон. Мне нужно немедленно открыть дверь, чтобы это проверить.

Клерк поглядел на него с сомнением, но согласился. Однако решил не оставлять этого человека ни на минуту одного, чтобы быть уверенным, что тот ничего не тронет.

— Мистер Логан? — позвал клерк Джека, постучав предварительно в дверь.

Когда ответа не последовало, он отпер комнату для капитана рейнджеров. Ступив за порог, они увидели Джека на полу, в луже крови.

— Пошлите за доктором! Быстрее! И сообщите шерифу Халлоуэю! — приказал Стив окаменевшему служащему.

Тот повернулся и кинулся вниз. Стиву оставалось только надеяться, что он ничего не забудет и не перепутает.

Лафлин опустился на колени рядом с Джеком, осторожно пощупал пульс и облегченно вздохнул, когда обнаружил слабое биение.

— Джек? Ты меня слышишь? — Он низко склонился к нему. — Кто это сделал? Эль Дьябло?

Но Джек не отвечал. Он лежал не шевелясь, дыхание его было затрудненным и поверхностным.

Ожидание врача показалось капитану просто вечностью. Когда тот наконец явился, Стив бросился к нему:

— Я его не двигал. Боялся трогать, пока вы не осмотрите.

— Давайте сделаем это вместе, прямо сейчас. Я хочу поднять его с пола, — распорядился доктор Майклс.

Они осторожно подняли Джека на кровать, и доктор начал осматривать рану.

— Он выживет? — Капитан был не в силах терпеть гнетущую неизвестность.

— Судя по всему, лезвие ножа наткнулось на ребро и отклонилось. В противном случае он уже был бы мертв.

— Но он поправится?

— Полагаю, что да, но он потерял много крови.

— Сделайте для него все возможное, — сказал Лафлин.

— Постараюсь, — отозвался доктор, колдуя над Джеком.

Стук в дверь оторвал Стива от постели раненого. На пороге появился Халлоуэй.

— Что произошло? — Он поглядел мимо капитана рейнджеров на кровать, где врач трудился над лежавшим ничком Джеком.

Лафлин отступил в сторону, закрывая дверь в комнату, и вышел к шерифу в коридор.

— Прошлой ночью кто-то пытался убить Джека.

— Кто? Почему? — Фред был потрясен.

— Эль Дьябло. Кто же еще? — убежденно сказал Стив. — Должно быть, Джек слишком близко подобрался к разгадке.

Он был рад, что всю ночь проработал с Фредом. Теперь он не сомневался, что новый шериф не является главарем бандитов.

— Значит, вам известно, кто Эль Дьябло?

— Я довольно хорошо это себе представляю. Как только убедимся, что с Джеком все будет в порядке, мы с вами отправимся нанести визит одному из самых уважаемых граждан этого города.

— Кому именно? Как вы это выяснили?

— Джек шел по нескольким следам. Он узнал имена тех, кто заранее знал об отправке партии ружей. Ларсон рассказал ему, что в городе об этом знали два человека: вы и Джонатан Харрис.

— Вы хотите сказать, что я тоже подозреваемый?

— Какое-то время подозревали всех, но теперь мы знаем правду.

— Харрис не мог сделать этого! Он же парализован! Он никоим образом не мог незамеченным пробраться сюда и одолеть Джека, — воскликнул Фред.

— Верно, однако на Эль Дьябло работает целая банда. Он мог это кому-нибудь поручить. Вероятно, он считал, что Джек еще никому не рассказал о своих розысках и что, если тот будет убит, ему ничто не помешает остаться на свободе. Он просчитался.

Фред с отвращением покачал головой.

— Насколько он плох?

— Доктор говорит, что он должен выжить. Вернемся в комнату, подождем, что он скажет после осмотра.

Они вернулись к постели раненого и увидели, что врач уже моет руки в тазу.

— Кто-нибудь из вас останется с ним? — поинтересовался он у Стива. — Пока он не придет в себя, с ним обязательно должен кто-то быть.

— Понимаю, — кивнул Стив. — Я останусь.

— Хорошо, — согласился врач, — Мне надо вернуться к себе. Я пришлю сюда одну из работающих у меня женщин посидеть с вами и понаблюдать за ним. Немедленно дайте мне знать, если его состояние изменится.

— Не лучше ли будет нам отнести его к вам в приемную?

— Мне не хочется двигать его сейчас. Сообщите мне, если он придет в себя.

— Обязательно, — пообещал Стив.

Его мучило желание поскорее отправиться за Эль Дьябло, но он не мог покинуть Джека. Только не теперь.

— Я вернусь в тюрьму и расскажу помощнику о том, что произошло, — сказал Фред, — затем опять приду сюда и посижу с вами. Вам что-нибудь нужно?

— Единственное, что мне сейчас нужно, это схватить Эль Дьябло, — проскрежетал Лафлин, не сводя глаз со смертельно бледного Джека.

Джек очнулся от ужасной боли. Ему хотелось выть, кричать, назвать всем и каждому имя предателя-убийцы. Но сил не было. Он слышал какие-то далекие голоса, но окликнуть никого не мог. Он вновь провалился в холодную темную бездну, прочь от тепла и света... и боли... В ничто. Там был покой и тишина, и сознание медленно угасло, унося с собой тревогу и отчаяние.

Через несколько часов Джек снова выбрался на поверхность, и мысли его прояснились. Он открыл глаза и увидел, что у окна сидит Стив и смотрит на улицу. Джек попытался позвать его, но сумел выдавить из себя только стон.

— Капитан Лафлин. Он начинает приходить в себя, — позвала сиделка.

Сидевший рядом с Фредом Стив поспешил к постели друга.

— Джек! Это я, Стив. Я здесь. — Он наклонился поближе, чтобы расслышать то, что пытался сказать Джек.

— Стив... — Его голос был еле слышен.

— Кто это сделал? Кто тебя ударил? — настаивал Стив, жаждая скорее наказать виновного.

Картины прошлой ночи вихрем промелькнули в лихорадочном сознании Джека. Он закрыл глаза от боли, которую причинила мысль о предательстве Элизабет. Ему никогда в голову не приходило подозревать ее. Он и представить себе не мог, что она способна на такую подлость. Но тем не менее это была Элизабет. Он ее хорошо разглядел. Элизабет Харрис пыталась его убить.

— Харрис... — больше он ничего не сумел выговорить. Само имя прошелестело как стон, так тихо, что Стив едва смог его различить.

— Ты был прав. Ты все время был прав, — повторил Стив. — С этой минуты обо всем позабочусь я.

Джек хотел остановить его, объяснить, что говорил об Элизабет, а не о Джонатане, но сил произнести еще хоть звук, позвать друга, уже не было. Ему надо было остановить Стива, чтобы тот не попался, ничего не подозревая, в ее ловушку, но слова не шли с языка. Он слишком ослабел и не мог сообщить капитану, кто из Харрисов является Эль

Дьябло. Боль, физическая и душевная, снова затопила его, опять погружая в забвение.

— Это был Харрис, — объявил Стив Фреду.

— Пойдемте, выясним, как этот ублюдок сумел все провернуть. У него должен быть какой-то подручный.

— Вы побудете с ним? — обратился Стив к сиделке.

— Да, конечно, а вы сообщите доктору Майклсу, что рейнджер Логан на несколько минут приходил в себя.

— Мы зайдем к нему по пути и все расскажем.

Оба представителя закона направились к двери, но Стив помедлил на пороге, чтобы напоследок еще раз поглядеть на Джека. Одновременно он вытащил свой пистолет и проверил, заряжен ли тот. Затем он снова сунул его в кобуру, готовый встретиться лицом к лицу с человеком, про которого они теперь точно знали, что тот — Эль Дьябло, главарь знаменитой банды убийц.

По дороге они ненадолго задержались и сообщили доктору последние сведения о состоянии Джека, затем продолжили свой путь.

— Вы не думаете, что нам стоит взять с собой помощников? Харрис может оказаться опасным.

— Если он попытается хоть что-то выкинуть, он покойник, — тико произнес Стив.

Фред кивнул и не проронил больше ни слова за все время, пока они через весь город шли к дому банкира. Они поднялись на крыльцо и постучали в парадную дверь.

— Думаешь, он мог уехать? — спросил Фред, когда на стук никто не откликнулся.

— Сомневаюсь. Если он считает, что Джек мертв, зачем ему бежать? — Стив еще сильнее забарабанил кулаком в дверь. Услышав изнутри крик, он сказал Фреду: — Обойди со стороны и посмотри, нельзя ли заглянуть в окна.

Фред скрылся за домом и вскоре появился вновь.

— Стив! Ломайте дверь!

Стив уперся плечом в дверь и высадил ее. Фред в мгновение ока оказался у него за спиной.

— Что ты увидел?

— Харриса. Он лежит в постели и орет, чтобы ему помогли.

Стив выхватил пистолет. Ворвавшись в спальню, они нашли там брошенного на произвол судьбы Харриса.

— Слава Богу, что вы появились! — закричал Джонатан, едва они переступили порог комнаты. Затем он увидел пистолет и содрогнулся. — Значит, вы все знаете...

— Знаем? Что именно?

— Насчет Элизабет и этого ее братца!

— О чем ты говоришь? — растерялся Фред.

— Не понимаю, как я мог оказаться таким тупым. Это же все время была она! Элизабет была связана с этой бандой!

— Ваша жена? — ошеломленно переспросил Стив.

— Да! Это она сообщала им все сведения. Она знала все, что делается в банке, она присутствовала на обеде, где мы с генералом обсуждали подробности отправки оружия.

— Это не доказательство, — покачал головой Стив, сомневаясь в его словах. Он подумал, что банкир пытается направить их по ложному следу. — Где она, Харрис? Я хочу с ней поговорить.

— Так ведь это я и пытаюсь вам рассказать. Она уехала! Прошлой ночью явился ее братец. Они стояли снаружи на крыльце, но я слышал каждое их слово. Они не знали, что я могу их услышать, а то бы я был уже мертв. — Побагровев от ярости, он пересказал им подслушанное. — Вы проверили, как там Логан? Она собиралась пойти в гостиницу и убить его. Наверное, она это сделала, потому что вскоре вернулась, и они ускакали.

— Значит, вы утверждаете, что ваша жена — член банды Эль Дьябло?

— Да я же именно это вам говорю! Скажу вам больше! Элизабет не просто член банды. Она и есть Эль Дьябло!

— Эль Дьябло — женщина? — Фред был потрясен, припомнив все разговоры, которые вел с ней после ограбления банка. Она всех одурачила.

— Кто лучше мог добывать всю информацию? Кому бы пришло в голову заподозрить ее? Я должен был догадаться раньше, но продолжал верить, что... — Голос его прервался от обуревавших душу чувств, и какое-то время он не мог вымолвить ни слова.

— Продолжал верить во что, Джонатан? — Они надеялись, что он даст им еще какую-то улику.

— Я продолжал верить, что она меня любит.

Стив и Фред переглянулись.

— На рейнджера Логана вчера было совершено покушение, но он не убит, а только ранен, — сообщил ему Стив.

— Слава Богу! Он сможет подтвердить вам, что я прав! Он сможет рассказать вам, что это сделала Элизабет!

— Джек действительно сказал нам, кто это сделал, но он был очень слаб, и все, что сумел произнести, было Харрис.

— И вы решили, что это я? Что замешан в этом? Поэтому вы и ворвались сюда с пистолетами в руках?! — Больной банкир с яростью и возмущением впился глазами в их лица.

— Да.

— Вы решили, что я спланировал ограбление собственного банка и к тому же велел им для правдоподобия выстрелить в меня? Для этого я слишком большой трус. Если вы думаете, что это сделал я, то каким же образом мне удалось напасть на Логана? Я никак не смог бы до него добраться, а если б даже смог, то как бы человек в инвалидном кресле справился с таким крепким мужчиной?

— Вы могли бы поручить это кому-нибудь из членов банды.

— И поэтому я оставался здесь, брошенным в одиночестве, более двенадцати часов! Говорю же вам, это все Элизабет! Она виновата во всем. Мы женаты всего лишь несколько лет. Она меня использовала.

Они поняли, что он прав. И еще, что они упустили настоящего Эль Дьябло. Однако, поскольку личность Эль Дьябло теперь установлена, они смогут найти Элизабет и наказать по закону.

— Что вы собираетесь делать со мной? — требовательно прервал Джонатан их приглушенный разговор.

— Ничего, Джонатан. Мы пришлем кого-нибудь позаботиться о вас.

— Вы отправитесь за ней? Они выехали вчера поздно ночью, но я не знаю куда.

— Мы выедем так скоро, как только сумеем.

— Надеюсь, вы ее поймаете. Надеюсь, вы ее повесите.

Теперь он был охвачен только жаждой мести. Женщина, которая, как он считал, любила его, оказалась виновной в том, что он получил ужасное увечье. Она была воровкой, лгуньей, убийцей! Он мечтал, чтобы ее поймали поскорее.

Глава 24

Люк почти обрадовался, завидев издали Дель-Фуэго. Конечно, назвать этот городок родным домом он бы не мог, но по крайней мере он добрался до Джека и сможет наконец отдохнуть. Оставалось лишь надеяться, что, когда они приедут, Джек окажется в конторе шерифа, потому что раз Грегори мертв, было непонятно, кто еще в курсе его тайной работы на рейнджеров.

— Смотри-ка! На этот раз кто-то и вправду привез Мейджорса!

Поднявшийся крик вызвал из домов на улицу множество людей посмотреть на Люка, едущего между Коди и Крадущимся-в-Ночи. Растущая толпа провожала их через весь город.

— Со слов Логана я поняла, что дело обстоит плохо, но не думала, что настолько, — тихо бросила Коди Крадущемуся-в-Ночи, вытаскивая пистолет из кобуры. Всю дорогу до конторы шерифа она держала его на виду.

Старый индеец спешился и помог сойти на землю Люку, после чего они втроем вошли в контору. Коди оглядела находившихся там помощников шерифа, но не увидела ни одного знакомого лица.

— Я ищу рейнджера Логана. Не могли бы вы мне сказать, где я могу его найти?

Один из присутствующих окинул ее подозрительным взглядом:

— Зачем вам нужен Логан?

— Я привезла сдать ему Люка Мейджорса. Мне нужно с ним поговорить.

Помощники шерифа заволновались, один из них узнал пленника.

— Давайте-ка запрем его в камеру, а потом я расскажу вам о Логане.

— Что тут рассказывать? Он должен мне деньги. Я хочу получить свое вознаграждение, — настаивала Коди.

— У нас здесь беда случилась, мэм.

— Мое имя Джеймсон. Коди Джеймсон. Что за беда? О чем вы говорите?

— С рейнджером Логаном. Он ранен.

— Сильно? — быстро спросила она, чувствуя, как напрягся стоявший рядом с ней Люк.

— Мы пока не знаем. Они нашли его только нынче утром. Вы можете оставить Мейджорса здесь. Мы запрем его в камеру, а вы сходите к шерифу Халлоуэю и капитану рейнджеров Лафлину. Они оба сейчас в гостинице, ждут, что будет с Логаном.

— Я так и сделаю. Только позаботьтесь, чтобы с моим пленником ничего не случилось, или за это дорого придется платить.

— Ладно, мэм.

Здесь все слышали о Коди Джеймсон и предпочитали не перечить прославленной охотнице за преступниками.

— Мы с него глаз не спустим, будьте уверены.

— Хорошо. Я скоро вернусь.

Она дождалась, пока Люка поместят в самую дальнюю камеру, а затем направилась к выходу. В дверях она приостановилась и обернулась на него. Люк стоял за решеткой и наблюдал за ней. Нет, никакой любви в его взгляде не было. Напротив, в глазах его сверкали ненависть и презрение, которые он явно к ней испытывал. Глубокое сожаление кольнуло ее в сердце, но она не могла терять времени. Вместе с Крадущимся-в-Ночи она поспешила к Логану.

Обдумывая происшедшее, она ощутила гнетущую тревогу. Каким образом рейнджера могли ранить посреди города? Нет, здесь творилось что-то неладное.

***

Оставшись один в камере, Люк пытался сообразить, что ему делать, и понимал, что остается только ждать.

Грегори убит. Джек ранен. Он оказался в безвыходной ситуации. Если Джек не рассказал больше никому из представителей закона правду о нем, а сам теперь говорить не в состоянии, вряд ли ему дадут дожить до утра. Он слышал возбужденный ропот на улицах и боялся, что толпа явится за ним еще до того, как ему удастся сказать хоть слово в оправдание.

Нервно шагая взад и вперед по камере, он сознавал, что совершенно беспомощен. Как ни печально, но пока не появится Джек, он ничего не мог поделать. Только тогда его освободят. Сев на краешек жесткой и узкой койки, он стал терпеливо ждать вестей о друге.

Джек всплывал из темной глубины, и хотя боль снова охватила его, он понимал, что прятаться больше нельзя. Ощущая слабость и изнеможение, он тянулся на поверхность, приходя в сознание. Он должен был это сделать.

С усилием открыв глаза, он увидел комнату. Занавески были задернуты, и в ней царил полумрак.

Он не мог понять, день стоит или ночь. Не знал, почему он здесь и кто находится рядом с ним. Окинув комнату взглядом, он увидел, что неподалеку в кресле сидит какая-то женщина и читает.

— Воды, — прохрипел он, пересохшее горло жгло огнем.

Женщина буквально подскочила на месте от звука его голоса. Она бегом бросилась исполнять его просьбу и подала ему стакан.

— Вы очнулись! Доктор будет очень рад.

Джек втянул в себя немного воды из стакана, который женщина держала около его губ, и прошептал:

— Кто... кто вы?

— Я — Матильда Ноулс. Я работаю у доктора Майклса. Сижу около вас, чтобы следить за вашим состоянием.

— И что у меня за состояние? — выговорил он с трудом, потому что каждое слово доставалось ему с невыразимой мукой.

— Вас ударили ножом в спину. — Она увидела в его глазах вспышку боли. — Доктор Майклс не был уверен, выживете вы или нет. Я должна немедленно сообщить ему, что вам стало лучше.

Джек кивнул и закрыл глаза. «Она убила бы меня. Она хотела меня убить». Образ Элизабет возник в его мозгу: невинная, обиженная, нуждающаяся в защите... Все это было притворством, игрой, рассчитанной на то, чтобы обмануть его. И он клюнул. Попался так глупо! Он проклинал свою тупость, дивясь, как мог быть таким слепцом. Нет, он понимал, как такое могло случиться. Она его заколдовала... Она использовала его как источник информации!

Внезапно страшная, чудовищная мысль обожгла его: он ведь рассказал ей о Люке! Он надеялся, что друг его выжил, что Джеймсон поймала его раньше и вывезла из лагеря бандитов.

Сознание того, что он мог послужить причиной смерти Люка, терзало его, не давая спокойно отдыхать. Джек с отчаянием думал, что у него нет сил встать с постели и самому отправиться в погоню за Элизабет. Он не знал, куда она поехала, но готов был перерыть небо и землю, чтобы ее найти. И перероет, и не успокоится, пока не найдет ее.

— С вами все в порядке, мистер Логан? — спросила сиделка, видя, как исказилось его лицо, и тревожась, не усилилась ли боль.

— Нет, я не в порядке. И не буду в порядке, пока не встану с этой постели, — задыхаясь, ответил он.

— Вы должны отдыхать. У вас очень серьезное ранение. Я не сомневаюсь: вам еще долго понадобится постельный режим.

Джек понимал, что она права. Он не смог бы даже сесть на кровати. Он слаб, как новорожденный щенок. Сейчас он ни на что не способен.

Стук в дверь заставил сиделку оставить его и подойти к порогу.

— Кто там?

— Меня зовут Коди Джеймсон, и мне необходимо поговорить с рейнджером Логаном.

— Мне очень жаль, но...

— Впустите ее, — сумел сказать Джек.

Сиделка оглянулась и увидела на его лице такую решимость, что открыла дверь шире и впустила Коди.

— Джеймсон... Ты вернулась. — Голос Джека был слабым, но сила воли тверда как никогда.

— Проходите сюда, — сказала сиделка, подвигая к постели стул.

Коди села и ошеломленно уставилась на раненого. У него были перебинтованы грудь и спина, в лице — ни кровинки.

— Что с вами случилось?

— Это потом. Вы привезли Мейджорса? — Джек с замиранием сердца ждал ответа.

— Да. Он сейчас заперт в тюрьме, я только что оттуда. Я хотела сразу дать вам знать.

Джек поверить не мог, что все обошлось так прекрасно.

— Отлично... отлично. Прошло столько времени. Я стал бояться, что с вами что-то случилось.

— Дело было сложное, но мне удалось справиться. На этот раз мне пришлось потрудиться что есть сил, чтобы заработать свои деньги. — Она вспомнила обвинение Люка, что делает это только ради денег. Ей было грустно, но она нуждалась в деньгах: ей надо было кормить свою семью. Зачем бы еще шла она на такой риск?

— Я прослежу, чтобы тебе заплатили. Ты остановишься здесь, в гостинице?

— Да.

— Хорошо. — Джек вновь откинулся на подушки и на мгновение закрыл глаза.

— Что с вами случилось? — спросила Коди.

— У меня произошла стычка с Эль Дьябло.

— Эль Дьябло был здесь? — поразилась она, — Кто же он такой?

Джек открыл глаза и внимательно посмотрел на Коди. В голове его зародилась обнадеживающая мысль. Если она сумела поймать и доставить Люка Мейджорса, то ей действительно не было равных. Возможно... вполне вероятно...

Когда Стив и Фред вернулись из дома Харриса в контору шерифа, они с удивлением увидели у коновязи незнакомых коней и собирающуюся у входа толпу.

— Что здесь творится? — поднял брови Стив.

— Думаешь, кто-то доставил нам одного из бандитов?

Они поспешили войти в здание.

— На этот раз точно его поймали! — прокричал им кто-то из толпы, через которую они проталкивались ко входу.

Стив первым вошел внутрь, Фред следовал за ним по пятам. Увидев мужчину в камере, Лафлин понял, что это должен быть Мейджорс.

— Кто его доставил?

— Охотница за преступниками Коди Джеймсон, — объяснил помощник шерифа. — Она захотела поговорить с Логаном, так что мы пока заперли Мейджорса здесь.

Стив кивнул и направился в глубину комнаты.

— Вы Люк Мейджорс?

— Да я, — отвечал тот, бестрепетно глядя в лицо капитана рейнджеров. — Мне надо увидеться с Джеком Логаном, но они говорят, что он ранен.

— Да, его ранили. Он лежит в своей комнате, в гостинице. Как вы отнесетесь к тому, чтобы отправиться к нему всем вместе?

Люк ожидал неприятностей. Он думал, что этот человек сейчас объявит ему, что он будет гнить в тюрьме, пока Джек не поправится. Его ошеломленный вид вызвал веселый смешок Стива.

— Джек рассказал мне, что ты работаешь на него. Давай-ка выпустим тебя отсюда. Полагаю, ты сыт этой тюрьмой по горло.

Люк не находил слов для того, чтобы описать радость и облегчение, охватившие его, когда оказалось, что капитан знал правду.

— Вы правы.

Стив улыбнулся ему и вышел в переднюю комнату, где Фред доставал ключи от камер. Затем он вернулся и отпер замок.

— Спасибо, — произнес Люк от всего сердца, ступая за порог тюремной камеры.

Помощники шерифа были поражены происходящим:

— Что вы делаете? Это же Люк Мейджорс! Вы не можете его выпустить! Он один из тех бандитов!

Фред повернулся к своим людям:

— Люк Мейджорс все это время тайно работал на нас. Он никогда не был связан с бандой и не принимал участия в их преступных действиях. Он был нанят Логаном для выяснения личности Эль Дьябло и установления места убежища банды.

Помощники были изумлены этой неожиданной новостью. Они потрясенно смотрели, как Люк застегнул на себе пояс со своим пистолетом, оставленный у них Коди Джеймсон. Они еще не пришли в себя, а этот стрелок уже был готов выйти из тюрьмы с капитаном рейнджеров свободным человеком.

— Я в это не верю.

— Поверь, — настоятельно повторил Фред. — Он работал на нас все это время.

— А что вы станете делать с людьми, собравшимися снаружи? — поинтересовался один из помощников, видя, сколько народа толпится на улице перед тюрьмой.

Фред поглядел на Стива:

— Хочешь сам с этим разобраться?

— С удовольствием. — Стив шагнул на порог и стал перед горожанами. — Теперь все вы можете спокойно отправляться по своим делам. Люк Мейджорс был схвачен и доставлен сюда, но теперь отпускается на свободу.

— О чем это вы толкуете? — возмущенно крикнул кто-то из толпы. — Он убил Сэма и Дэвиса и еще ранил Харриса.

— Нет, он этого не делал. Мейджорс тайно работал в банде на рейнджеров. Он один из нас, и я не потерплю, чтобы кто-либо заявлял иное. Он не виновен ни в каких преступлениях.

— Он стрелял в Харриса! Так сказал Харрис!

— Харрис ошибся. Мейджорс всегда был на нашей стороне. А теперь отправляйтесь по домам.

Я не хочу неприятностей, но вы их получите, если не сделаете, как я говорю.

Собравшиеся повернулись и стали расходиться. Они были недовольны, но вроде не роптали. Один из горожан обернулся и переспросил:

— Так он вправду работал на рейнджеров?

— Вправду. Расскажите об этом всем.

Мужчина кивнул и отправился восвояси.

Стив надеялся, что слух об этом быстро разнесется по городу и Люку не будет грозить опасность от какого-нибудь горячего молодца, который с пистолетом кинется хватать «бандита». Немного позже он отправит телеграммы в соседние городки о том, что награда за поимку Мейджорса отменяется.

— Ну как, готов идти к Джеку? — спросил Стив у Люка.

— Более чем.

— Фред, хочешь пойти с нами?

— Нет. Я останусь с ребятами на случай, если начнется какая-нибудь заварушка. Дайте мне знать, как там у Джека обстоят дела.

Стив и Люк направились в гостиницу.

— Джек обрадуется, узнав, что ты вернулся. Он беспокоился о тебе. Как там было в банде?

— Приятного мало. Я могу сообщить вам с Джеком местонахождение их укрытия и назвать города, куда они отправлялись, провернув очередное дельце.

— А Эль Дьябло? Что удалось тебе выяснить на этот счет?

— Я все расскажу, когда мы придем к Джеку. Все-таки это он меня посылал.

Больше они не разговаривали, пока не добрались до гостиницы. Сиделка отворила им дверь в комнату Джека, и Люк был совершенно ошарашен при виде сидевшей у постели раненого Коди. Она тихонько говорила что-то Джеку.

Повернув голову на звук шагов, она удивленно уставилась на Люка:

— Что ты здесь делаешь?

— Я мог бы задать тебе тот же вопрос, если б не знал точного ответа. Тебе ведь только деньги нужны, Джеймсон? Не так ли? — в насмешливом голосе Люка звучало презрение.

— Люк... — раздался с постели слабый шепот Джека, он явно с каждой минутой уставал все больше и больше.

Люк посмотрел на друга и понял, что тот ранен очень серьезно.

— Что с тобой случилось?

— Эль Дьябло.

— Джек, это женщина. Я не знаю ее имени, но ее брат Хэдли командует бандой от ее имени, а она поставляет ему информацию.

Джек улыбнулся, не разжимая губ.

— Ты проделал для меня хорошую работу, Люк. Но я выяснил личность Эль Дьябло на своей шкуре.

— Кто же это?

— Элизабет Харрис, жена банкира.

Люк был потрясен не меньше, чем Коди.

— Где она сейчас?

— Никто не знает, — вмешался Стив. — Мы только что разговаривали с ее мужем. Прошлой ночью он подслушал ее разговор с братом, а затем они уехали из города. Я забираю с собой еще пару рейнджеров и отправляюсь за ними. Люк говорит, что ему точно известны их убежище и города, в которых они скрываются.

— Известны, — подтвердил Люк и сообщил все добытые сведения.

— Прекрасно, — порадовался Стив. — Я отправлюсь в путь, как только отошлю телеграмму, чтобы вызвать рейнджеров. Договорюсь встретиться с ними по дороге.

— Я хочу поехать с вами, — решительно объявил Люк. Эта женщина была злобной мерзкой тварью. Она хладнокровно застрелила Сэма Грегори, пыталась убить Джека. Люк хотел отомстить.

— Нет. Это теперь дело рейнджеров. — Стив отклонил предложение Люка и повернулся к

Джеку: — Джек, я зайду к тебе сразу, как только вернусь. А пока поправляйся. — С этими словами он попрощался и вышел из комнаты.

Джек в бессильной ярости уставился на дверь, в которую вышел его начальник. Он жаждал сам отправиться за Элизабет. Ему безумно хотелось самому схватить ее и посадить в тюрьму. Он оказался круглым дураком. Его счастье, что он вообще остался в живых. Ни простить, ни забыть этого он не мог.

Только когда Стив ушел, Коди наконец заговорила. Она была совершенно озадачена тем, что выяснилось в их разговоре.

— Подождите, я тут чего-то не понимаю.

— Чего именно? — с деланной наивностью поинтересовался Логан.

— Вы только что сказали, что Люк хорошо на вас поработал. Что вы имели в виду? — настаивала она.

— Люк тайно работал на меня. Но когда все повернулось так неладно и город объявил за него большую награду, я забеспокоился. Поэтому и нанял вас, чтобы вы привезли его мне живым.

— И не сказали мне правды о нем? — возмутилась Коди.

— Я не мог рисковать. Вы должны были верить, что он преступник. В противном случае вы могли бы обращаться с ним по-иному и возбудить подозрения.

— Значит, вы намеренно позволили мне считать его убийцей и грабителем. — Голос ее дрожал от ярости. Она повернулась к Люку: — А ты почему не сказал мне правды?

— Не вам говорить мне о правде, сестра Мэри, — возразил Люк. — Вы не узнаете, что это такое, даже если столкнетесь с ней нос к носу.

— Обманывать — моя работа.

— А моей работой было притворяться бандитом. И прежде чем изображать возмущение, ответьте лучше, почему вы не сказали мне, что вас нанял Джек?

— Я не знала, что это важно.

— А я работал один среди банды Эль Дьябло. Я должен был следить за каждым своим словом и жестом и не мог никому доверять.

— Люк, нам надо поговорить, — прервал их пререкания Джек.

Люк посмотрел на Коди, как бы выжидая, что она уйдет, но Джек заговорил снова:

— И с ней тоже.

Уже готовая удалиться, Коди изумленно уставилась на него.

— Люк, я хочу, чтобы ты отправился за Эль Дьябло. Я хочу, чтобы ты схватил ее и доставил сюда.

— Но ведь рейнджеры...

— Ты сумеешь сделать это. Вы с Коди знаете эту банду. Вы знаете, как они думают, куда обычно ездят, что делают. — Глаза Джека лихорадочно блестели, он беспокойно переводил их с Люка на Коди. — Я хочу, чтобы вы вдвоем выследили ее. — Он вперил взгляд в лицо девушки. — Я хочу, чтобы ее доставили сюда живой.

— Я работаю в одиночку, — объявил Люк. Меньше всего на свете ему хотелось снова связываться с этой охотницей, которая предавала его на каждом шагу.

— Люк, ты мой должник.

Вообще-то Люк считал, что все обстоит совсем наоборот, но спорить не стал. Он так же сильно, как Джек, хотел остановить Эль Дьябло. И еще ему хотелось отомстить за друга.

— Джеймсон чертовски хорошо работает. Она ведь доставила тебя? Не так ли? — не постеснялся подчеркнуть тот. — Я хочу, чтобы Элизабет была доставлена живой, и Джеймсон умеет это делать.

Люк был загнан в угол и прекрасно это понимал. Он рвался в погоню за Эль Дьябло.

— А как же с рейнджерами?

— Они хорошие ребята, но вы вдвоем лучше. Если кто-то и сможет найти Эль Дьябло, то это, конечно, вы двое. Найдите ее для меня. Доставьте сюда.

— А какое будет вознаграждение? — задавая этот вопрос, Люк намеренно смотрел на Коди.

— Мы подняли его до тысячи долларов.

— Ну как, Джеймсон? — спросил Люк, насмешливо улыбаясь. — Достаточно тебе такой суммы, чтобы вновь отправиться в банду?

Коди холодно посмотрела на него:

— Я отправлюсь за Эль Дьябло, но не ради денег.

— Значит, вы сделаете это? — настаивал Джек.

— Сделаем, — ответили они хором.

Глава 25

Коди первой покинула комнату Джека. Ей многое надо было сделать до того, как начать собираться в погоню за Эль Дьябло. Договорившись внизу о комнате для себя, она отправилась на поиски Крадущегося-в-Ночи, чтобы рассказать ему о случившемся. Она нашла его в конюшне, где он занимался их лошадьми.

— Я хочу, чтобы, как только я получу награду за доставку Мейджорса, ты отвез деньги мне домой.

— А что ты сама собираешься делать?

Коди быстро объяснила ему все, что узнала о Люке и его связи с Логаном. Крадущегося-в-Ночи удивило, что их пленник больше не считается преступником.

— Теперь рейнджер Логан хочет, чтобы мы вместе с Мейджорсом отправились за Эль Дьябло.

— Разве рейнджеры уже не заняты тем же?

— Да, но Логан считает, что мы с Мейджорсом найдем ее быстрее.

— Ты не хочешь, чтобы я поехал с тобой?

— Будет лучше, если ты поскорее отвезешь деньги домой. Они там нужны как можно раньше.

— Я сделаю это, но ты уверена, что будешь в безопасности, работая с этим человеком?

— Со мной все будет в порядке. Но сначала я проделаю свою обычную работу: разузнаю все, что смогу, об Элизабет Харрис и ее брате.

— Я тоже постараюсь до отъезда выяснить все, что можно.

— Спасибо. Ты мой самый большой друг, не знаю, что бы я без тебя делала.

— Надеюсь, ты узнаешь это не слишком скоро.

На этом они расстались, и Коди отправилась проводить свои изыскания. Начала она с дома Элизабет. Женщина, которую нашел Фред, чтобы присматривать за Джонатаном, впустила ее в переднюю гостиную, где в инвалидном кресле сидел банкир, и оставила их для разговора.

— Меня зовут Коди Джеймсон. Рейнджер Логан просил меня выяснить у вас относительно ее прошлого и происхождения. Возможно, это подскажет, куда она могла поехать.

Джонатан смерил ее скептическим взглядом, но, помедлив, решил ответить. Он готов был рассказывать все, что угодно, лишь бы это помогло поймать Элизабет.

— Что вы хотите знать?

— Во-первых, где она родилась и росла?

— Элизабет и ее брат родились и выросли в Новом Орлеане. В Техас они приехали только после войны.

— У них осталась там какая-нибудь родня?

— Нет. Практически никого.

— Были у вашей жены близкие друзья?

— Ее лучшей подругой была Сара Грегори. Они много времени проводили вместе. У нас было много знакомых. — Он быстро перечислил женщин, с которыми, как он знал, она общалась.

— Благодарю вас. Зная свою жену, что вы...

— Зная ее? — Он саркастически рассмеялся. — Оказалось, что я вовсе ее не знал!

— Понимаю, — сочувственно вздохнула Коди. — Но может быть, вы все-таки могли предположить, куда она отправилась бы поисках убежища?

Он устало покачал головой:

— Хотел бы я ответить, что могу, но, кроме Нового Орлеана, она никогда ничего не упоминала, говоря о своих поездках и тому подобном.

— Спасибо, что уделили время на свидание со мной, — поблагодарила его Коди. — Если припомните что-то еще, что может оказаться полезным, дайте мне знать.

— Если хотите, можете перед уходом просмотреть ее личные вещи. Я собирался их выбросить или сжечь, так что можете свободно покопаться в них. Они в нашей спальне. Берите, что хотите.

— Это очень великодушно с вашей стороны.

— Не великодушно, — почти прорычал он, не в силах более скрывать ненависть, которую испытывал к своей лживой и кровожадной жене. — Я хочу, чтобы вы ее поймали. Хочу, чтобы вы привезли ее сюда и я смог посмотреть в ее глаза, перед тем как ее поведут на виселицу. Я хочу плюнуть ей в лицо и сказать вслух, какая же она шлюха.

Коди кивнула, понимая его чувства.

— Хотите проглядеть ее вещи вместе со мной? Возможно, вы сможете что-то мне подсказать.

Джонатан покатил свое кресло в спальню; Коди последовала за ним. Осмотр занял у них больше часа.

— Я дам вам знать, когда что-то выяснится, мистер Харрис.

— Сделайте это, мисс Джеймсон. Я буду ждать с нетерпением. Сейчас меня поддерживает лишь жажда мщения.

Коди услышала в его голосе угрозу и поняла, что он не успокоится, пока Элизабет не окажется в тюрьме. Она покинула его, унося с собой несколько портретов Элизабет, включая сделанный в день их свадьбы. Джонатан больше не хотел хранить их в своем доме.

Вслед за этим Коди решила поговорить с Сарой Грегори.

— Чем я могу вам помочь? — спросила Сара, открывая дверь.

— Миссис Грегори, я Коди Джеймсон. Я работаю с рейнджером Логаном. Мы сейчас собираем сведения о возможном местонахождении Эль Дьябло.

— Эль Дьябло? Они узнали что-то новое? — Устремленный на Коди усталый взгляд засветился надеждой.

— Разве вы не слышали о том, что случилось?

— Нет. Вы хотите сказать, что им удалось что-то обнаружить?

Коди кивнула, и Сара посторонилась, пропуская ее в дом:

— Пожалуйста, входите. Я хочу все знать о человеке, убившем моего Сэма.

Коди прошла за ней в гостиную и, усаживаясь там, нервно сложила руки на коленях, не зная, как сообщить Саре, что мужа ее хладнокровно убила ее лучшая подруга. В конце концов она решила, что лучше всего говорить напрямик.

— Миссис Грегори, за последние сутки произошло несколько событий, — начала она и, видя безраздельное внимание Сары, подробно рассказала ей о нападении на Джека, о том, как доставила сюда Мейджорса и узнала, что он все время работал на рейнджеров. — Мейджорс выяснил, что главарь бандитов не участвует лично в налетах. За все время, которое он находился в банде, пытаясь выяснить личность Эль Дьябло, тот ни разу не приехал в их лагерь. Тем часом рейнджер Логан, проводя собственное расследование здесь, в городе, обнаружил связь между последними ограблениями и Джонатаном Харрисом. Вернее, он решил, что с Джонатаном, и ошибся.

— Вы хотите сказать?.. — Побледневшая Сара схватилась за горло.

— Связь с Харрисом была, но осуществлялась его женой. С бандитами была связана Элизабет. Элизабет Харрис оказалась Эль Дьябло.

— Нет!..

— Боюсь, что это правда. Этой ночью она исчезла, а перед этим Джонатан подслушал, как она планировала убить Логана. Когда же сегодня в город вернулся Мейджорс, он подтвердил, что Эль Дьябло — женщина.

— Так это была Элизабет? Элизабет убила Сэма?

— Получается так. Мейджорс поклялся, что, когда банда покидала тюрьму, Сэм был жив. Сэм знал о том, что Люк тайно работает на рейнджеров, и сотрудничал с ним. Люку не было никакого смысла его убивать.

— Значит, Элизабет вошла туда после побега бандитов и застрелила его... просто взяла и застрелила?

Коди молчала.

Сара подняла на девушку полные слез глаза.

— Я считала Элизабет своей подругой. Мы встречались с ней совсем недавно и сочувствовали друг другу в беде, приключившейся с нашими мужьями. — Она недоверчиво потрясла головой. — Я еще говорила, как ей повезло, что ее Джонатан жив... Теперь я понимаю, что, по-видимому, она планировала и его смерть, но что-то сорвалось.

— Полагаю, вы правы. Из того, что я узнала об этой женщине за последние несколько часов, очевидно: она жестокая и совершенно безжалостная.

— Чем я могу вам помочь? Что я могу сделать, чтобы вы ее нашли? Я хочу встретиться с ней лицом к лицу. Хочу посмотреть ей в глаза и сказать Элизабет, что я о ней думаю. — Сара всем сердцем желала помочь.

— Мне нужно, чтобы вы рассказали все, что она когда-либо говорила о своем прошлом.

— Дайте-ка припомнить. Я знаю, что семья ее родом из Луизианы. Она часто говорила, как скучает по тем краям. Она повторяла, что жизнь в Новом Орлеане несравненно цивилизованнее. — Сара замолчала и посмотрела на Коди. Лицо ее приобрело какое-то мертвое выражение, словно только теперь осмыслила она всю правду о женщине, которую считала близкой подругой. — Все эти разговоры о цивилизованном обществе... Что она в этом понимает? Цивилизованные люди помогают друг другу, они не грабят и не убивают!

— Я сделаю все, что в моих силах, миссис Грегори, чтобы поймать ее. Обещаю вам. Эта женщина принесла столько мук и страданий многим хорошим людям... Я добьюсь, чтобы она поплатилась за свои преступления.

— Подумать только, бедный Джонатан, — вздохнула Сара. — Если мне так больно оттого, что меня предали, представляю себе, как же тогда страдает он.

Коди сочувственно молчала.

— Есть ли что-то еще, чем я могу вам помочь? Что-нибудь рассказать?

— Один последний вопрос. Упоминала ли она когда-либо о каком-то месте, куда хотела бы уехать? Возможно, о городе, который предпочитала остальным?

— Разумеется, Новый Орлеан. Она часто говорила о нем. Часто повторяла, что ждет не дождется, когда снова туда поедет. А в чем дело? Вы считаете, что она туда и направилась?

— Я не уверена, куда именно она скрылась. Поэтому я и стараюсь выяснить побольше об ее пристрастиях. Рейнджеры уже занялись обследованием южного направления. Я же думаю, что если Элизабет такая хитрая, то скорее всего она отправится в противоположную сторону. А не туда, где ее ждут.

— Она очень хитрая. Все правильно. Вам будет нелегко ее поймать, но я прошу вас, мисс Джеймсон, найдите ее. Поймайте. Пожалуйста, пусть не сойдет ей с рук убийство моего Сэма и то, как лгала она мне все то время, что мы были с ней вместе. — Сара пылала праведным гневом.

— Я постараюсь. Если вы вспомните что-нибудь еще из ее слов, что может мне помочь... Я остановилась в гостинице и буду там еще один день.

— Не волнуйтесь. Я, наверное, сегодня всю ночь не засну: буду вспоминать каждое ее слово, каждый наш разговор. Если вспомню хоть что-то, сразу дам вам знать.

Коди направилась к дверям.

— Мисс Джеймсон?

Она оглянулась на Сару.

— Спасибо вам. Я уверена, если кто и сможет найти Элизабет, так это вы.

Коди выдавила из себя улыбку, понимая, что ничего не может добавить к своим словам, чтобы облегчить терзающую Сару Грегори боль потери и предательства. Мысленно она поклялась сделать все возможное, чтобы поскорее схватить Эль Дьябло.

В списке, который она получила от Джонатана, было еще два имени. Коротко переговорив с двумя названными женщинами, Коди решила, что выяснила все, что им было известно, об Элизабет Хэдли Харрис.

Теперь ей предстояло встретиться с Люком, и мысль об этом радости ей не доставила.

Люк еще час пробыл у Джека, рассказывая ему все, что помнил относительно банды.

— Теперь расскажи мне насчет Джеймсон. Как ей удалось тебя схватить? — поинтересовался наконец Джек, сгорая от желания услышать из первых рук историю о том, как молодая хорошенькая девушка сумела одолеть такого ушлого молодца, как Люк.

Люк поморщился.

— Что именно ты хочешь узнать?

— Все. До меня только слухи доходили о ее сноровке. Так что я нанял ее и обнаружил, что имею дело с женщиной. Ну, как она это проделывает? Какими пользуется трюками? Ведь ясно, что любой мужчина сможет ее скрутить, если захочет. Должно быть, она такая ловкая и проворная, что ты и оглянуться не успеешь, а уже пойман.

— Что-то в этом роде.

Джек нетерпеливо дернулся, и Люк неохотно стал объяснять:

— Когда я увидел ее в первый раз, она изображала проповедницу церкви Возрождения Духа.

— Ты шутишь. — Джек радостно заухмылялся, представляя себе эту картину.

— Я говорю тебе абсолютно серьезно. А потом она разозлила одного из бандитов, и мне пришлось выручать ее.

— Так что, получилось, что ты ее спас?

— Теперь, оглядываясь назад, я уверен, что если б она захотела, то прекрасно сумела бы сама себя защитить. Она так здорово управляется с пистолетом, что легко пристрелила бы его, и дело с концом. А так мне пришлось ее спасать.

— И ты действительно считал ее проповедницей?

— Да.

— Что случилось потом?

Люк коротко описал ему, что произошло в лагере и как он дал ей убежать, когда подвернулся случай.

— Тогда она переоделась Армитой.

— Армитой? — Джек просто наслаждался смущением Люка. — А это кто?

— Певичка в салуне в Рио-Нуэво.

— И?..

— Тогда-то она и застрелила Салли... когда он на меня накинулся.

— Джеймсон спасла тебе жизнь? — На Джека это явно произвело впечатление.

— Да, — признался Люк. — А потом нам пришлось вдвоем убегать, потому что я не знал, что известно банде обо мне. К тому же я беспокоился, что, если они обнаружат, что Салли убила она, ей несдобровать. Поэтому мы оставались вместе, пока нас не выследил другой охотник за наградами.

— Кто это был?

— Человек по имени Рид, но Коди его перехитрила. Он решил, что она просто девчонка из салуна, поэтому, забрав меня, бросил ее, не боясь последствий. Я попытался удрать, но был ранен.

— Я заметил твой лоб.

— В плечо тоже попало, — сказал Люк и попробовал шевельнуть им, но тут же поморщился от боли.

— Рана несерьезная?

— Бывало и похуже. Я, безусловно, отделался легче тебя. По крайней мере стою на ногах и могу двигаться.

Джек нахмурился и буркнул:

— Продолжай.

— Коди каким-то образом удалось на следующий день обогнать нас. Она переоделась старушкой, сделала вид, что у нее сломалась повозка и, когда мы подъехали, попросила ей помочь. Она выглядела такой беспомощной, несчастной... Рид спешился, и она наставила на него пистолет. Можешь себе представить, как он был счастлив.

— Насколько я понимаю, ты тоже.

Люк покачал головой, вспоминая, как потрясло его разоблачение многоликой Коди.

— Это было прямо откровением: вдруг обнаружить, что меня все время дурачили... То сестра Мэри, то Армита, то маленькая старая дама... и в конце концов все они оказались охотницей за вознаграждением Коди Джеймсон. Ты прав. Она чертовски здорово работает, меняет свое обличье, как хамелеон. Кто знает, кем она явится нам при следующей встрече?

— Однако она доставила тебя сюда живым, а я платил ей именно за это, — удовлетворенно заключил Джек.

— Я бесконечно счастлив, что она получит свое вознаграждение. Ни за что на свете мне бы не хотелось стать причиной того, что она потеряет хоть грош.

— Если собираешься с ней работать, лучше постарайся понять, как ее сильные стороны могут помочь делу. С ее способностью к перевоплощению она сможет проникнуть в такие места, куда тебе будет путь заказан.

Люк неохотно признал его правоту, но от этого симпатии к Коди у него не прибавилось.

— Она тебе понадобится. Схватить и доставить сюда Элизабет и ее братца будет нелегко. Но вдвоем вы с этим справитесь. Я не сомневаюсь.

— Рад, что ты так уверен.

— Расскажи мне, с чего ты собираешься начать.

— Я свяжусь с тобой перед отъездом.

— Ладно. — Он наблюдал, как Люк встает, собираясь уходить. — И еще, Люк...

Люк посмотрел на него.

— Спасибо.

Тот кивнул и вышел из комнаты. Ему не слишком нравилось предстоящее приключение, но он доведет дело до конца. Они найдут и арестуют Эль Дьябло, чтобы справедливость восторжествовала. По крайней мере эта часть поручения доставит ему несомненное удовольствие.

Люк собирался съездить на свое ранчо повидаться с Джессом, но на выходе из гостиницы столкнулся лицом к лицу с Коди, возвращавшейся со своих опросов.

— Как скоро вы сможете собраться в дорогу? — едва завидев его, сказала она.

— А в чем дело? Куда мы направляемся? В Рио-Нуэво?

— Нет. У меня тут есть кое-какие вещи, которые я хочу вам показать. Поднимемся в мою комнату.

Люк последовал за ней. У себя в номере она разложила на постели портреты и дневник, чтобы он мог хорошенько их разглядеть.

— Это принадлежит Элизабет, Джонатан сказал, что я могу их взять с собой. Я еще не успела прочитать весь дневник, но догадываюсь, куда она направилась.

— Догадки — это прекрасно, однако сомневаюсь, что они помогут нам поймать этих преступников.

Коди с вызовом взглянула на него:

— Называйте это интуицией, инстинктом, чем угодно. Мне это помогает. Я утверждаю, что Элизабет Хэдли Харрис направилась вовсе не к границе.

— Откуда такая уверенность?

— Во-первых, этой женщине необходимо исчезнуть. Она знает, что ее будут искать, и надеется быстро добраться туда, где никому в голову не придет связывать ее с Эль Дьябло. Во-вторых, они только что продали мексиканцам оружие. Значит, у нее есть деньги, и она может поехать куда захочет. В-третьих, в разговорах с друзьями она все время повторяла, как сильно тоскует по настоящей цивилизованной жизни и как мечтает вернуться в Новый Орлеан. Я на сто процентов уверена, что она направилась на восток, а не на юг.

— И что же ты хочешь делать?

— Поеду завтра на рассвете в Сан-Антонио. Я уже телеграфировала другу моего отца Нэту Томпсону, шерифу Сан-Антонио. Если повезет, он успеет к моему приезду разузнать, не появлялись ли они. Железная дорога идет до Сан-Антонио. Если Элизабет хочет уехать в Новый Орлеан, здесь она должна сесть на поезд, идущий на восток. Поедете со мной или нет?

— А если мы обнаружим, что их с Хэдли уже нет в Сан-Антонио? Что тогда?

— Тогда мы станем выслеживать их дальше... столько, сколько понадобится. Мы привезем ее сюда!

— Видно, эта тысяча долларов очень тебе нужна.

Коди яростно сверкнула глазами.

— Убирайся из моей комнаты. Жду тебя в конюшне за полчаса до рассвета. Будь готов в дорогу, — бросила она.

— Не волнуйся. Я там буду, — сказал он.

Глава 26

Люк тоже взял номер в гостинице, чтобы не мчаться на ранчо и обратно. Времени повидаться с Джессом не оставалось. Придется отложить это до возвращения с Эль Дьябло и Хэдли.

Устроившись на ночь, Люк долго лежал без сна, перебирая в памяти сведения, собранные Коди при разговорах с подругами и мужем Элизабет. Надо было признать правоту Джека: Коди прекрасно знала свое дело. Сначала у него еще были сомнения относительно их совместной работы, но, послушав ее, Люк понял, что Джек был прав. Он лишь надеялся, что им удастся выследить преступную парочку до того, как они затеряются в большом городе. Люк несколько раз там бывал, но не мог сказать, что достаточно с ним знаком. Найти там Элизабет и Хэдли будет весьма непросто.

Люк проснулся задолго до рассвета и думал, что придет в конюшню слишком рано. Однако, явившись туда на час ранее назначенного срока, обнаружил, что он там не первый. Еще издали он увидел Коди, разговаривающую с Крадущимся-в-Ночи. Ее оседланная лошадь стояла рядом.

Люк не стал окликать их, а какое-то время наблюдал издалека. Они долго о чем-то говорили, затем Коди вложила в руку индейца пухлый конверт. Наверное, с деньгами.

Если до этого он размышлял о том, как хорошо справляется она со своей работой, то, увидев деньги, снова ожесточился. Для нее это был всего лишь прибыльный заработок. Она занималась охотой на преступников ради корысти, а на справедливость ей было наплевать.

— Готовы ехать? — Люк специально постарался подойти как можно более шумно. Ему не хотелось, чтобы у Коди создалось впечатление, будто он за ней подсматривает.

— Не хотите сначала позавтракать? До Сан-Антонио полтора дня пути, так что это последняя возможность за всю дорогу поесть как следует.

— Нет. Надо ехать. Эль Дьябло слишком опережает нас.

— Тогда в путь. Крадущийся-в-Ночи поедет с нами до Сан-Антонио.

Они вскочили на коней и выехали из Дель-Фуэго.

***

Коди остро ощущала неприязнь Люка, но заставляла себя не думать об этом. До Сан-Антонио еще много миль, и ей надо сообразить, как лучше выполнить поставленную задачу. Джек хотел, чтобы она привезла ему Эль Дьябло, и она сделает это во что бы то ни стало. Никто не смеет совершить столько преступлений, сколько сотворила эта женщина, и уйти безнаказанно. Никто.

Вновь нахлынули на нее воспоминания о том, как был убит во время побега заключенных из тюрьмы ее отец. Она не забыла, как возмутило и потрясло ее то, что закон не сумел найти виновных. Тогда она сама отправилась на поиски убийцы... и нашла его. Это было первое ее дело и, пожалуй, самое мучительное.

Каким жалким оказался этот подонок. В нем было больше отчаяния, чем истинной жестокости. Не в пример ему Эль Дьябло была злобной, хитрой, свирепой и безжалостной. Коди никогда ранее не приходилось сталкиваться с такой хладнокровной жестокостью. Эта женщина убивала с наслаждением.

— Когда доберемся до Сан-Антонио, первым делом проверим все гостиницы — останавливалась ли она в них. Будем показывать портрет, не называя ее по имени, потому что она, вероятнее всего, пользуется вымышленным.

— А что, если никто ее не признает? — Люку, похоже, нравилось во всем сомневаться.

— Держу пари, кто-нибудь узнает, — убежденно сказала Коди.

Они ехали день напролет до темноты, останавливаясь лишь для того, чтобы попоить коней и дать им передохнуть. Когда стемнело, они быстро поели и рано улеглись спать. На рассвете им предстояло продолжить путь.

На следующее утро они поднялись и, не медля, пустились в дорогу. В нескольких милях от города Коди натянула поводья.

— Ты не заедешь домой со мною вместе? — спросил Крадущийся-в-Ночи.

— Нет. Некогда. Но скажи им, что я вернусь, как только сумею.

— Они огорчатся.

— Просто объясни, что я не могу иначе, что я работаю.

Старик кивнул, настороженно поглядел на Люка и уехал прочь. Она проводила его взглядом, разрываясь пополам от желания поехать с ним домой, повидать тетю, сестру и брата... Но это было невозможно. Она должна торопиться в погоню за Эль Дьябло. Напомнив себе, что она выполняет задание, Коди направила коня в сторону города.

Сан-Антонио встретил их шумом и суетой. Коди торопилась поскорее узнать у Нэта Томпсона, не удалось ли ему обнаружить что-нибудь интересное, потому они прежде всего остановились у конторы шерифа. Однако, к ее разочарованию, оказалось, что Нэт на несколько дней уехал из города. Ее нераспечатанная телеграмма лежала у него на столе.

Когда они вышли оттуда, раздосадованная Коди поняла, что поиски придется начинать с нуля. Что ж, она была к этому готова.

— Ты сохранил портрет Элизабет, который я дала тебе вчера вечером?

— Да.

— Отлично. У меня он тоже есть. Я зайду на железнодорожную станцию на Остин-стрит, а затем примусь за гостиницы на северной стороне. Вдруг кто-нибудь ее опознает.

— А я тогда обойду остальные.

— Давай встретимся потом в Менджер-отеле и переночуем там.

— Ладно.

Они разошлись в противоположные стороны и лишь через час с лишним сошлись наконец в фойе гостиницы.

— Ну как, повезло? — поинтересовался Люк. Его усилия оказались безуспешными.

— Нет, но я пока не готова сдаться. — Коди решительно зашагала к столику регистратора и обаятельно улыбнулась клерку: — Добрый день. Нам нужны две комнаты на ночь.

— Да, мэм.

Он начал записывать их имена, и тут Коди вытащила из кармана портрет Элизабет.

— Я подумала, не поможете ли вы мне еще в одном деле?

— Конечно, мэм.

— Я пытаюсь найти мою сестру. Мы должны были с ней встретиться здесь два дня назад, но меня задержали, и я только сейчас прибыла в город. Вы не видели ее? — Она подтолкнула портрет к клерку.

Он взял ее в руки, посмотрел и тут же заулыбался.

— Это же мисс Хэдли. Она была здесь вчера вечером.

— Она все еще в городе? Мне очень надо увидеться с ней до того, как она уедет.

— Боюсь, это невозможно. Она выписалась из отеля сегодня утром.

— А вы случайно не слышали, куда она направлялась? Мне действительно очень нужно ее догнать.

— Нет. Боюсь, что нет. Она держалась очень замкнуто, почти не говорила.

— Благодарю вас за помощь. Придется мне продолжать поиски. Возможно, она поехала домой.

— Знаете, мне вспоминается, она сказала, отходя от моего стола, что-то вроде того, как счастлива будет оказаться дома. Но я понятия не имею, где это «дома».

Коди одарила его еще одной лучезарной улыбкой:

— Вы мне очень помогли. Благодарю вас.

— Ваши комнаты на втором этаже, 210 и 211. Если вам что-нибудь понадобится, только дайте нам знать.

С торжествующим видом повернувшись к Люку, Коди протянула ему один из ключей.

— Они опережают нас всего на день и направляются «домой», — сообщила она, невероятно довольная, что оказалась права. Обычно она в себе не сомневалась, но скептицизм Люка сильно подорвал ее убежденность в своих суждениях.

— Но на станции портрета никто не узнал.

— Это ничего не значит. Люди, которых я опрашивала, могли работать в другую смену. Не в ту, в которую они отъезжали.

— Когда идет следующий поезд на Галвестон?

— Завтра, рано утром. Я выяснила это на станции.

— Тогда возьмем сейчас билеты — и утром в путь.

Они вместе сходили на станцию за билетами, но на обратном пути Коди сообразила, что ей необходимо купить дорожную одежду для этой поездки. У нее было с собой кое-что, но, для того чтобы успешно заниматься поисками в Галвестоне, не привлекая к себе внимания, надо было прикупить кое-какие наряды. Что-что, но на каждое свое дело Коди всегда отправлялась в полной боевой готовности.

— Если не возражаешь, Люк, я, пожалуй, сделаю здесь некоторые покупки. Пообедаем потом вместе? — спросила Коди, приготовившись услышать отказ.

— Ладно. Когда?

— Давай встретимся в семь. За это время я куплю все, что нужно. Увидимся.

Она стояла перед магазином одежды и провожала взглядом удаляющегося Люка. Он двигался с такой грацией, что она, как ни старалась, не могла отвести от него глаз. Он был невероятно, завораживающе хорош собой: высокий, стройный, гибкий... Сможет ли она когда-нибудь забыть, что они были любовниками?

«Нет, — мысленно поправила себя Коди, — Мы любовниками не были. Он занимался любовью с Армитой, а не со мной, не с Коди. По правде говоря, он ясно дал мне понять, что я ему не нужна. Мне следует почаще напоминать себе об этом».

До сих пор, пусть с трудом, ей удавалось держаться с ним официально, по-деловому. Сейчас самым важным было схватить Эль Дьябло, на этом она и сосредоточится. По крайней мере за время совместной работы он убедится, что она прекрасно знает свое дело.

Тяжело вздохнув, Коди открыла дверь магазина. Надо было прикинуть, что может произойти в будущем, в Галвестоне, и хорошенько к этому подготовиться. Спустя час она вышла из лавки с двумя новыми платьями.

Вернувшись в гостиницу, она попросила налить ванну. Понежившись долго и с наслаждением в горячей воде, она вымыла волосы до скрипа, соскребла с себя дорожную пыль и вытерлась досуха мягкими толстыми полотенцами, которые предоставлялись здесь постояльцам. Как же прекрасно было снова почувствовать себя женщиной, а не охотницей... Подсев к туалетному столику, она стала бережно расчесывать спутавшиеся волосы, с радостью замечая, что к ним вернулся природный темно-рыжий цвет. Она всматривалась в свое отражение в зеркале, пытаясь увидеть перемены, вызванные приключениями последних дней, но единственным отличием была тень грусти в глазах. Затем она опустилась на кровать, чтобы отдохнуть часок перед встречей с Люком. Коди хотелось к обеду выглядеть на все сто.

По дороге в гостиницу Люк тоже зашел купить себе одежду. Он понимал, что Коди права. В Галвестон они должны прибыть во всеоружии. В семь часов чистый, гладко выбритый и причесанный, одетый в новый, только что купленный костюм, Люк был наконец готов спуститься в ресторан. Он постучался в дверь Коди и подождал.

— Я готова, — откликнулась она, открывая дверь.

Люк стоял у порога сногсшибательно красивый. Красивее, чем когда бы то ни было раньше. Костюм преобразил его. Он больше не выглядел беспутным стрелком. Теперь перед нею стоял джентльмен. Не в силах удержаться, она широко улыбнулась.

Со своей стороны, Люк ошеломленно уставился на нее. Он не представлял себе толком, какой она явится, но действительность превзошла все его ожидания. Он не думал, что увидит такую утонченную красавицу. Коди Джеймсон была выносливой, сообразительной и владела пистолетом почище иного мужчины. Стоявшая перед ним женщина была прелестной и нежной, и сердце его сильно забилось. Какая же она красивая и изящная! Настоящая леди!

— С кем я имею честь нынче обедать? — саркастически осведомился он. — Явно не с сестрой Мэри, а цвет волос не подходит ни Армите, ни старой леди.

Удовольствие, которое Коди испытала при виде его изумления, сразу испарилось. Она заставила себя улыбаться и, выйдя из комнаты, закрыла за собой дверь.

— Вы обедаете с той же женщиной, какой я всегда была. Вы не были знакомы со мной в прошлом, не знаете меня и сейчас.

Она прошла мимо, и легкий аромат ее духов коснулся дразнящим ароматом его ноздрей. Насупившись, Люк последовал за ней вниз, в обеденный зал.

Посетителей там было немного, и их усадили за уединенный столик в глубине помещения. Быстро сделав заказ, они устроились поудобнее и стали ждать еду.

— Нам надо сесть на поезд до Галвестона, который отходит в шесть утра. Уверена, что, если цель их назначения — Новый Орлеан, они оттуда и поплывут, — сказала Коди, придерживаясь деловой темы. Его недавний сарказм подчеркнул, что свое нелестное мнение о ней он не изменил. Люк сменил одежду и выглядел джентльменом, но в их отношениях все осталось по-прежнему.

— Я буду готов вовремя, — ответил он, стараясь не заглядываться на вырез ее платья, который, не будучи вызывающе соблазнительным, позволял увидеть вполне достаточно, чтобы мужчина представил себе скрытые платьем прелести. Искусно зачесанные назад локоны струились водопадом по спине. Он вспомнил, какими прекрасными показались они ему тогда, в хижине, когда она изображала сестру Мэри. При этой мысли жаркая волна прокатилась по его телу, но он заставил себя сосредоточиться на Эль Дьябло.

— Что, если мы не застанем их в Галвестоне? Мы ведь на день отстаем от них.

Коди думала о том же.

— Продолжим поиски. Только и всего. Если понадобится, мы проследим их связи вплоть до Нового Орлеана и посмотрим, куда это нас приведет. После всего, что они сделали, мы не можем дать им уйти от наказания. Слишком многим невинным людям они причинили горе... слишком много жизней поломали, — сказала она с горечью. — Когда я думаю о том, как она дурачила и обводила вокруг пальца Сару Грегори... Она притворялась лучшей подругой, зная, что убила ее мужа. Это непостижимо! Более бессердечной твари я в жизни не встречала.

— А что она сделала с Джеком... — добавил Люк. — Мы обязательно их разыщем, — произнес он торжественно, как клятву, вспоминая все, что видел в банде Хэдли, все мерзости, свидетелем которых был.

Глядя, как изменилось его лицо, Коди вздрогнула: такая непреклонная решимость была на нем написана.

— Теперь я понимаю, почему ты заработал славу убийственного противника. Сейчас ты выглядишь смертельно опасным.

Люк быстро поднял на нее глаза, отгоняя черные мысли. На губах его заиграла улыбка, впрочем, довольно мрачная.

— Внешность может быть обманчивой, не так ли, сестра Мэри? Скажи-ка мне, Коди, как ты вообще занялась всем этим? Такая женщина, как ты, должна сидеть дома и растить детей.

— Такая женщина, как я? Что же я, по-твоему, за женщина, Люк? — яростно спросила она, сверкнув глазами.

Люк озадаченно нахмурился, не понимая, из-за чего, собственно, она так разозлилась.

— Я имел в виду, что ты хорошенькая женщина. Наверняка вокруг вьется много мужчин, которые хотели бы на тебе жениться. Тебе нет никакой нужды так рисковать, охотясь за преступниками.

— Возможно, есть мужчины, готовые на мне жениться, но мне выяснять это некогда. Я занимаюсь охотой за преступниками с семнадцати лет.

Он был изумлен и не скрывал этого.

— Но почему?

Она рассказала ему, как был убит ее отец при побеге заключенных из тюрьмы и как жители города побоялись разыскивать виновника.

— Все мои мечты были уничтожены его смертью. Кто-то должен был поймать его убийцу. Я сделала это сама. Сначала о деньгах я и не думала. Я действовала, потому что отец был мертв, а его убийца разгуливал на свободе. Но затем, когда мне заплатили за то, что я доставила преступника для суда, я поняла, что этим могу зарабатывать на содержание своей семьи.

— А у тебя есть семья?

— Маленький братишка Чарли и сестра Сьюзи. Мама умерла, рожая ее, так что с нами живет и заботится о них в мое отсутствие тетя Клара. А у тебя есть семья?

— Нет. Все или умерли, или погибли во время войны. Джек — самый близкий мне человек, почти что брат. Мы вместе росли. Война нас разлучила, и мы лишь недавно встретились снова.

— Неудивительно, что он так настаивал, чтобы я доставила тебя живым. Когда он меня нанимал, то сказал лишь, что сомневается в твоей вине. Как я понимаю, этим он хотел намекнуть, что ты невиновен. Но из-за того, что к убийцам представителей закона у меня чувства особые, я не особенно вслушивалась в его слова.

— Значит, ты считала меня убийцей?

Коди подняла на него глаза и внимательно всмотрелась в жесткие черты его лица.

— Когда тем вечером в Эль-Тражаре ты заставил отступить Салли, я решила, что ты способен на все. Однако я никак не могла понять, почему хладнокровный убийца тревожится о безопасности какой-то проповедницы. Это было для меня загадкой. А затем, оказавшись в лагере бандитов, когда мне надо было соображать, как оттуда выбраться, с тобой или без тебя, все совсем запуталось.

— Да уж, запутано все было как следует, — согласился Люк, встретившись с ней взглядом.

И в этот миг время, казалось, замерло на месте. Оба вспомнили о той последней ночи в бандитском лагере. Коди не могла забыть жар его поцелуя, его прикосновения. И Люк отчетливо помнил, как чудесно было прижимать ее к себе...

— И до сих пор не распуталось, — прошептала Коди.

Подали обед, и очарование рассеялось.

Коди сосредоточилась на еде и потом весь вечер говорила только об Эль Дьябло и планах на завтрашний день. Она сказала себе, что Люк никогда по-настоящему ею не интересовался, что он, в сущности, ее не знает. Сегодня он впервые потрудился расспросить ее о ней самой.

Их совместная поездка была просто работой. Они вместе разыщут Эль Дьябло и доставят ее к Джеку. А затем каждый пойдет своей дорогой.

Глава 27

Коди злилась и досадовала. Она надеялась найти Элизабет и Хэдли до того, как они прибудут в Новый Орлеан, но, судя по всему, этого не случится. Она только что закончила четырехчасовое прочесывание Галвестона, пытаясь обнаружить хоть какой-то след или зацепку, но безуспешно.

Теперь вся надежда была на Люка. Возможно, ему повезет больше, чем ей. Она направилась обратно в гостиницу, где они сняли комнаты для ночлега. Она проверила все, кроме двух контор по продаже билетов на корабли, и теперь по дороге решила заглянуть туда. Если там ей ничего нового не скажут, значит — тупик.

Однако главным, что позволяло Коди все эти годы раз за разом добиваться успеха, было ее упорство. Теперь же к нему добавилось страстное желание поймать негодяев, которых они преследовали.

Поэтому, несмотря на долгие тщетные поиски, рвение ее не ослабевало. Она подошла к корабельной конторе, когда все и случилось. Дверь конторы распахнулась, и оттуда вышел Хэдли.

Коди сначала не узнала его. Хэдли больше не походил на разбойника. Он был модно одет и выглядел джентльменом. Если бы она не знала твердо и несомненно, что таится в его душе, то непременно обманулась бы. К счастью, он поглядел на нее лишь мельком и направился в противоположную сторону.

Только когда он повернулся к ней спиной, Коди поняла, что замерла не дыша. Ей отчаянно хотелось зайти в контору и спросить, куда он купил билеты, но она понимала, что гораздо важнее выследить Хэдли.

С небрежным видом она шла за ним через весь город, держась поодаль. Хэдли не заподозрил, что она следит за каждым его шагом. Подойдя к лучшему отелю города, он зашел в него, чему Коди не удивилась. Из того, что ей удалось узнать насчет Элизабет, было ясно, что эта женщина любила роскошь и комфорт и умела ими наслаждаться.

Шмыгнув вслед за ним, Коди успела заметить, что Хэдли стал подниматься по лестнице. Не привлекая к себе внимания, она последовала за ним и увидела, что, оказавшись на втором этаже, он вошел в комнату где-то в середине коридора.

Едва сдержав рвущийся из груди победный крик, Коди поспешила вниз и, мило улыбаясь, обратилась к дежурному клерку за стойкой регистрации:

— Не будете ли вы так любезны? Мне нужны две комнаты на ночь.

— Конечно, мэм. Только распишитесь здесь. — Клерк пододвинул к ней регистрационный журнал.

— А возможно ли получить их на втором этаже?

— Пожалуйста, у нас там есть несколько свободных.

Спустя несколько минут Коди заплатила за комнаты и получила ключи. Еле сдерживая охватившее ее возбуждение, она вышла из гостиницы и поспешила назад. Единственным внешним проявлением волнения, которому она не могла помешать, была ускоренная походка. Выдержка всегда играла важную роль в ее работе. Давать волю чувствам, позволять им влиять на разум было слишком опасно.

До назначенного времени встречи с Люком оставался еще час, но Коди надеялась, что он закончит свои дела пораньше. Им нельзя было терять ни минуты. Теперь, найдя Элизабет и Хэдли, она хотела арестовать их как можно скорее. Улыбаясь, она сжимала в руке ключи. Их арест сейчас только вопрос времени.

Добравшись до гостиницы, где поселились они сначала, Коди направилась прямо в их комнаты и, к своему разочарованию, обнаружила, что Люк до сих пор не вернулся. Не тратя времени даром, она стала складывать в сумку свои вещи, чтобы немедленно переехать в нужную гостиницу. Чем ближе они будут к Элизабет и Хэдли, тем лучше. Вскоре все было уложено, и оставшаяся без дела Коди заходила туда-сюда по комнате, обдумывая план дальнейших действий.

Схватить брата и сестру Хэдли будет непросто, где бы это ни делать. Так что Коди решила, что надо, не откладывая, попытаться арестовать их прямо в отеле. Другого такого удобного случая может и не представиться. В гостинице они все-таки в какой-то степени будут держать ситуацию под контролем.

Нетерпеливо ожидая возвращения Люка, она прислушивалась ко всем шумам в коридоре. Услышав какой-то звук, она решила, что это он, и приоткрыла дверь, чтобы посмотреть, но увидела лишь горничную, выходившую из соседнего номера после уборки.

И тут ее осенила идея. Элизабет ее не знает, да и Хэдли, судя по утренней встрече, не узнает или узнает не сразу. Если бы ей как-то удалось завладеть униформой служанки, она получила бы доступ в их комнаты. Второй раз за день Коди мысленно возблагодарила небо. Закрыв дверь номера, она уселась на кровать. Теперь она была готова, оставалось терпеливо ждать Люка.

У Люка было ощущение, что он обошел весь Галвестон не меньше трех раз. Казалось, он вечность бродил по улицам, показывая в гостиницах клеркам портрет Элизабет в надежде, что кто-то ее опознает. Но все зря. Ему было очень неприятно возвращаться к Коди с пустыми руками, но и опаздывать на встречу с ней не хотелось. Чего он не ждал совсем, это взрыва бурного энтузиазма, с которым она приветствовала его, едва он постучал в ее дверь.

— Слава Богу, ты наконец здесь! — воскликнула она, хватая его за руку и буквально втаскивая в комнату. Плотно закрыв за собой дверь, она радостно обернулась к Люку.

— Ты что, нашла их? — спросил он, так как не мог представить себе другого повода для подобного волнения.

— Хэдли вышел прямо на меня из корабельной конторы по продаже билетов. Я проследила его до гостиницы и теперь знаю номер его комнаты. Так быстро и просто! Тебе надо поскорее уложить свои вещи! Я уже сняла две комнаты в их гостинице, на том же этаже. Сейчас нам нужно перебраться туда и не спускать с них глаз.

— А Элизабет? Ты ее видела? Она с ним?

Коди нахмурилась:

— Нет, по правде говоря, ее с ним не было, но это ведь не означает, что ее нет поблизости.

— Дай мне пять минут, и я буду готов.

— Мне надо сделать еще одну вещь. Я зайду за тобой, когда все закончу.

Он направился к двери и на пороге обернулся на Коди. Глаза ее сверкали от удовольствия, щеки разрумянились.

— Коди, — окликнул он ее и, когда она посмотрела на него, сказал: — Отличная работа. Джек был прав насчет тебя.

Она улыбнулась ему в ответ, но постаралась умерить свою радость.

— Мы еще их не взяли.

— Пока. Но возьмем наверняка. Раз мы работаем вместе, справимся непременно.

С этими словами он покинул ее и пошел укладываться. Коди подошла к двери и выглянула в коридор. Там никого не было, и она быстро и бесшумно направилась к служебной лестнице. Она надеялась, что в это время дня комната горничных окажется безлюдной. К счастью, так и случилось. Коди тихонько забрала то, что ей требовалось, и поспешно ретировалась на свой этаж, надеясь, что никто сразу не хватится одолженных ею вещей.

Через несколько минут к ней постучался Люк, и они покинули гостиницу. Их погоня вступала в завершающую фазу.

Спустя полтора часа Коди стояла посреди комнаты и оценивающе оглядывала себя в зеркало над туалетным столиком.

— Неплохо, — одобрительно пробурчала она. — Возможно, если эта охота за наградами себя когда-нибудь исчерпает...

Стук в дверь прервал ее размышления.

— Кто там?

— Люк.

Впустив его, она весело ухмыльнулась, глядя на его выражение лица при виде ее наряда.

— Ну, как это тебе? — Она сделала пируэт.

— Что ты собираешься делать? — спросил наконец он, приходя в себя от удивления. На ней была форма гостиничной горничной: синее платье, белый передник и чепчик.

— Отправлюсь на разведку.

— Какую разведку?

— Я хочу пробраться в комнату Хэдли и посмотреть, есть ли там какие-нибудь признаки присутствия Элизабет. Поскольку они брат и сестра, возможно, они взяли одну комнату на двоих. Не знаю. Если там будут ее вещи, мы поймем, что можем захватить их обоих сразу. Если же нет, то наш поиск еще не закончен.

— Мне это не нравится. А вдруг Хэдли вернется и застанет тебя? Страшно подумать, что он с тобой сделает. — Люк внезапно обнаружил, что его очень волнует возможная опасность, которой она собралась себя подвергнуть.

Коди с досадой посмотрела на него:

— Мне все равно, нравится это тебе или нет. Я иду туда.

— Но это опасно, — повторил он.

— Люк, это моя работа. Она всегда опасна. Поэтому за нее так хорошо платят.

Как только она упомянула о деньгах, Люк сразу успокоился.

— Тогда, ради Бога, будь поосторожнее. Если что-то пойдет неладно, просто завопи, и я прибегу. Ты берешь с собой свой пистолет?

— Нет. Карманы слишком малы для него, но у меня есть нож. — Она похлопала себя по ноге.

Люк улыбнулся:

— Я должен был догадаться, что ты не отправишься на битву безоружной.

Коди поймала себя на том, что улыбается в ответ, и вышла из комнаты. Как же хорошо было сознавать, что поблизости есть кто-то, беспокоящийся за нее. Правда, обычно с ней был Крадущийся-в-Ночи. Но он предпочитал оставаться на заднем плане, безмолвно наблюдая за ней и вступая в действие лишь в случае крайней необходимости. С Люком все было как-то по-иному, и, к собственному удивлению, она поняла, что это ей нравится.

Она глубоко вздохнула и, постаравшись успокоить дыхание, сосредоточилась на предстоящей работе. Пройдя по коридору до комнаты, куда ранее входил Хэдли, она легонько постучала в дверь. Когда и на второй стук ответа не последовало, она вытащила из кармана передника специальный ключ, который носила именно для подобных случаев, и быстро открыла замок. Затем, придав лицу скучающе-сонное выражение, она вошла в номер и приступила к осмотру.

Люк выждал минуту и вышел из комнаты. Он медленно прошел по коридору, как бы направляясь к выходу из гостиницы, а сам тем временем осторожно наблюдал за Коди. Когда она незаметно проскользнула в комнату Хэдли, он вздохнул с облегчением. Ему не нравилось, что от него ничего не зависит. Он привык работать в одиночку и ни за кого не отвечать. Правда, Коди не хотела, чтобы он нес за нее ответственность. Наоборот. Она ясно дала ему понять, что привыкла к самостоятельности и ей это нравится. Но все равно Люк собирался побыть в коридоре, пока она не выйдет.

Коди обнаружила это сразу же, как оказалась в номере Хэдли: дверь в смежную комнату была открыта. Она нашла Элизабет!

— Горничная для уборки... — громко пропела она, желая удостовериться, что находится в комнатах одна.

Никто не отозвался, и она начала методичный обыск. Просматривая вещи Хэдли, она обнаружила билеты на корабль. Она взглянула на дату и время отплытия. Они должны были покинуть Галвестон на следующий день после полудня. Это означало, что у нее с Люком есть целая ночь. Бесшумно пройдя в комнату Элизабет, она собралась было покопаться в ее чемодане, когда дверь распахнулась и через порог шагнула Элизабет.

— Что вы здесь делаете? — возмутилась та.

— Я обслуживаю комнаты, мэм. Сейчас убираю вашу, — невозмутимо сказала Коди.

— Что-то здесь не слишком чисто, — попрекнула ее Элизабет, подозрительная, как всегда.

— Я только начала убирать, но, если хотите, могу прийти попозже, когда вы уйдете.

— Ну-ка, выверните карманы. Я не доверяю людям, которые трогают мои вещи.

— Я ничего не брала! — поспешно сказала Коди, желая, чтобы голос ее звучал достаточно испуганно, как положено было бы служанке.

— Я и не говорю, что вы что-то взяли. Просто хочу удостовериться. Делайте, как я говорю, или я пожалуюсь хозяину. — Элизабет зло сверкнула глазами.

— Да, мэм. Прошу вас, не жалуйтесь на меня. Я не хочу неприятностей. Я всего лишь выполняла свою работу. — Коди быстро опустошила карманы. В них были только носовой платок и ключ, которым она отпирала дверь.

— Все в порядке. Можете идти. Вернитесь через полчаса. Я к тому времени уйду, и вы сможете работать без помех.

— Да, мэм. — Коди поспешно вышла из комнаты Элизабет. На случай, если той вздумалось бы наблюдать за ней, она подошла к двери Люка, постучала и объявила:

— Горничная для уборки...

Люк мгновенно открыл дверь и только что не втащил ее внутрь.

— Входите скорее. Я уж начал гадать, когда вы появитесь, — проговорил он голосом, достаточно громким, чтобы его услышали в соседних номерах. Затем он захлопнул за ней дверь. — Это какое-то безумие! — рявкнул он, пылая гневом. — Ты что, смерти ищешь?

— О чем это ты?

— О том, что Эль Дьябло застала тебя в своей комнате. Вот о чем! Я караулил и увидел, что она идет, но у меня не было времени тебя предупредить.

— Послушай, Люк, для этого я и пользуюсь разными переодеваниями, — нетерпеливо проговорила она. — Разве на твоей памяти они меня подводили?

— Нет, но все когда-нибудь бывает первый раз! — возразил он. — И я не хочу, чтобы на моей совести оказался этот первый для тебя случай.

— Послушай, Мейджорс, ты здесь только потому, что этого попросил Джек. Ты не нужен мне был при поисках, и сейчас я не хочу, чтобы ты был со мной. Предлагаю тебе или сотрудничать со мной и поступать так, как я привыкла, или уйти и не мешать. — Она произнесла это тоном, не терпящим возражений.

— А я предлагаю не рисковать так чертовски бесшабашно. Нет никаких причин лезть в пасть к хищникам.

— Если не я стану это делать, то кто?

— Я!

— Представляю, как забавно ты будешь выглядеть в чепчике и передничке горничной, — фыркнула она.

Представив себе эту картину, оба расхохотались.

— Что ты выяснила? — Он вдруг сразу посерьезнел, признавая, что, несмотря на все его сомнения, ее приемы отлично срабатывают. И потом, она права: платье горничной ему вряд ли пойдет.

— У Элизабет комната смежная с комнатой Хэдли. Я нашла там их билеты, они собираются отплыть в Новый Орлеан завтра в конце дня. Нам надо схватить их сегодня же вечером.

В этот момент они услышали, как кто-то в коридоре стучит в соседний номер. Приложив ухо к своей двери, они прислушались и были вознаграждены, когда голос Хэдли произнес:

— Я заказал нам столик внизу, в зале, на полвосьмого.

— Хорошо, — отозвалась Элизабет. — Мне хотелось бы днем сделать еще кое-какие покупки. Ты пойдешь со мной?

— Да.

Коди и Люк услышали стук захлопнувшейся двери, затем удаляющиеся шаги и поглядели друг на друга.

— Мы возьмем их этим вечером.

— А что будем делать до тех пор? — Люку не терпелось поскорее покончить с этим делом.

— Я думаю, — задумчиво сказала Коди, разглядывая Люка, — что нам надо тоже пообедать внизу, в зале.

— Но Хэдли знает меня. Он тут же поймет, в чем дело.

Она снисходительно усмехнулась:

— Не узнает, если я над тобой поработаю.

— То есть как это?

— Мне тоже надо сделать кое-какие покупки. Если хочешь, можешь пойти со мной. Не хочешь, оставайся.

— Полагаю, мне лучше пойти с тобой, но мы должны быть осторожны. Мне вовсе не хочется встречаться лицом к лицу с Хэдли на одной из улиц Галвестона. Вряд ли это будет приятельская встреча. — И он положил руку на висевший у бедра пистолет.

— Знаю. Дай мне минутку, я переоденусь и буду готова.

Люк поджидал ее в холле, и, как только она спустилась, они вышли из гостиницы. Часом позже они вернулись, причем вид у Люка был очень несчастный.

— Разве нам так необходимо делать это? — снова спросил он.

— Конечно, мы можем засесть в их комнатах и ждать там. Но если мы спустимся в обеденный зал одновременно с ними, мы сможем посмотреть, сколько они выпьют, и оценить быстроту их реакции. Жаль, что я не могу подсыпать им снотворного. Тогда все было бы гораздо проще.

— Подсыпать им снотворного?

— А как ты думаешь, что было у тебя в виски в ту ночь, когда я застрелила Салли? — пожала плечами она.

Люк широко открыл глаза:

— Неудивительно, что ты все время уговаривала меня «выпить и расслабиться».

Коди невинно улыбнулась:

— Крадущийся-в-Ночи был наготове, чтобы помочь мне вытащить тебя в окно, как только ты отрубишься. Но, на беду, все пошло не так, как я планировала.

Люк только покачал головой:

— Я рад, что был не в настроении пить.

— Оглядываясь на прошлое, я тоже рада. Если бы ты был без сознания, когда Салли ворвался в комнату, они могли бы разгадать мой маскарад, а тебя — убить.

— Пожалуй, мне стоит совсем завязать с выпивкой.

— Что ж, я еще не встречала мужчины, который бы умер от трезвости.

— Верно, однако жизнь иногда гораздо приятнее и веселее, когда пропустишь стаканчик. — И он бросил на нее многозначительный взгляд, вспоминая комнату над салуном.

Коди почувствовала, как жар этого взгляда прожег ее насквозь, но постаралась не поддаться наваждению.

— Пора за работу, — сурово сказала она.

Глава 28

Когда Коди закончила гримировать, седовласый усатый Люк выглядел лет на двадцать пять старше. Она отступила, любуясь творением своих рук, и удовлетворенно кивнула.

— Не думаю, что теперь Хэдли тебя узнает, — с гордостью проговорила она.

— Дай-ка мне взглянуть. — Люк крутанулся вместе со стулом, на котором сидел, пока она над ним трудилась, и уставился на свое отражение в зеркале над туалетным столиком.

— Ну, что ты об этом думаешь? — спросила Коди.

Люк напряженно всматривался в свое отражение, не слыша ее вопроса. Наконец он пробормотал:

— Черт побери!

— Это означает хорошо или плохо?

Он отвернулся от зеркала и посмотрел на нее. В его глазах стояла такая боль, что Коди перепугалась.

— Что-то не так?

— Нет, ничего. — Он запнулся.

— Ничего?

Люк снова поднял на нее глаза:

— Таким я помню моего отца. Я сейчас выгляжу так, как выглядел он.

Она перевела дыхание.

— Ну и прекрасно. Как его звали?

— Чарльз.

— Что с ним произошло?

— Мы разлучились во время войны. Спустя шесть месяцев до меня дошли сведения, что он и мой брат Дэн убиты. Полагаю, они погибли под Геттисбергом, но точно не скажу.

— Мне очень жаль.

— Мне тоже. Он был хороший человек, как и Дэн. Дня не проходит, чтобы я не думал о них. Мы с отцом пытались удержать Дэна, чтобы он не записывался добровольцем, но он настоял. Мы ничего не могли поделать.

— Я обратила внимание, что это фамильная черта.

Ее слова развеселили Люка и несколько развеяли его мрачное настроение.

— Понятия не имею, почему ты так решила. Что ж, мисс Джеймсон, значит, переодеваемся и идем обедать? По-моему, я слишком стар, чтобы сегодня питать к вам иные чувства, кроме, пожалуй, отцовских.

— Можете питать какие угодно чувства, мистер Мейджорс, но нам предстоит серьезная работа, так что особо не отвлекайтесь.

Люк направился было в свою комнату, но, открыв дверь, увидел выходящих из своих номеров Хэдли и Элизабет. Тогда он повернул назад, как будто забыл что-то в номере, и переждал, пока их голоса не стихли в отдалении. Обменявшись взглядом с Коди, он снова сделал попытку попасть к себе. На этот раз все прошло удачно.

Когда через несколько минут он зашел за девушкой, его снова поразила ее красота. В этот вечер на ней было изумрудно-зеленое платье с короткими рукавами и глубоким вырезом, которое плотно облегало талию, подчеркивая стройность ее фигуры, и переходило в небольшой турнюр, украшенный розетками из той же ткани. Она выглядела изумительно.

— Я больше не чувствую себя стариком, — произнес Люк, не сводя с нее пылкого взгляда.

— Тогда я захвачу с собой зеркальце, чтобы напоминать тебе об этом. — Улыбаясь, они медленно спускались по лестнице.

Ресторан гостиницы был широко известен своей изысканной кухней, так что в зале было многолюдно. Коди заметила уже сидевших за столиком Элизабет и Хэдли, но, хотя Хэдли посмотрел в их сторону, было очевидно, что он их не узнал. В его взгляде читался мужской интерес к хорошенькой женщине, а на Люка он и не взглянул. Люк был очень доволен.

Они с Коди уселись неподалеку от их столика, но не слишком близко. Они могли расслышать обрывки разговора, но тот касался лишь общих тем. Коди и Люк со вкусом пообедали и проводили внимательными взглядами Элизабет и Хэдли, когда те, закончив трапезу, покинули ресторан и поднялись к себе.

— Сколько времени ты собираешься им дать? — поинтересовался Люк, готовый последовать за ними немедленно.

— Час. Затем начнем. Они к тому времени расслабятся, а может быть, и соберутся ко сну. Если мы застанем их врасплох, все пройдет гладко.

Вскоре они также удалились к себе в комнаты, чтобы к назначенному часу быть наготове.

Люк переоделся в привычную одежду, застегнул на себе пояс с пистолетом и отправился к Коди. Она тоже надела одежду для верховой езды, чтобы обеспечить свободу движений, и пояс с пистолетом.

— Ты готова?

— Вполне. Пошли брать Эль Дьябло.

Люк шел впереди, но именно Коди постучала в дверь.

— Кто там? — откликнулась Элизабет.

— Горничная, мэм.

— Что вам нужно в такой поздний час?

В голосе ее звучало раздражение, было слышно, что она отпирает замок. Когда дверь начала открываться, в дело вступил Люк. Он со всей силы ударил в дверь плечом и распахнул настежь. Элизабет успела лишь ойкнуть, как Люк зажал ей рот и, резко прижав к себе спиной, приставил к боку пистолет.

— Ни звука, или умрешь, — тихо сказал он.

Элизабет прекратила вырываться и яростно уставилась на Коди. Злость, сверкавшая в ее глазах, устрашила бы любого, но только не Коди. Она быстро заткнула рот Элизабет кляпом, а Люк перетащил ее на постель и пристегнул наручниками к кровати.

— Это должно удержать ее, пока мы займемся Хэдли, — сказал Люк, направляясь к двери между двумя комнатами. Коди он оставил присматривать за Элизабет.

Он осторожно повернул ручку и с облегчением обнаружил, что дверь не заперта. Щель под дверью не светилась, значит, Хэдли уже спит, и схватить его будет просто. Держа пистолет наготове, Люк распахнул дверь и ворвался в комнату.

Коди стояла, направив пистолет на Элизабет, следя за каждым ее движением.

— Не двигайся, Элизабет. Я застрелила Салли и, не дрогнув, пристрелю тебя.

Глаза женщины на постели слегка расширились, и Коди решила, что это из-за ее слов. Только когда сильные пальцы Хэдли сомкнулись у нее на шее и пистолет его уперся ей в спину, она поняла, что произошло. Бандит, по-видимому, услышал, как они вошли в комнату Элизабет, вышел из своей в коридор и тихо пробрался вслед за ними.

— Брось пистолет, — шепотом приказал он, не желая насторожить Люка.

В ледяном голосе Хэдли звучала смертельная угроза. Коди подчинилась. Элизабет, тут же избавленная от кляпа, торжествующе улыбнулась. В этот момент Люк завершил осмотр комнаты Хэдли, так ничего и не обнаружив. Он повернулся, собираясь сказать Коди, что им придется ждать Хэдли, и увидел, что произошло.

— Так-так, — с издевкой протянул Хэдли. — Вот мы и встретились снова, Люк Мейджорс.

— Как я и надеялся, — пожал плечами Люк.

— Неужели? Ты ждал нашего воссоединения? — Хэдли зло рассмеялся. — Как приятно. Надо отдать тебе должное: ты очень хорош, но я оказался лучше.

— Я бы на это не рассчитывал. Я все еще стреляю быстрее тебя. — Люк стоял в дверях, и пистолет его был нацелен прямо на Хэдли. — Отпусти ее.

— Ну уж нет. Это ты положи на пол свой пистолет и освободи мою сестру.

— Нет. — Люк медленно взвел курок. — Вас надо доставить живыми или мертвыми, и мы это сделаем. Так или иначе.

— Черта с два! — взорвалась Элизабет. — Хватит тянуть, Хэдли. Стреляй в него!

Она рванулась к ночному столику и сбросила на пол горящую лампу. Масло сразу вспыхнуло. Люк рванулся в комнату. Хэдли выстрелил в него, но Коди ударила его локтем в живот, и пуля прошла мимо. Хэдли слегка ослабил свою хватку, и она вырвалась и бросилась в сторону как раз в то мгновение, как Люк выстрелил. Выстрел попал Хэдли прямо в грудь. Его отбросило к стене, и он тяжело осел на пол.

— Убийцы! — истошно завопила Элизабет. Пламя взметнулось выше. — Вы убили его! Вы застрелили моего брата!

Коди не стала терять зря времени, а схватила с постели покрывало и накрыла им огонь. Ей потребовалась минута или две, но в конце концов начинающийся пожар был потушен.

В коридоре послышались громкие голоса. В дверь забарабанили кулаки.

— Откройте!

Люк подошел к двери и открыл ее.

— Пошлите за шерифом. Здесь кое-что произошло.

Стоявший на пороге мужчина потрясенно поглядел на Люка, все еще не выпустившего из рук пистолета, на страшную картину пожара и беспорядка, царившего в комнате, и бегом побежал за помощью.

Элизабет продолжала кричать:

— Вы оба заплатите мне за это! Я пошлю вас в ад за то, что вы сделали!

Люк обернулся к ней и с каменным лицом произнес:

— Может быть, вы увидите меня в аду, но рад сообщить вам, что вы там окажетесь первой. А теперь заткнитесь, не то я поддамся соблазну доставить вас закону в таком же виде, как брата.

Глаза Элизабет сверкали бешеной ненавистью, но она видела, что Люк не шутит. А пока она жива, оставалась надежда, что ей как-то удастся выпутаться. Она в жизни нечасто плакала, но при виде мертвого брата готова была зарыдать. Хэдли всегда был рядом, когда ей нужна была помощь, а теперь его не стало. Она отомстит за него, даже если это будет последним, что она сделает на этом свете!

Явился управляющий гостиницей, и Люк вышел к нему в коридор объяснить, что произошло.

— Что здесь случилось? — спросил прибежавший спустя несколько минут шериф.

— Эта пара — главари преступной банды Эль Дьябло, действовавшей к западу от Дель-Фуэго. Их разыскивают за убийства и ограбление банка. Мы их схватили и собираемся доставить туда, — объяснил Люк, передавая шерифу печатные объявления о розыске брата и сестры Хэдли.

— Женщина тоже? Вы уверены?

— Совершенно уверены, — выйдя из комнаты, сказала Коди. Она позаботилась, чтобы Элизабет не могла даже шевельнуться. — Я — Коди Джеймсон, а это мой напарник Люк. Мы собираемся забрать их обоих в Дель-Фуэго. Хотим уехать завтра утром, как можно раньше.

Шериф внимательно прочитал объявления и признал, что все сделано по закону.

— Могу я чем-нибудь вам помочь? — спросил он.

— Нельзя ли воспользоваться на ночь вашей тюремной камерой для этой женщины? Ему же нужен только гробовщик.

— Могу поспособствовать вам и в том и в другом.

— Мы будем очень вам признательны, — поблагодарила его Коди.

— Пойду подниму Элизабет, — сказал Люк.

— Я помогу.

Она пошла вместе с ним, ни на секунду не доверяя мерзкой фурии. Они вдвоем отцепили ее от кроватной рамы и сковали ей руки наручниками вместе. Когда они выводили Элизабет из номера, она оставалась на удивление спокойной и молчаливой. Они ждали воплей и проклятий, но она вела себя тихо.

Немного погодя гробовщик забрал тело Хэдли, чтобы подготовить его к перевозке в Дель-Фуэго, а Элизабет была заперта в камере местной тюрьмы.

— Мы отправимся в Дель-Фуэго утром, — сообщила Коди шерифу.

— Буду вас ждать.

— Спасибо вам за помощь.

Коди и Люк направились к выходу из тюрьмы. Оглянувшись напоследок, они увидели, что Элизабет стоит у решетки своей камеры и наблюдает за ними. Вид у нее был совсем не подавленный. Она выглядела скорее хитрой и собранной. Увидев, что они смотрят на нее, она одарила их милой улыбкой.

Коди почувствовала, как по спине пробежал холодок.

— Я много повидала на своем веку убийц, но таких, как она, никогда раньше не встречала. Она просто воплощение зла.

— С мужчинами такого типа я сталкивался, но с подобной женщиной — никогда. Она прирожденная актриса, способная легко убедить окружающих, что она невинная жертва, когда на самом деле все наоборот.

— Она просто невероятна. На обратном пути нам надо будет глаз с нее не спускать. Ни на минуту.

— Об этом не беспокойся. Я собираюсь пристально наблюдать за ней. По правде говоря... — Люк замолчал и задумался. — Я, пожалуй, вернусь сейчас в тюрьму и посижу вместе с дежурным помощником шерифа. Зная Элизабет, можно смело полагать, что она попытается что-то предпринять нынче же ночью.

— Если хочешь, я побуду там вместе с тобой, — предложила Коди.

— Нет, хотя бы одному из нас надо поспать. Ты отдохнешь сегодня, а я посплю завтра в поезде.

— Ты вернешься прямо сейчас? — Они почти дошли до гостиницы.

— Нет. Я хочу благополучно проводить тебя в твой номер, — твердо заявил он.

— В этом нет никакой необходимости.

— Нет, есть.

Больше он не проронил ни слова, пока они не оказались перед ее комнатой и она не отперла дверь.

На этаже все уже успокоились, двери в комнаты Элизабет и Хэдли были закрыты.

— Я сегодня очень беспокоился о тебе, — сказал он, проходя за ней в номер.

Она зажгла лампу, прикрутив фитиль, и теперь комната была озарена мягким золотистым сиянием. Он глядел на нее с высоты своего роста, видел наконец ее такой, какой она была на самом деле, и понимал, что встретил свою половинку. Ему никогда раньше не попадалась женщина, подобная Коди: красивая, сообразительная, достойная соперница во всем. С мучительной остротой он понял, что влюбился в нее.

Он вовсе не собирался делать это. Он презирал ее за хитрые фокусы, которыми она его дурачила... Однако теперь, узнав поближе, поработав с ней бок о бок, он понял, что она особенная. У него перехватило дыхание. Когда он увидел, что Хэдли держит ее под дулом пистолета, и осознал, что она вот-вот может быть убита, это был самый страшный миг в его жизни. Он пошел бы на все, лишь бы спасти ее от Хэдли.

Люк продолжал неотрывно смотреть на нее. Ему хотелось сказать ей, что он ее любит, но он не мог выговорить ни слова. Воспоминания о прошлой жизни вынуждали его молчать. Ему нечего было ей предложить. Он неудачник. Наверное, из его попытки начать новую жизнь в Дель-Фуэго все равно ничего бы не вышло. Глупо было надеяться, что можно изменить судьбу. Когда они вернутся в Дель-Фуэго, он продаст «Троицу» и двинется куда глаза глядят. Жители Дель-Фуэго не хотят иметь с ним ничего общего. Ну и он с ними тоже. Он снова будет жить той жизнью, которой он жил до сих пор.

— Беспокоился? — Коди улыбнулась ему. — Не стоило. Все получилось как нельзя лучше. Я же говорила тебе, что мы справимся.

Люк не мог сдержаться, он притянул ее к себе и крепко сжал в объятиях.

— Когда я увидел, что он наставил на тебя пистолет...

— Все уже кончено.

— Знаю. — Он скрыл свой страх поцелуем, крепким и страстным.

Когда он оторвался от нее, щеки Коди пылали, она тяжело дышала.

— Люк... Люк, я...

— Мне надо идти, — прервал ее он.

Люк оставил ее посреди комнаты и вышел. Вышел из комнаты, из гостиницы, вышел мрачным и одиноким.

Глава 29

В Дель-Фуэго двое мужчин вошли в салун и остановились у стойки бара. Была поздняя ночь, и посетителей почти не было. Их быстро обслужили, а когда первая порция виски была выпита, младший из мужчин сказал:

— Я тут подумал, может быть, вы сможете дать нам кое-какие сведения.

Хозяин салуна подозрительно уставился на него, не очень представляя себе, что интересует незнакомца.

— Что вы хотите узнать?

— Мы разыскиваем одного человека.

— Здесь бывает куча народа, — ответил он, вытирая стойку. — Кто вам нужен?

— Человек по имени Люк Мейджорс.

Хозяин быстро взглянул на них:

— Награда за него отменена. Так что искать его незачем. Он теперь ничего не стоит.

— Может, для вас он ничего не стоит, но нам он очень нужен. Мы давно пытаемся его найти, — вступил в разговор пожилой мужчина.

— Извините, ничем не могу вам помочь. Я не видел его со времени этих неприятностей с банком... и прочих.

— Что за неприятности?

Хозяин салуна коротко рассказал об ограблении банка и о банде Эль Дьябло.

— Последнее, что я о нем слышал, это что он оказался не членом банды. Но я с тех пор его не видел. Можете выяснить все в конторе шерифа. Возможно, шериф Халлоуэй вам чем-то поможет.

— Спасибо. — Младший мужчина вежливо коснулся полей шляпы, они допили виски и вышли из салуна.

— Кажется, мы его почти догнали, — проговорил пожилой мужчина, выходя.

— Не обнадеживайся раньше времени. Мы и раньше вроде бы нагоняли его, а потом оказывалось, что нет. Уже поздно. Давай снимем номер в гостинице, а утром сходим к шерифу.

— Но ведь он может быть совсем...

— Завтра. Еще одна ночь ничего не изменит.

Пожилой мужчина согласился, и они направились в гостиницу.

Тем временем в Галвестоне Коди ворочалась в постели в своем гостиничном номере и не могла заснуть. Она вспоминала, как рассталась с Люком, и теперь уже несколько часов пыталась сообразить, что же произошло.

Он поцеловал ее... Не сестру Мэри, или Армиту, или кого-то там еще. Нет, на этот раз он поцеловал ее.

Она вздохнула, вновь переживая охватившие ее в тот миг чувства. Но так же быстро, как обнял, он разжал руки и ушел, ни разу не оглянувшись. Он будто оттолкнул ее от себя... Этого она никак не могла понять.

Коди думала, что за последние дни совместной работы они понравились друг другу, стали даже восхищаться своим партнерством. Однако теперь надо было полагать, что она неправильно оценила ситуацию. Покидая ее и отправляясь в тюрьму, он держался холодно и замкнуто, словно давая ей понять без слов, что прощается чуть ли не навсегда.

Горькие слезы жгли ей глаза, сердце ныло от мучительной боли. Выхода не было... Она заснула перед самым рассветом, но сон был тревожным, и во всех сновидениях являлся Люк.

— Я ценю вашу помощь, шериф, — на следующее утро благодарил Люк, пожимая тому руку.

— Рад был услужить. Удачно вы ее схватили, но, по правде говоря, трудно поверить, глядя на нее, что она такая злодейка.

— Тем она и опасна, — объяснил Люк, еще раз мысленно похвалив себя за то, что решил провести ночь в тюрьме. Когда, расставшись с Коди, он вернулся сюда, Элизабет уже подманила шерифа к своей камере и разговаривала с ним. Один Бог знает, что могла она сделать, если бы не появился Люк. — Но теперь для нее все позади. Ей остается лишь предстать перед судом в Дель-Фуэго за убийства и ограбления.

— Будьте осторожны в дороге.

— Постараемся.

Вскоре в контору прибыла готовая к путешествию Коди. Она уже телеграфировала в Сан-Антонио Нэту Томпсону о том, что им понадобится этим вечером его помощь, отправила на станцию их с Люком багаж, а также проверила, чтобы гроб с телом Хэдли был готов к транспортировке.

— Доброе утро, — приветствовала она всех, переступая порог.

Люк истосковался по ней и едва сдержался, чтобы не броситься через всю комнату и не заключить ее в объятия.

— Готова ехать?

— Все сделано. Поезд отправляется через час.

Она тоже поблагодарила шерифа за помощь. Они вновь сковали руки Элизабет наручниками и вывели ее из тюрьмы.

Поездка до Сан-Антонио длилась, казалось, целую вечность. Люк задремал, а Коди не спускала глаз с Элизабет и вздохнула с облегчением лишь тогда, когда они приехади в город. Их опасное путешествие почти завершилось.

Отношения между Коди и Люком стали невероятно напряженными. Она попыталась пробить воздвигнутую им стену, но присутствие Элизабет было помехой для каких бы то ни было личных разговоров. Она понадеялась, что вечером, когда они снова окажутся одни, ей удастся выяснить, что пошло не так.

Шериф Нэт Томпсон ждал их появления в своей конторе и был наготове.

— Доброго вечера тебе, Коди, — улыбнулся он, завидев ее. — Что? Выполнила еще одну работу?

— Отец хорошо меня выучил, — отозвалась она. — Мы признательны вам за помощь.

— Было трудно?

Она рассказала ему обо всем случившемся и о том, как был убит Хэдли.

— Рад, что с тобой все в порядке. Твоя тетка и ребятишки были пару дней назад в городе. Они будут счастливы, когда ты вернешься домой.

— Я тоже буду счастлива вернуться, — отвечала она. — Нам осталось лишь доставить ее шерифу Халлоуэю в Дель-Фуэго, и дело будет закончено. Я смогу освободиться через два дня. Тогда уж и отправлюсь домой.

— Звучит заманчиво. Вам обоим надо отдохнуть. Мы как следует проследим за ней нынче ночью. Она никуда не денется.

Коди знала, что он человек слова, так что без опасений можно было оставить пленницу под его присмотром.

Об этом она рассказала Люку, когда они вышли от шерифа и направились в гостиницу.

— Нам не надо оставаться ночью с Нэтом. Он справится. Он отличный шериф.

— Такой же хороший, как твой отец?

— Почти, — улыбнулась Коди.

Они взяли ключи от комнат и договорились встретиться позже и пообедать. Коди решила принять ванну и, отмокая в горячей воде, размышляла, как ей пробиться сквозь отчуждение Люка. Она никогда не считала себя соблазнительницей, а очаровывать умела лишь в облике Далилы или Армиты. Однако в эту минуту Коди Джеймсон жалела, что ничего не знает о разных женских ухищрениях. Всю свою жизнь она действовала честно и прямо. Она едва удержалась от того, чтобы выпалить Люку прямо в лицо, что любит его. Возможно, рассуждала она, лежа в ванне, так ей и следовало поступить, но тогда она слишком рискует: он мог совсем отшатнуться от нее. Мысли ее бежали по кругу, она никак не могла придумать, что делать, и в конце концов решила выпить за обедом чего-нибудь покрепче, а тогда уж выход найдется.

Люк тоже старательно и неторопливо готовился к обеду с Коди. Он чувствовал растерянность девушки, но объясняться с ней на эту тему не хотел. Лучше будет просто расстаться с ней по приезде в Дель-Фуэго. Вообще-то он подумывал о том, чтобы исчезнуть еще той ночью в Галвестоне, но вначале ему надо было удостовериться, что она благополучно доставит Эль Дьябло.

Одеваясь, он думал о том, что это будет их последняя встреча вдвоем. Он не собирался сообщать ей, что уезжает. Он просто проводит ее к Халлоуэю и исчезнет из ее жизни навсегда.

— Ты снова выглядишь прелестно, — сделал он ей комплимент, когда они встретились в холле.

— Спасибо. Приятно иметь наконец возможность слегка расслабиться. — На ней снова было ее изумрудное платье, но волосы она оставила распущенными, лишь зачесав их назад и перехватив лентой того же цвета.

Люк подумал, что она выглядит милой и невинной... и устоять перед ней невозможно. Желание обладать ею жгло его неутолимой жаждой. Коди же решила, что в костюме он выглядит еще красивее, чем всегда.

Когда официант повел их к столику, Люк взял ее под локоть, и сердце девушки забилось сильнее. Их усадили в уединенном уголке, где было накрыто на двоих и горели свечи.

— Хотите ли вы заказать что-нибудь выпить? — осведомился официант.

— А есть у вас шампанское? — выпалила Коди. Она никогда раньше его не пробовала, но слышала, что оно предназначено для праздников. Сегодня ей хотелось отпраздновать их успех.

— Да, мэм.

— Принесите, пожалуйста, бутылку, — распорядилась она.

— Ты любишь шампанское? — поинтересовался удивленный Люк.

Она нервно хихикнула:

— Не знаю. Я никогда раньше его не пила, но сегодня хочу, чтобы был праздник.

Он подумал, как же очаровательна она в своей наивности. Именно эти ее черты околдовали его, пленили сердце. Однако они же и убеждали, что ему нет места в ее жизни. Он не потащит ее вниз. Слишком сильна его любовь, чтобы загубить ей жизнь предложением выйти за него замуж. Нет, лучше ему исчезнуть.

Когда официант вернулся с охлажденной бутылкой искрящегося вина и двумя красивыми хрустальными бокалами, Коди пришла в восторг. Она позабыла, что прошло много часов с тех пор, как она что-то ела. Шипучее золотистое вино в резном сверкающем хрустале ее заворожило. Официант торжественно налил шампанское, и Коди бережно взяла свой бокал, держа его, как самую большую драгоценность на свете. Поднимая его в тосте, она посмотрела Люку в глаза.

— За тебя, Люк Мейджорс. Ты добрый, умный и ласковый человек, и я... — Она замолчала, не в силах произнести те слова, которые хотела сказать на самом деле: что она любит его и не представляет жизни без него. — Я надеюсь, что наше сотрудничество в этом деле станет первым из многих подобных.

Люк притронулся краем бокала к ее бокалу.

— За тебя, Коди. Будь счастлива.

Они медленно тянули пенящийся напиток, а взгляды их, встретившись, не могли оторваться друг от друга. Этого момента Коди давно ждала, ей хотелось потянуться к нему через стол и поцеловать. Но она не сделала этого. Она сосредоточилась на шампанском, удивляясь, почему оно становится вкуснее и вкуснее с каждым глотком.

К тому времени как им подали обед, Коди успела одолеть два бокала и принялась за третий. Она пила вино, пока бутылка опустела, не замечая, что язык ей уже не повинуется. Главное, вечер стал светлее, а мир прекраснее. Она чувствовала себя довольной, счастливой и беззаботной. Ей очень понравилось это ощущение. Люк заказал им на десерт какое-то сложное и изысканное шоколадное кушанье. Оно было нежным и горьковато-сладким, как раз таким, как она любила.

— Это было изумительно, — вздохнула Коди, умиротворенно откидываясь на спинку стула. Ей было приятно и тепло внутри.

— Готова отправиться на покой? — Люк понимал, что она выпила слишком много, но ведь и он не отставал.

Она так радовалась всему, получала такое удовольствие, что он не хотел портить вечер замечаниями. Им было хорошо обоим. Только это имело значение. Давным-давно не испытывал он такого покоя, не мог расслабиться и просто быть самим собой.

— Пожалуй, пора. Нам предстоят еще два тяжелых дня. Вот после того как мы доставим Элизабет шерифу в Дель-Фуэго, можно будет действительно расслабиться.

— Да, словно гора с плеч спадет.

Люк помог ей встать со стула и держал руку у нее на талии, когда они покидали ресторан и поднимались наверх, в свои комнаты. Они остановились перед ее дверью, и Люк взял из ее рук ключ, чтобы отпереть замок. Она шагнула через порог и подняла на него сияющие глаза.

— Спокойной ночи, Люк. — Голос ее трепетал и прерывался. Глаза светились нежностью. Влажные губы слегка приоткрылись, словно приглашая к поцелую.

Он запретил себе откликаться на этот призыв.

— Спокойной ночи, Коди.

Он повернулся, чтобы уйти, чувствуя, что должен поскорее оказаться вне пределов ее очарования.

— Люк?

Он обернулся.

— Спасибо.

— За что?

— За все. За то, что защищал меня, когда я была сестрой Мэри. За то, что взял с собой, когда я была Армитой. За то, что спас от змеи. За то, что помог поймать Эль Дьябло...

Она сделала два шага к нему, и это его погубило. Люк бросился к ней и заключил в объятия. Руки его крепко сжали гибкое тело девушки, губы накрыли ее нежный рот жадным поцелуем, в котором отразилась вся его необузданная страсть.

Казалось, мир закружился в бешеном вихре, едва он привлек к себе эту чудную девушку. Дверь неведомым образом оказалась закрытой и запертой, они наконец были одни. Одежда полетела в разные стороны. Они спешили прильнуть друг к другу обнаженной кожей, коснуться и не расставаться. Обнявшись, они упали на постель, и мир вокруг перестал существовать. Остались только ощущения и неодолимая тяга друг к другу. Как во сне услышал он отдаленный шепот:

— Я люблю тебя, Люк.

Но этот тихий звук рассеялся и сгинул в ночи, они были вместе, слитые воедино нежно и свирепо, пылко и бережно, жадно поглощая и щедро отдавая... Они любили...

Было уже далеко за полночь, когда они заснули, не размыкая рук, сплетенных в тесном объятии. Они льнули друг к другу, стремясь и во сне сохранить подольше краткую радость слияния, которой не суждено было повториться.

Коди проснулась за час до рассвета. Люк мирно спал рядом. Осторожно высвободившись из его рук, она встала с постели и подошла к окну.

Слезы струились по ее щекам, но Коди не стала их вытирать. Она всем сердцем любила Люка, а он ее не любил. Она надеялась, что ночь любви сломает воздвигнутые им барьеры между ними. Надеялась, что, сказав о своей любви к нему, сумеет тронуть его сердце. Но этого не произошло.

Боль была невыносимой. Она знала, что он человек опасный, но не подозревала насколько. Ей в голову не могло прийти, что он сможет легко разбить ее сердце.

Молча одевшись, она собрала вещи и, присев за туалетный столик, написала две короткие записки. Положив записку, адресованную Люку, на видном месте, чтобы он наверняка ее увидел, она бросила последний взгляд на спящего. Она никогда его не забудет. Она будет любить его до конца своих дней.

Еле сдерживая рвущиеся из груди рыдания, Коди вышла из комнаты и заперла за собой дверь. Затем она забрала из конюшни свою лошадь и отправилась домой, оставив по пути в тюрьме записку для Нэта. Пора было возвращаться к родным.

Люк проснулся, когда рассвело, и сразу протянул руки к Коди. Наткнувшись на холодные простыни пустой постели, он резко открыл глаза и сел, оглядывая комнату в поисках любимой. Меньше минуты понадобилось ему на то, чтобы убедиться, что ее нет. Тут он заметил записку.

Вскочив с постели, он схватил послание и быстро прочитал:

«Дорогой Люк!

Я понимаю, что наши отношения не сложатся. Слишком мы с тобой разные. Пожалуйста, отвези в Дель-Фуэго Элизабет и тело Хэдли и получи вознаграждение. Возьми его все себе. Я желаю тебе счастья.

Коди».

Он смял записку в кулаке так, что костяшки побелели. Она уехала. Так вот просто взяла и исчезла среди ночи. Должно быть, поняла, что он не может дать ей того, что она хочет.

Жгучая боль, как ножом, пронзила сердце, но Люк не поддался ей. Так будет лучше. Он собирался покинуть ее в Дель-Фуэго. Что ж, значит все кончилось немного раньше. Он должен радоваться, что все обошлось так легко.

Швырнув смятую записку в мусорную корзинку, он стал одеваться. Спустя несколько минут он уже спешил к тюрьме.

Глава 30

Фред посмотрел на двух мужчин, вошедших в его контору.

— Чем могу помочь?

— Хозяин салуна дальше по улице сказал, что вы можете нам помочь, — начал молодой человек.

— В чем именно? — Фред внимательно вглядывался в незнакомцев. Вид у них был вполне почтенный, хотя они явно устали в дороге.

— Мы пытаемся найти одного человека и, судя по словам хозяина салуна, кажется, почти его настигли.

— О ком вы?

Мужчины обменялись взглядом, и старший объявил:

— Нам нужен Люк Мейджорс.

Лицо Фреда посерьезнело, он пристально посмотрел на вошедших.

— Награда за Мейджорса отменена. Так что можете ехать дальше. Его больше не разыскивает закон.

— Закон, может, и не разыскивает.

— И никто не разыскивает.

— Мы разыскиваем.

— Почему?

— Он мой сын, — произнес Чарльз Мейджорс.

Люк забрал из тюрьмы Элизабет и, усадив рядом с собой в повозку, отправился в Дель-Фуэго, предчувствуя, что радости это ему не доставит. Он собирался неотрывно следить за ней, так как ждать от нее можно было чего угодно. Ему нельзя было ни на минуту терять бдительности, иначе он быстро окажется покойником. В этом он не сомневался.

Когда они выехали из Сан-Антонио, Элизабет была странно тихой. Люк ожидал худшего и не знал, что означает такое поведение. До города оставалось несколько часов езды, когда она наконец заговорила:

— Где ваша напарница?

— Коди мне не напарница.

— Тогда ваша подруга.

— И не подруга.

— Правда? Тогда почему же вы были вместе?

— Мы оказывали услугу Джеку.

— Джеку? — Она быстро взглянула на него.

— Вы оказались не так уж и ловки, как думали. Вы не убили Джека, не убили своего мужа и упустили шанс убить меня.

— Мы еще не в Дель-Фуэго, Люк Мейджорс. Вы уверены, что у вас хватит пороху доставить меня туда в одиночку?

Слова ее должны были задеть его за живое, но Люк даже бровью не повел.

— Я и раньше имел дело с подобными вам, — заметил он, — только они были не в юбках.

— Я принимаю это как комплимент, — промурлыкала она.

— Принимайте, как хотите. Вы убийца, а я убийц не люблю.

— Какая жалость, — насмешливо протянула Элизабет. — А я-то все это время считала вас кем-то особенным.

Люк пожал плечами;

— Вы ошибались.

— Очевидно, так.

Она снова замолчала, чем очень порадовала Люка. Им еще предстояло ехать довольно долго, и перспектива выслушивать ее заигрывания его не прельщала.

Они продолжали путь, не останавливаясь, пока совсем не стемнело. Перед рассветом Люк разбудил ее, и они снова поехали дальше. Вскоре после полудня на горизонте показался Дель-Фуэго.

Люку осточертел этот город, он не хотел иметь с ним ничего общего, но сейчас должен был сознаться, что ужасно рад его видеть. Он дождаться не мог, когда наконец избавится от Элизабет и покинет эти края. Люк собирался съездить на ранчо навестить Джесса, а затем направиться на запад, скорее всего в Аризону. Он слышал, что на ее просторах есть работа для всех.

Не успели они въехать в город, как разнеслась весть, что он привез Элизабет. К тому времени как он поставил повозку перед конторой шерифа, собралась большая толпа. Люк помог женщине сойти на землю и, обернувшись, увидел, что Фред уже стоит на пороге, поджидая их.

— Я послал помощника найти Джека. Давай ее сюда, — сказал Фред. — Где Коди?

— Она осталась в Сан-Антонио.

Вместе они быстро препроводили Элизабет в камеру и надежно заперли дверь.

— Привет, Фред, — мило улыбнулась она.

Он смерил ее ледяным взглядом и молча отвернулся.

— Хэдли в сосновом ящике?

Люк кивнул:

— Иначе не получилось.

— В объявлении говорилось «живых или мертвых». — Фред пожал плечами. Хэдли не был человеком, по которому стоило лить слезы.

В этот момент на пороге показался Джек. Он видел гроб на улице и, заметив за решеткой камеры Элизабет, направился прямо к Люку, чтобы поздороваться.

— Вы сумели их схватить! Где Коди?

— Я только что задал ему этот вопрос, — вставил Фред.

— Она решила остаться в Сан-Антонио. Оттуда я вез Элизабет один.

Джек снова поглядел в сторону камеры:

— Подождите здесь. Я хочу ей кое-что сказать.

Он направился к отделявшей камеры решетке, остальные отошли подальше.

— Привет, Элизабет.

— Что ж, Джек, — холодно откликнулась она. — Не могу сказать, что рада видеть тебя живым и здоровым.

— Ты и в самом деле меня одурачила.

— Это было нетрудно. И не тебя одного.

— Да уж. Но все хорошее рано или поздно кончается.

— Разве я была не хороша с тобой, Джек? — проговорила она голосом, полным страсти, прижавшись к прутьям решетки.

На какое-то мгновение в глазах его мелькнула тоска, но он тут же отвернулся и пошел прочь.

— Прощай, Элизабет.

Подойдя к Люку, он спросил у него:

— Где вы их нашли?

— Мы проследили их до Галвестона и, к счастью, догнали, до того как они успели отплыть. Гоняться за ними по Новому Орлеану было бы не очень-то легко.

— Отличная работа! Я прослежу, чтобы вы получили вознаграждение немедленно. За Эль Дьябло полагается тысяча, и еще пять сотен — за Хэдли.

Люк пожал плечами. Почему-то деньги его больше не волновали.

— Отдай мне сотню, которую обещал, а остальные отправь целиком Коди.

— Ты не хочешь брать свою долю?

— Нет.

— Хочешь сам ей отвезти и заодно сообщить, что благополучно сюда добрался?

— Нет. Сомневаюсь, что снова с ней увижусь. Ты был прав насчет нее, Джек. Она хорошо работает. Чертовски хорошо.

— Ты тоже. Вы сделали это вдвоем. Покончили с бандой Эль Дьябло.

— Слышал что-нибудь от Стива?

— Вчера получил телеграмму. Они повстречали охотника за наградами Рида неподалеку от Рио-Нуэво. Он успел арестовать еще двоих членов банды и вез их шерифу.

— Коди будет рада это слышать.

— Я сообщу ей об этом, когда буду посылать ей телеграмму. Ты собираешься отправиться в «Троицу» прямо сейчас? — поинтересовался Джек.

— Могу и сейчас.

— Дай мне пять минут. Я захвачу твои деньги и поеду с тобой.

Люк удивился, что Джек решил его сопровождать на ранчо, но, с другой стороны, теперь напряжение, связанное с Эль Дьябло разрешилось, и, видимо, Джек собрался навестить его и отдохнуть, как в старое время.

— Ладно. Я подожду тебя здесь.

Джек повернулся к выходу, но в этот момент в дверь буквально ворвалась Сара Грегори.

— Это правда? — воскликнула она, обращаясь ко всем сразу. Голос ее прерывался, она бежала всю дорогу от дома. — Ее доставили сюда? Элизабет здесь?

— Да, Сара, она здесь, — сочувственно ответил Фред.

— Я должна с ней поговорить. Должна ее увидеть.

— Она в задней камере, — объяснил шериф. — Хочешь, чтобы я сопровождал тебя?

— Зачем? Мне не грозит никакая опасность. Она не может причинить мне больше вреда, чем уже причинила. Я просто хочу поглядеть ей в глаза и сказать все, что о ней думаю.

— Тогда давай.

Сара размеренным шагом прошла мимо троих мужчин и приблизилась к решетке.

Элизабет услышала голос Сары и присела на койку, поджидая ее. Вид у нее был уверенный, даже, пожалуй, надменный.

— Значит, поймали тебя, — с издевкой проговорила Сара.

— Как видишь, — скучающим тоном отозвалась Элизабет, без интереса ожидая, что сейчас последует.

— Я очень рада этому. Жаль только, что они не пристрелили тебя так же, как твоего братца.

Элизабет, казалось, даже не заметила этих слов.

— Как ты могла, Элизабет? Что ты за человек, если хладнокровно убила моего мужа, а потом явилась ко мне в дом выражать сочувствие? Что ты за человек, если смогла спланировать ограбление банка и велела стрелять в собственного мужа?

— Ты закончила? — равнодушным тоном спросила Элизабет.

Ее спокойствие еще сильнее разъярило Сару.

— Не понимаю, как я не сумела тебя разгадать?

— Потому что ты такая же тупая, как и остальные простаки, проживающие в этом жалком подобии города.

Сара вздрогнула:

— Мы оказались не такими уж простаками, раз тебе не удалось уйти от расплаты!

— Нет, мне это удавалось довольно долго! — Элизабет встала и, вызывающе улыбаясь, смотрела прямо в глаза Сары. — Меня тошнит от тебя. От всех вас! Тебе невдомек, что Сэм оставался с тобой только потому, что имел меня.

— Что?! — Сара побелела. — Что ты сказала?

— Объяснить поподробнее? Повторить по буквам? Я спала с Сэмом. Я, Сара, получала от него много ценной информации. Он всегда знал, что происходит, а я передавала все сведения прямехонько Хэдли и его банде.

— Ах ты маленькая...

— И он получал большое удовольствие со мной в постели. Я удовлетворяла его, как надо. Полагаю, если бы ты была такой хорошей женой, как утверждаешь, он не лез бы ко мне в постель. А он ведь лез!

Сара повернулась и механической походкой, словно закоченевшая, тихо пошла прочь.

— До свидания, Сара, голубушка. Приходи опять, поболтаем. — Элизабет вернулась к койке и снова уселась на нее.

— Сара, с тобою все в порядке? — спросил Фред, видя, с каким лицом она отошла от камеры.

Они все слышали уничтожающие слова Элизабет и понимали, как пронзили они сердце несчастной вдовы.

Фред приблизился к ней, полагая, что она нуждается в поддержке.

Но единственная поддержка, которая была нужна Саре, висела у него на поясе. Когда он поднял руку, чтобы положить ей на плечо, она схватила его пистолет и бросилась обратно к решетке.

— Это тебе за Сэма! — закричала она, снова и снова спуская курок.

Фред, Люк и Джек рванулись за ней. Люк добежал первым и выхватил из ее рук пистолет, но было поздно. Окровавленная Элизабет распласталась на полу камеры.

Силы покинули Сару, она обмякла в руках Фреда, повторяя:

— Она это заслужила! Она убила Сэма.

— Знаю, Сара, — успокаивал ее Фред, почти вынося из камеры. — Знаю.

Проходя мимо Джека, он передал ему ключ от камеры. Джек быстро вошел туда и склонился над Элизабет.

Входная дверь распахнулась, толпа повалила внутрь.

— Что случилось? Мы слышали выстрелы!

— Эль Дьябло ранена, — объявил Фред.

Приветственные крики вырвались из глоток ворвавшихся, они стали протискиваться вперед, стараясь разглядеть, что творится в камере.

— Кто-нибудь, позовите доктора.

Внезапно толпа расступилась, очистив проход, по которому женщина-сиделка катила инвалидное кресло с Джонатаном Харрисом. Ноги его были прикрыты одеялом.

— Что это за стрельба? Где она? Я хочу увидеть Элизабет! Я хочу видеть свою жену!

Люку удалось оттеснить горожан к выходу и закрыть дверь.

— Сюда, Джонатан, к решетке, — произнес Фред, помогая Саре сесть на стул. — Ее застрелили.

— Что?

— Я застрелила ее, Джонатан. Она лгала мне. Она убила Сэма и велела убить тебя, — монотонным голосом бубнила Сара. — Я надеюсь, что она мертва.

Джонатана подкатили к камере в ту минуту, когда Джек выпрямился и вышел из-за решетки.

— Сожалею, но ничего сделать нельзя. Она умерла, — объявил он.

Джонатан застыл в кресле, устремив глаза на труп жены.

— Отлично, — решительно произнес он. Затем он вынул руку из-под одеяла и нежно погладил пистолет, который там прятал. — Кажется, он мне теперь не понадобится. Сара уже обо всем позаботилась.

Ухаживающая за ним сиделка ахнула, потрясенная видом оружия. Она и не подозревала, вывозя его из дома, что он успел вооружиться.

— Увезите его отсюда, — сердито приказал Фред. — И, Джонатан, будьте поосторожнее с этой проклятой штуковиной!

Когда Джонатана покатили прочь, он блаженно улыбался. В дверях они столкнулись с доктором.

— Не торопитесь, док, она мертва.

Толпа снаружи здания услышала новость и радостно завопила. Банда Эль Дьябло уничтожена. Больше не будут бандиты терроризировать всю округу.

Доктор быстро осмотрел тело и подтвердил то, что они уже знали. Эль Дьябло была убита так же, как убивала сама. Гробовщик забрал ее, дело было закрыто.

Когда толпа разошлась и возбуждение спало, Джек посмотрел на Фреда:

— Что ты собираешься делать с Сарой?

Она все еще продолжала тихо сидеть на стуле, безобидная немолодая женщина с опустошенной душой.

— Не знаю. Наверное, ей придется предстать перед судьей, когда будет слушание, но он вернется только через две недели. А сейчас, по-моему, нам надо просто отвести ее домой. Она никому не опасна.

И Джек, и Люк, оба понимали, что он прав. Фред помог ей подняться на ноги, и они направились к выходу.

Сара оглянулась на Люка:

— Спасибо, что нашли ее и привезли сюда.

Люк кивнул, и Фред вывел ее за порог.

Джек грустно покачал головой, провожая их взглядом.

— Хочешь, подожди меня здесь, а хочешь, пойдем за деньгами ко мне в гостиницу.

— Я лучше пойду с тобой. Тогда мы сразу после этого поскачем в «Троицу». Тут вроде все закончено, — говоря это, Люк думал о Хэдли, Эль Дьябло и Коди.

— Закончено, — подтвердил Джек.

Вскоре они уже были на пути к «Троице».

— Ну, так каково работать со знаменитой Коди Джеймсон?

— Сложно. Надо все время быть начеку. Она по-настоящему умна и ловка. Ты знал, что ее отец был шерифом и его убили?

— Нет, но это объясняет, почему она так отлично ловит преступников.

Люк рассказал ему, как проходила погоня. Рассказал все... вернее, почти все.

— Почему она не вернулась с тобой сюда? Я надеялся увидеть ее снова.

— Она не объяснила. Полагаю, просто хотела поскорее попасть домой.

— Ладно. Ты тоже сейчас едешь домой.

— Уже нет.

— Почему? О чем ты говоришь? Налоги у тебя уплачены. В кармане сотня долларов, чтобы продержаться, пока ранчо не начнет приносить доход. Все отлично.

— Я собираюсь продать ранчо.

— Что? — Джек так изумился, что натянул поводья и придержал коня. Он глядел на друга как на сумасшедшего.

— Я продам «Троицу» любому, кто ее купит. Я уезжаю. — Он невесело улыбнулся. — Я наконец понял, что не могу вернуться в прошлое, когда мы были молодыми. Те дни ушли навсегда и больше не повторятся.

— Ты не прав. — Джек пришпорил коня и рванулся вперед, зная, что единственный довод, способный заставить Люка изменить решение, ждет его в «Троице».

— Нет, прав. Я покидаю Техас. Думаю отправиться в Аризону.

— Подожди складывать вещи.

— Почему? Ничто не изменит мое решение.

— Посмотрим.

— О чем ты толкуешь? Я много времени провел в седле, размышляя о жизни и о себе.

Как раз когда он договорил эту фразу, они поднялись на холм.

— Все верно, но, принимая решения, тебе никогда раньше не приходилось учитывать мнение других.

— Других? — Люк искоса глянул на Джека, соображая, не догадался ли тот о его чувствах к Коди. Но Джек смотрел вперед, на здание ранчо, и указывал на лишних лошадей у коновязи.

— Тебя дома ждет... общество, Люк.

— О чем ты?

Проследив за взглядом Джека, он увидел этих коней и нахмурился.

— Кто там может быть, кроме Джесса?

— Поезжай и посмотри. — Джек загадочно улыбнулся, совсем смутив Люка.

Он пришпорил коня и послал его в галоп. Люк не знал, что его ожидает, но вдруг понял, что что-то особенное... кто-то особенный...

Когда он подскакал к дому, на пороге появился Джесс и еще двое мужчин, которых издали он не мог узнать. Придержав лошадь у коновязи, Люк уставился на этих троих, не веря своим глазам.

— Добро пожаловать домой, сын, — произнес Чарльз Мейджорс.

Глава 31

Люк спрыгнул на землю и бегом кинулся к отцу. Они обнялись, не сдерживая слез.

— Ты жив! — бормотал Люк.

— И ты тоже! — прерывающимся от слез голосом повторял Чарльз. — Я боялся, что никогда тебя не увижу... никогда не найду.

Не разжимая рук, он немного оттолкнул сына от себя, чтобы полюбоваться им. Они разглядывали друг друга со страхом и любовью.

Глаза Люка скользили по лицу и фигуре отца. Усы и волосы Чарльза Мейджорса стали совсем белыми, но в остальном он, казалось, не изменился.

— Привет, Люк, — произнес Дэн, спускаясь к ним с крыльца.

Люк перевел взгляд на брата. Когда они виделись в последний раз, тот был еще юношей. Сейчас перед ним стоял мужчина, закаленный невзгодами.

Люк узнавал в нем свои черты: высокий, темноволосый, с такими же синими глазами.

Чарльз отпустил Люка, чтобы он мог обнять брата. Разомкнув наконец объятия, они прошли в дом. Им столько надо было рассказать друг другу. Джек вытащил что-то из седельной сумки и последовал за ними. Джесс занялся лошадьми приехавших.

— Для такого случая я кое-что припас, — объявил Джек, протягивая бутылку великолепного бурбона, той же самой марки, которую они пили до войны.

Ухмыляясь от уха до уха, Люк хлопнул его по спине.

— Ты знал, что они здесь?

— Поэтому-то я и поехал с тобой. В твое отсутствие они появились в городе, расспрашивая о тебе, и Фред поначалу принял их за охотников за наградой.

Чарльз хохотнул, вспоминая, как это было.

— Но когда мы ему объяснили, почему хотим тебя видеть, он нам очень помог. Отвел нас к Джеку, а Джек привез нас сюда — ждать твоего возвращения.

Люк снова обнял отца:

— Поверить не могу, что мы опять вместе. Что с вами произошло? Где вы были после войны? Мне сказали, что вы погибли.

— Мы не погибли в битве. Нас взяли в плен и отправили в лагерь. Оттуда мы вышли только по окончании войны и пешком пошли домой.

— Ты знаешь, что мы там застали, — негодующе добавил Дэн.

— Знаю. Это и разорвало окончательно мою связь с прошлым. После я отправился на Запад и с тех пор веду бродячую жизнь. Как вы сумели меня найти?

— Мы искали долго и упорно, — устало сказал Чарльз. — Но оно того стоило. Каждая миля, каждый час. Ведь теперь мы с тобой.

— Мы услышали в Галвестоне, как кто-то упомянул твое имя, и с этого момента шли по следу... и пришли сюда. Мы ведь понятия не имели, где ты можешь быть, так что, когда всплыло твое имя, причем именно в ту минуту, при нас, это было как дар Божий. Если бы не тот случайный разговор, мы бы до сих пор тебя искали.

— И возможно, так бы и не нашли, — кивнул Дэн.

— А теперь ты здесь, и у тебя это ранчо... снова как дома... Это замечательное место, сын, — с энтузиазмом воскликнул Чарльз. — Джесс рассказывал мне, как ты упорно трудился до всех этих неприятностей. Наверное, последние два месяца показались тебе адом. Так ведь?

— Да, нелегко пришлось, но главное — мы прикончили банду Эль Дьябло.

— Вы? Ты с Джеком?

— Плюс Коди Джеймсон.

— Да? Он так хорошо ловит преступников?

— Да, только не он, а она, — вмешался Джек. — Женщина, и к тому же отличная охотница за наградой. Они с Люком только что захватили главарей бандитов, Эль Дьябло и ее брата.

— Я горжусь тобой, сын, — заявил Чарльз. — Возможно, теперь и в городе к тебе будут относиться иначе, не так подозрительно.

— Вообще-то я подумываю продать ранчо и двинуться дальше, — нерешительно сказал Люк.

— Но почему? — торопливо заговорил Дэн. — Здесь так красиво. А если тебе нужна помощь, мы будем работать бок о бок с тобой, чтобы все наладить.

— Ты хочешь остаться со мной, зная, что произошло недавно в городе? Со мной так получается уже много лет подряд.

— Люк, мы семья, — рассердился Чарльз. — Ты мой сын. Джек рассказал мне, как в тебе ошибались, но сейчас твоя невиновность доказана. Так что прекрати убегать. Останься и дерись за то, что любишь и во что веришь.

— Если ты хочешь, чтобы это ранчо стало доходным, мы с тобой, — предложил Дэн.

Перед этим Люк решил подавить свою любовь к «Троице». Он приготовился продать ранчо за любую предложенную цену и, не оглядываясь, уехать отсюда навсегда. Но теперь, когда появился шанс остаться, снова обрести дом и семью, теперь он точно знал, чего хочет. Широко улыбаясь, он обратился к отцу и брату:

— Добро пожаловать домой. «Троица» теперь станет ранчо семьи Мейджорс, а не просто владением Люка Мейджорса.

Четверо мужчин подняли тост за будущее «Троицы» и всю ночь проговорили о том, что планирует сделать Люк по разведению лошадей. Когда наконец они отправились спать, будущее ранчо было определено. Они обязательно добьются успеха. Ведь они теперь вместе.

На следующее утро, позавтракав вместе с Мейджорсами, Джек приготовился уезжать. Седлая коня, он объяснил:

— Мне надо вернуться в город. Банда Эль Дьябло уничтожена, так что я дождусь, пока не приедут Стив с Ридом и бандитами, которых он поймал, а потом уеду на следующее задание.

— Только помни, что «Троица» твой дом тоже, — сказал ему Люк. — Ты один из нас, Джек. Возвращайся, когда сможешь.

Они пожали друг другу руки, и Джек вскочил в седло.

— Берегите себя, — на прощание улыбнулся Джек.

— Постараемся.

Джек пустил коня в галоп, а трое Мейджорсов провожали его взглядом, пока он не скрылся из вида.

Затем они вернулись на ранчо, ставшее их домом и надеждой. Они снова были вместе. И это само по себе было чудом, ниспосланным свыше.

Люк полностью погрузился в работу. Каждый день он вставал на рассвете и трудился допоздна. Теперь у него была мечта — процветающее ранчо. Он построит жизнь с нуля, станет разводить коней и скот, снова научится радоваться жизни. Тем более что отношение горожан к нему переменилось. Это было заметно, когда он ездил в город за припасами. Фред позаботился, чтобы все узнали о его невиновности, и теперь торговцы и остальные жители городка стали дружелюбнее. Снова стоило жить.

Дни сливались в недели, затем в месяцы, приобретая чудесную монотонность покоя.

Но сколько бы Люк ни выматывал себя непрерывной работой от зари до зари, ночи его были по-прежнему тревожны. Часто он просыпался перед рассветом, задыхаясь от тоски по Коди. В мучительных снах мелькали вперемежку образы сестры Мэри, Армиты и Коди. В этих видениях она гналась за ним, ловила, любила, пока он не просыпался, дивясь тому, как мог ее отпустить от себя. Дэн часто заставал его, уже одетого, встречающим на крыльце восход солнца.

Люк вспоминал Галвестон и ту ночь, когда Хэдли держал пистолет у виска Коди. Если бы с ней что-то случилось, он бы не успокоился, пока не убил Хэдли или сам не погиб в попытке отомстить за нее. Он ее любил.

Оглядываясь на прошлое, он осознал, что любовь к Клариссе, вернее то, что он считал тогда любовью, было лишь ее жалким подобием. Его чувство к Коди было глубоким и неизменным. Оно не стерлось в разлуке, а наоборот, усилилось. Он все так же ее хотел, тосковал по ней непрерывно и не мог ничего с этим поделать.

Люк отпустил ее, потому что не мог предложить ей достойной жизни. Но теперь, когда рядом с ним были отец и брат и он не собирался никуда двигаться со своего ранчо, они могли бы устроиться здесь. Могли бы построить свою жизнь.

Однако он все еще колебался. Той ночью в Сан-Антонио Коди сама его покинула. Наверное, нет, наверняка она не всерьез прошептала ему слова любви. Они просто были частью окутавшего их жаркого мрака.

Однажды днем он чинил изгородь и вдруг увидел, что к нему скачет всадник. Прервав работу, он пошел к нему навстречу и узнал Фреда.

— Рад видеть тебя, Люк, — приветствовал его шериф.

— Что привело тебя в такую даль?

— У меня тут для тебя кое-что имеется. Мне подумалось, что ты захочешь получить это сразу. — И он передал Люку толстый конверт.

Люк открыл его и увидел, что он набит деньгами.

— Это еще за что?

— Там внутри письмо от Коди Джеймсон. Она прислала его мне с просьбой передать тебе. Очевидно, это половина денег за поимку Хэдли и Элизабет.

Люк развернул послание и прочитал:

«Дорогой шериф Халлоуэй!

Пожалуйста, проследите, чтобы Люк Мейджорс получил свою законную долю нашего вознаграждения. Он его более чем заслужил.

Искренне ваша

Коди Джеймсон».

— Здесь почти восемьсот долларов. Поэтому я решил привезти их лично.

Люк изумленно посмотрел на деньги. Он сказал отослать всю награду Коди, потому что это ведь было то, ради чего она работала. И вот теперь она разделила награду с ним.

— Спасибо, Фред. Очень тебе признателен.

— Надеюсь, они тебе помогут.

— Хочешь остаться пообедать?

— Не откажусь.

За вечерней трапезой Фред развлекал Чарльза и Дэна рассказами о подвигах Коди, о которых поведал ему Джек.

— Как же случилось, что ты нам об этом даже не упоминал? — спросил Чарльз, пристально вглядываясь в лицо сына.

— Особенно рассказывать было нечего.

— Ты считаешь, что само ее умение перевоплощаться не стоит отдельного разговора?

— И сколько же раз она тебя одурачила? — со смехом спросил Дэн.

— Три раза, — ответил он, криво усмехнувшись.

— Хотелось бы мне когда-нибудь с ней повстречаться.

— Мне тоже, — кивнул Чарльз.

Не говоря ни слова, Люк поднялся из-за стола и, выйдя наружу, устремил свой взгляд вдаль. Солнце садилось, и небо на западе полыхало золотыми и розовыми полосами огня. Это было прекрасное зрелище. И ранчо было замечательное. И воссоединение с семьей... Но Люк ощущал, что какая-то часть его сердца, его души утрачена. Был только один путь это исправить.

— Ты любишь ее, сын? — раздался у него за спиной тихий голос отца.

— Да, люблю, но я никогда не говорил ей об этом, — вздохнул Люк.

— А ты не думаешь, что пора сказать?

Люк долго смотрел на небо, потом ответил:

— Можете вы с Дэном и Джессом позаботиться о делах?

Чарльз улыбнулся:

— Люк, если ты ее любишь, поезжай и привези ее домой.

Люк выехал той же ночью вместе с возвращавшимся в город Фредом. На следующий день он поскакал в Сан-Антонио.

— Мне нужно встретиться с Коди Джеймсон, — сказал Люк Нэту Томпсону, разыскав его в конторе шерифа Сан-Антонио.

— Простите, Мейджорс, но в этом я вам не могу помочь.

Люк уставился на него.

— Но почему? Вы же знаете, что я работал с ней по поимке Эль Дьябло. Почему вы не можете сообщить мне, где она живет?

Какое-то время Нэт изучал Люка, затем сказал:

— Я ничего вам не скажу, потому что в то утро, когда вы уехали в Дель-Фуэго, она оставила мне записку с просьбой ничего не говорить о ней, если вы станете расспрашивать. Я уважаю ее волю.

— Спасибо, — пробормотал Люк, покидая тюрьму.

Он был раздосадован, но вспомнил, как Коди выслеживала людей. Он многому научился, работая с ней, и теперь решил воспользоваться ее уроками. Один за другим он обошел все магазины города, пока в одном из них клерк не ответил на его вопрос:

— Конечно, семья Джеймсон живет неподалеку от города. В получасе езды, прямо на север.

Он даже вышел на улицу показать Люку направление.

Люк поблагодарил его и отправился на поиски женщины, которую любил.

Глава 32

Люк стоял и смотрел сверху вниз на Крадущегося-в-Ночи. Старик остановил его на въезде в усадьбу Джеймсонов. Лицо индейца было непроницаемым, впрочем, Люк даже не пытался разгадать его мысли. Теперь он ясно понимал, чего хочет. Ему нужна была Коди, и он собирался найти ее во что бы то ни стало.

— Мне нужно поговорить с ней, — сказал он Крадущемуся-в-Ночи. — Это очень важно.

Крадущийся-в-Ночи разглядывал его с тем же бесстрастным видом.

— Послушайте, я все равно найду ее, с вашей помощью или без нее. Мне легче будет это сделать, если вы скажете, где она сейчас, но так или иначе я собираюсь с ней поговорить.

— Почему вы хотите говорить с ней? Почему снова возвращаетесь в ее жизнь именно сейчас? —

наконец произнес индеец. Пронзительный взгляд его черных глаз не отрывался от лица Люка.

Люк надолго замолк, собираясь с мыслями. Если он хочет, чтобы старик помог ему, он должен набраться мужества и сказать о своих чувствах. От него требуется полная искренность.

— Потому что я люблю ее. Я хочу жениться на ней... если она согласится.

Впервые за их знакомство Люк увидел отражение каких-то эмоций на суровом лице индейца. Тот кивнул и спросил:

— Какой сегодня день недели?

Люк был ошарашен вопросом. «Какой сегодня день недели?» Какая разница? И какое это имеет отношение к его желанию увидеть Коди?

— Среда. Ну и что? — резко ответил он.

Индеец снова кивнул, продолжая вглядываться в Люка, изучая его лицо, стараясь понять, правду ли он говорит.

— Вы найдете Коди в дилижансе, направляющемся в Вако. Вам придется как следует гнать коня, чтобы ее догнать.

— Я в ад отправлюсь, лишь бы ее найти.

Крадущийся-в-Ночи позволил себе улыбнуться. Ему хотелось бы поехать с этим парнем и увидеть его лицо, когда он догонит дилижанс.

— Спасибо. — Люк вскочил на лошадь. Он подумывал было встретиться с ее теткой, братом и сестрой, но это приходилось отложить на потом. Теперь же ему нельзя было терять время, он и так слишком долго был с ней в разлуке.

Крадущийся-в-Ночи проводил его взглядом и на этот раз улыбнулся широко.

Переполненный дилижанс катился по неровной дороге на Вако. Коди сидела, зажатая между дремлющим пожилым мужчиной и полной добродушной женщиной. Напротив сидели двое вооруженных ковбоев и человек в очках, похожий на коммивояжера.

Коди не знала, почему она это делает. Наверное, сошла с ума, но ей было просто необходимо уехать из дома. Она больше не могла оставаться там, постоянно думая о Люке. Он никогда не приедет за ней. Он ее не любит. И никогда не любил. Ей следует с этим смириться.

Вздохнув, она положила руку на округлый холм живота. Как же неловко и неудобно быть такой огромной.

— Это у вас первый ребенок? — спросила любопытная полная соседка.

— Да, — ответила Коди с улыбкой, в которой смешались радость и горечь. — Мы с мужем очень волнуемся.

— Муж встретит вас в Вако?

— Нет, я еду дальше, в Абилену.

— Смотрите берегите себя. Вся эта тряска вам ни к чему.

— Но ведь это такое приключение. Не правда ли? — И Коди вцепилась в сиденье, так как им попался особенно здоровый ухаб.

— Мне не по душе, что вы путешествуете совсем одна.

— Моя семья тоже беспокоится, но все будет хорошо, лишь бы скорее туда добраться.

— Меня зовут Мэри Брэдшоу, и если вам понадобится что-либо, только дайте мне знать. — Она сочувственно похлопала Коди по руке. Она была доброй женщиной, а эта молодая будущая мама выглядела такой одинокой и несчастной, что ее материнские инстинкты сразу же взыграли.

— Я так и сделаю.

Они ехали дальше. Хотя Коди знала дорогу, но почему-то в этот раз она казалась ей бесконечной. Однообразие пути ее почти убаюкало, как вдруг она услышала предупреждающий крик возницы, дилижанс стал замедлять ход и наконец совсем остановился.

Старик сосед попытался выглянуть в окошко, но не смог ничего увидеть. Два ковбоя напротив с досадой переглянулись, а коммивояжер пробудился ото сна.

— Любопытно, что происходит? — промолвила миссис Брэдшоу, напряженно стараясь что-нибудь разглядеть. — О Боже!

— Что такое? — спросила Коди.

— Кучер спрыгнул с козел и теперь идет сюда с каким-то мужчиной, который ведет на поводу лошадь.

— Может быть, у него конь захромал, и теперь он просится подвезти, — сказал кто-то из мужчин.

— Но ему сюда ни за что не втиснуться, — возмущенно фыркнула миссис Брэдшоу. — Здесь и так переполнено. Ему придется ехать на козлах.

Кучер открыл дверцу, и шедший за ним мужчина шагнул вперед, чтобы заглянуть внутрь.

Коди ахнула, сердце подскочило к горлу. Люк! Это был Люк... Она чуть не бросилась из дилижанса ему в объятия, но сразу же замерла. Не сейчас. Она не может.

Люк всмотрелся в пассажиров и застыл на месте. Коди сидела внутри, все верно... но она была беременной! Беременной!!!

Люк не мог вымолвить ни слова. Все мысли испарились. Он лишь смотрел на нее с изумлением и восторгом. Она была беременна! Его ребенком!

Он тут же стал корить себя за то, что так долго оставался вдали от нее. Но откуда ему было знать? Она ни словечка не написала. Ничего не сообщила. Она что, собиралась родить его ребенка и растить его одна? Не давая ему знать? Сердце его заныло от мысли, что она так его ненавидит. Он должен все выяснить прямо сейчас!

После долгого молчания Люк наконец выговорил:

— Нам надо поговорить.

Объясниться ей в любви было для него слишком важно, и он не хотел делать это перед таким количеством народа.

— Вы ее муж? — требовательно спросила миссис Брэдшоу, не понимая, что нужно этому взъерошенному запыленному ковбою от милой молодой женщины, сидевшей рядом с ней.

— Собираюсь им стать, — ответил он. — Если она за меня выйдет.

Коди чуть не застонала от досады.

— Она уже замужем, — объявила миссис Брэдшоу.

— Как? — Люк в ужасе взглянул на нее. Неужели она вышла замуж, чтобы дать имя его ребенку? От такой возможности ему стало плохо.

— Люк, нам надо поговорить. — Она с трудом пыталась выбраться из тесноты.

Совершенно растерявшаяся от происходящего миссис Брэдшоу помогла ей. Эта молодая женщина уже замужем. Вроде бы так. Или... или она ждет ребенка без мужа? Какой ужас!

Люк бережно взял Коди за руку, помогая сойти на землю. Взгляд его переходил с ее лица на живот и обратно.

— Не слишком задерживайтесь. Мне надо соблюдать расписание, — сказал возница, когда Люк отвел ее на некоторое расстояние от дилижанса.

— Спасибо, что остановились, — поблагодарил Люк, а затем повернулся к ней: — Коди... мне очень жаль. Я не подозревал об этом.

— Люк, я, право же, не хочу сейчас это слушать.

— Когда же, если не сейчас? Неужели то, что сказала эта леди, правда? Ты вышла за кого-то замуж, чтобы дать имя моему ребенку? Крадущийся-в-Ночи ничего не сказал об этом. Если бы только...

— Но ты пришел, — сказала она, чувствуя, что любовь к нему расцветает пышным цветом, переполняя ее. — Ты приехал ко мне.

— Как я мог не приехать? Я же люблю тебя, Коди. Если бы я знал о твоем состоянии, я был бы здесь еще раньше. Мне понадобилось время, чтобы понять все то, что было между нами, понять, что я не могу без тебя. Я не хочу потерять тебя. Я хочу всю оставшуюся жизнь провести с тобой. Ты выйдешь за меня замуж? — Слова, которые он считал самыми тяжелыми в своей жизни, легко слетели с языка. Он действительно любил ее и хотел, чтобы она это знала. Ему было просто необходимо сказать ей об этом.

— Люк, я не могу, — запинаясь, проговорила она, оглядываясь на дилижанс.

— Ты вышла замуж?

— Нет, дело не в этом. Просто сейчас не время и не место обсуждать такие вещи.

— Если ты незамужем, то сейчас идеальное время все обсудить. По правде говоря, мы и так опоздали с этим на несколько месяцев. Коди, выходи за меня замуж.

Он потянулся заключить ее в объятия, но она отстранилась.

— Люк, не надо.

— Я тебя не понимаю.

— Подожди здесь, не сходя с места, — ответила она, с досадой поворачиваясь к дилижансу. — Только не забудь свои слова.

— Что?

Коди подошла к другой стороне дилижанса, противоположной той, с которой спустилась, и отворила дверцу.

— В чем дело, моя милая? Что хочет от вас этот молодой человек? — с живейшим интересом осведомилась миссис Брэдшоу. Кто бы мог подумать, что скучная поездка так преобразится? Так замужем эта девушка или нет? Кем приходится ей этот высокий красивый незнакомец?

— Я все расскажу вам через минуту, миссис Брэдшоу, но сначала мне надо кое-что сделать.

— Что такое?

— Вот это, — объявила Коди, открывая висевшую у нее на запястье сумочку и доставая оттуда пистолет и печатное объявление о розыске. — Майкл Дентон, вы арестованы.

Коди направила пистолет на робкого коммивояжера, при этих словах побелевшего как мел.

— Нет! — завопил он, вцепившись в свой чемоданчик и пытаясь улизнуть через другую дверцу. — Вы не можете вернуть меня обратно!

Но подскочивший Люк схватил его за руку и не дал сбежать.

— Коди, что дальше? — Люк посмотрел на нее поверх голов сидевших пассажиров.

— Держи его, Люк. Он разыскивается за мошенничество. У меня с собой объявление, подтверждающее это. — Она обошла дилижанс, чтобы предъявить его человеку, которого выслеживала много дней. Она собиралась произвести арест в Вако, однако и это место было ничем не хуже. Особенно раз здесь был Люк, чтобы ей помочь.

Кучер дилижанса был ошеломлен случившимся, но быстро пришел в себя и стал помогать, бросив Люку веревку, чтобы он мог связать Дентона.

— Так он преступник? — взволнованная миссис Брэдшоу чуть не кричала.

— Да, мэм, — кивнула Коди. Она наблюдала, как Люк крепко связал Дентона и передал его кучеру, который взгромоздил его наверх, к багажу. Там он проедет всю оставшуюся дорогу.

Люк повернулся к Коди. Он был в ярости от мысли, что она могла как-то пострадать во время ареста.

— Ты что, с ума сошла? Выкидывать такие штучки в твоем положении? Ты могла навредить себе и нашему ребенку.

Коди ласково улыбнулась. Она знала, что все глаза устремлены на них.

— Люк, нам столько нужно сказать друг другу, но сейчас, пожалуй, не лучшее время для этого.

— Это самое лучшее время. — Он понятия не имел, отчего она так лучезарно улыбается. Они провели много месяцев в разлуке. Он только что узнал, что она ждет его ребенка. Так пусть дает ответ на предложение прямо сейчас!

— Я люблю тебя, Люк.

— Любишь? — Он удивленно уставился на нее. Ему хотелось прижать ее к себе, но что-то в ее взгляде его остановило.

— Но тебе совсем не обязательно на мне жениться, — закончила она свою фразу.

Миссис Брэдшоу, которая свесилась из окна, чтобы слышать, о чем они говорят, так и села на свое место при этих словах и стала обмахиваться платком.

— Боже милостивый! Она ждет от него ребенка, но не хочет за него выходить?! А он-то делает ей предложение! О Боже...

Остальные пассажиры наблюдали эту сцену с не меньшим интересом. Молодая беременная женщина выглядела такой милой и беззащитной. И вдруг она арестовывает одного мужчину и отказывается выйти замуж за второго. Что творится на этом свете? Да, эту поездку в Вако никак не назовешь скучной.

— Но, Коди, я хочу жениться на тебе, — повторил Люк, делая к ней шаг. — Выходи за меня замуж.

Она подняла руку, удерживая его на расстоянии:

— Оставайся на месте.

Затем она быстро скрылась за дилижансом.

— Что ты там делаешь?

Когда она через пару минут появилась снова, Люк мог лишь потрясенно смотреть на нее. Беременная женщина, которой он предлагал руку и сердце, исчезла. Перед ним стояла тоненькая красивая девушка, которую он хорошо знал.

— Значит, это был маскарад, — изумленно произнес он и нахмурился.

— О Боже! — раздался слабый возглас из глубины дилижанса. — Вы только взгляните! — Миссис Брэдшоу потрясенно обернулась к своим спутникам, которые все как один высунулись из окон, стремясь увидеть, что будет дальше.

— Я следила за Дентоном. Маскарад сработал. — Коди весело ухмыльнулась, но при виде его нахмуренной физиономии улыбка исчезла.

— Ты могла так поймать не только преступника, — заметил Люк.

— Я же сказала тебе, что жениться на мне не обязательно. Я не хотела обманывать тебя.

Люк поглядел на нее, и она увидела в его глазах грусть.

— Мне понравилась мысль о том, что у тебя будет мой ребенок.

Она подошла к нему и, обвив его шею руками, прильнула к широкой груди.

— Мне тоже эта мысль нравится. Мы можем поработать над ее осуществлением.

— Это не будет работой, — проворчал он и тут же поцеловал.

— Это верно, — выдохнула она.

— Но только если ты выйдешь за меня замуж.

Люк снова поцеловал ее. Она завладела его сердцем, когда была сестрой Мэри, соблазнила в облике Армиты, очаровала в роли старушки и буквально сразила, явившись милой беременной Коди. Она была красивой, щедрой, доброй и любящей. Независимо от того, кого она изображала в данный момент. Он любил их всех. Люк прижал ее к сердцу, зная, что никогда больше не отпустит.

— Я с радостью стану твоей женой.

И Коди поцеловала его, скрепляя свою клятву.

— О Боже, — ахнула миссис Брэдшоу и отвернулась, чтобы их не смущать. Платок в ее руках заработал еще энергичнее, обмахивая раскрасневшиеся щеки, но на губах расцвела улыбка.

Литературно-художественное издание

Смит Бобби

Обманщица

Редактор И.Е. Воробьева
Художественный редактор Н.И. Лазарева
Компьютерный дизайн Н.В. Пашкова
Технический редактор Т.Н. Шарикова

Подписано в печать 14.09.98.
Формат $84 \times 108^{1}/_{32}$. Гарнитура Академия.
Усл. печ. л. 28,56. Тираж 10 000 экз.
Заказ № 0870

Налоговая льгота — общероссийский классификатор продукции
ОК-00-93, том 2; 953000 — книги, брошюры

Гигиенический сертификат
№ 77.ЦС.01.952.П.01659.Т.98. от 01.09.98 г.

ООО «Фирма «Издательство АСТ»
Лицензия 06 ИР 000048 № 03039 от 15.01.98.
366720, РФ, Республика Ингушетия,
г. Назрань, ул. Московская, 13а
Наши электронные адреса:
WWW.AST.RU
E-mail: AST@POSTMAN.RU

Отпечатано с готовых диапозитивов
на Книжной фабрике № 1 Госкомпечати России.
144003, г. Электросталь Московской обл., ул. Тевосяна, 25.